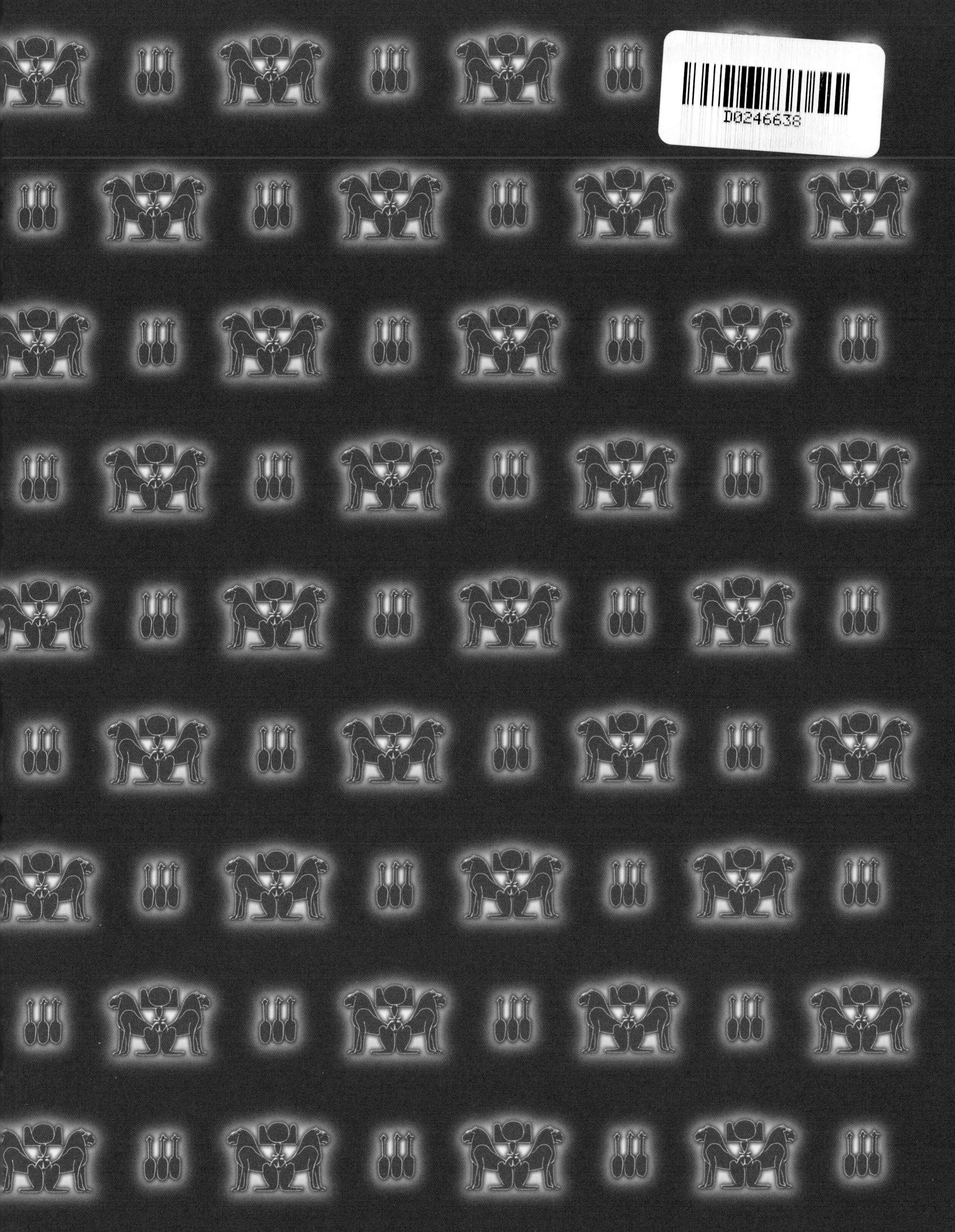

Les
éditions
ZEPHEON
Press inc.

Atlantis'
MESSAGES
de l'Atlantide

Atlantis' MESSAGES *de l'Atlantide*

Jean Louis Pagé

AUTHOR

Jean Louis Pagé

SPECIAL COLLABORATION

Henriette Inkel, APR/ Inkel et Associés Conseils inc.

CREATION AND GRAPHIC REALISATION

Fusion Concept Litho inc.
Denise Inkel, Art Director
Dominique Coutu, Micheline Ethier, Graphic Designers
Denis Bouchon, Christopher Rania, Proof Readers

PHOTOGRAPHS

Le Musée de l'Élysée in Lausanne, Switzerland
Archaeological Museum of Herakleion, Greece
Lehnert / Landrock (Edouard Lambelet), Cairo
The Metropolitan Museum of Art, New York
Glenn Moores, Montreal
Instituto Nacional de Antropologia e Historia, Mexico
Science Photo Library, Londres
Henri Stierlin, Geneva
Frank Teichmann, Germany
Javier Hinojosa, Mexico
Harry Burton, USA

ILLUSTRATIONS

Domenico Valeriano, Italy
Jean-Claude Golvin, France
Atelier Rohrig, Zurich
Ippolito Rosellini, Italy

Every effort has been made to trace the copyright holders and we apologize in advance for any unintentional omissions.

AUTEUR

Jean Louis Pagé

COLLABORATION SPÉCIALE

Henriette Inkel, ARP/Inkel et Associés Conseils inc.

CRÉATION ET GRAPHISME

Fusion Concept Litho inc.
Denise Inkel, Directrice artistique
Dominique Coutu, Micheline Ethier, Graphistes
Denis Bouchon, Christopher Rania, Correcteurs d'épreuves

PHOTOGRAPHIES

Le Musée de l'Élysée de Lausanne, Suisse
Archaeological Museum of Herakleion, Grèce
Lehnert / Landrock (Edouard Lambelet), Le Caire
The Metropolitan Museum of Art, New York
Glenn Moores, Montréal
Instituto Nacional de Antropologia e Historia, Mexico
Science Photo Library, Londres
Henri Stierlin, Genève
Frank Teichmann, Allemagne
Javier Hinojosa, Mexico
Harry Burton, États-Unis

ILLUSTRATIONS

Domenico Valeriano, Italie
Jean-Claude Golvin, France
Atelier Rohrig, Zurich
Ippolito Rosellini, Italie

Tous les efforts ont été déployés pour obtenir les droits de reproduction. Nous nous excusons à l'avance s'il y a des omissions non intentionnelles.

338 boul. Goineau, Laval, Québec, Canada, H7G 3N6

National Library of Canada / Bibliothèque nationale du Canada
National Library of Quebec / Bibliothèque nationale du Québec
ISBN : 0-9688409-0-6

Printed in Canada

Imprimé au Canada

To all of you, from all in me…

À vous tous de tous ceux en moi…

Preface

This book is the phoenix of twenty years of reading and research for my own enrichment, without ever suspecting that a light would dawn allowing me to add my grain of salt to the history of man. This story of Atlantis which still remains alive today as the greatest enigma of the universe. Aside from a few interludes with Nostradamus, my focus has always been the discovery of Atlantis. The more the subject is audacious, the more relentlessly it develops, as Goethe so well said: 'If you want to know infinity, explore the finite limits.' Millions of words and images assembled together too often without recognition by those who have discovered a segment of truth and as well by others who believe they have found something.

Michel de Notre Dame known as Nostradamus introduced me to Elizabeth Bellecour who referred me to her equally brilliant spouse, Albert Slosman. 'Albert, I ask you to accept my thanks post-humously, since without you, I would never have made it.'I must also thank Charles Hapgood for his colossal work on the movement of the terrestrial axis and the indications of the existence of a very advanced civilization whose origin dates back to the appearance of man on the earth. 'Charles, I wanted to invite you to make the trip with me , but I was informed of your death some years ago.'

Dear friends, I found all of you in used bookstores, and I am happy to have the occasion to re-animate you through my readers, who I hope will be numerous, since I have put all my energy into finding you. Enough of nostalgia; I have many other authors and friends to thank, which we will find at opportune moments throughout the book.

The last trace of the distance covered by the survivors of Atlantis (Atlants) is the disk of Phaistos. Testament of a very refined civilization of builders and explorers, the disk reveals, in the pure Atlantis tradition of the golden disk, the entire history of the colonization of the Island of Crete.

The golden disk was traditionally buried in the first monument or edifice following a migration. This practice was for the purpose of identifying a travelled route and the major events it had engendered. As much

Préface

Comment suis-je arrivé à écrire ce livre ?
Une histoire de 20 ans de lecture et de recherches par intérêt personnel, sans jamais penser voir poindre la lumière ou ajouter mon grain de sel à l'histoire de l'homme. Cette histoire de l'Atlantide, qui demeure encore de nos jours, la plus grande énigme de l'univers. Hormis quelques incartades dans Nostradamus, j'ai toujours maintenu le cap vers la découverte de l'Atlantide. Plus l'objectif est audacieux, plus l'acharnement se développe, ou, comme Goethe l'a si bien dit : « Si tu veux connaître l'infini, explore les limites du fini. » Des millions de mots et d'images assemblés trop souvent sans reconnaissance par ceux qui ont découvert un segment de la vérité et également par d'autres qui croyaient savoir quelque chose.

Michel de Notre Dame dit Nostradamus m'a présenté madame Elizabeth Bellecour qui m'a référé à son tout aussi génial conjoint, monsieur Albert Slosman. « Albert, je te prie d'accepter ce remerciement posthume, car sans toi, je n'y serais pas arrivé. » Je dois également remercier Charles Hapgood pour son travail colossal sur le déplacement de l'axe terrestre et les indices sur l'existence d'une civilisation très avancée dont l'origine remonte à l'apparition de l'homme sur la terre. « Charles, j'aurais voulu t'inviter à faire le voyage avec moi mais, on m'a informé de ton décès il y a déjà quelques années. »

Chers amis, je vous ai tous retrouvés dans les boutiques de livres usagés et je suis heureux d'avoir l'occasion de vous ranimer auprès de mes lecteurs qui, je l'espère, seront nombreux puisque j'ai dépensé beaucoup d'énergie avant de vous trouver. Trêve de nostalgie, j'ai beaucoup d'autres auteurs et amis à remercier que nous retrouverons, au moment opportun, dans ce livre.

La dernière trace de la route parcourue par les survivants de l'Atlantide (Atlantes) est le disque de Phaistos. Témoignage d'une civilisation très raffinée de bâtisseurs et d'explorateurs, le disque révèle, dans la pure tradition atlante du disque d'or, toute l'histoire de la colonisation de l'île de Crête.

as this practice was frequently mentioned in the Egyptian hieroglyphics, to my knowledge the only unique, tangible proof is the Disk of Phaistos, the Aztec Disk and the Maya Disk.

In the first part, I will translate the Disk of Phaistos. The great diversity in the pictograms in itself constitutes a basic course in literacy of our ancestors writing. In the second part, the Aztec Disk, kept at the Mexico Museum, will reveal its secret.

The last part brings us to the deciphering of a fresco, painted in Pharaoh Sethi 1st grave and a Maya Disk found in the Temple of Warriors. What secret are they hidding!

The itinerary of the book is therefore the backwards journey of our ancestors over fifty millennia since the creation of Atlantis. They must be given praise for their determination to survive in spite of natural disasters, famine, disease, and omnipresent wars. Much like a road that can never be completely straight.

May this knowledge of the past bring us the elements necessary for the survival of our own civilization at the crossroad point of two eras.

Jean Louis Pagé
December 2000

Le disque d'or était normalement enfoui dans le premier monument, ou édifice, suite à une migration. Cette pratique avait pour but d'identifier la route parcourue et les événements majeurs l'ayant engendrée. Bien que l'existence de cette pratique soit abondamment mentionnée dans les hiéroglyphes égyptiens, à ma connaissance, les seules et uniques preuves tangibles sont le disque de Phaistos, le disque aztèque et le disque maya.

Je traduirai en première partie le disque de Phaistos. La grande diversité des pictogrammes constitue un cours de base pour analphabètes de cette écriture de nos ancêtres. En seconde partie, le disque aztèque, conservé au musée de Mexico, révélera son secret.

La dernière partie nous mène au déchiffrement de fresques ornant le tombeau du Pharaon Séthi Ier, et d'un disque maya provenant du Temple des Guerriers. Quels messages cachent-ils ?

L'itinéraire de ce livre est donc le parcours inversé du voyage de nos ancêtres sur cinquante millénaires depuis la création de l'Atlantide. Un éloge à l'acharnement pour la survie contre les catastrophes naturelles, la famine, la maladie et les guerres omniprésentes, telle une route qui ne peut jamais être tout à fait en ligne droite.

Puisse cette connaissance du passé nous apporter les éléments nécessaires à la survie de notre civilisation, au carrefour de deux époques.

Jean Louis Pagé
Décembre 2000

Contents

Table des matières

Canadian Cataloguing in Publication Data

Pagé, Jean Louis, 1949-
Atlantis' messages = Messages de l'Atlantide

Includes index.
Text in English and French.

ISBN 0-9688409-0-6

1. Atlantis. 2. Phaistos Disk. 3. Aztec calendar.
4. Mural painting and decoration, Egyptian.
5. Cree language - Writing. 6. Maya language - Writting.
I. Title. II. Title: Messages de l'Atlantide.

GN751,P33 2002 930,1 C2001-940235-XE

Données de catalogage avant publication (Canada)

Pagé, Jean Louis, 1949-
Atlantis' messages = Messages de l'Atlantide

Comprend un index.
Texte en anglais et en français.

ISBN 0-9688409-0-6

1. Atlantide. 2. Disque de Phaistos. 3. Calendrier aztèque.
4. Fresque égyptienne. 5. Cri (Langue) - Écriture.
6. Maya (Langue) - Écriture.
I. Titre. II. Titre : Messages de l'Atlantide.

GN751,P33 2002 930.1 C2001-940235-XF

Chapter 1
The Disk of Phaistos

Chapitre 1
Le disque de Phaistos

Introduction

I saw the disk of Phaistos for the first time in the Gallimard Guide on the Island of Crete. It was a minuscule photo, which I was able to partially decipher with the help of a magnifying glass. Several months later, on a quest to interpret the disk, I was at the Heracleion Museum to examine this wonder and to take pictures. Suddenly, I was overtaken by panic, as I discovered the wonderful book of Louis Godart, with photos of unhoped quality. I nervously examined the work. I was relieved to read in the introduction that the author intended his work for the one who would decipher the disk's contents: the next 'Champollion' or 'Ventris.' And so, in all modesty, here I am. My dear friend, your work has not been in vain, since here, in pure Atlantean language, is the signification of the spiral succession of images covering the disk.

The language of Atlantis refers to the writing of the survivors of Atlantis. These survivors built pharaonic Egypt and many other monuments on all of the continents. A derived form of this language is still written and spoken by the Cree populations of Canada. Thus, I have used a Cree dictionary to understand the significance of certain symbols. At the beginning, I had oriented my research towards the native peoples, having remarked that in the oldest Egyptian frescos the skin of the characters was painted red. From here I formulated the hypothesis that they were red-skinned, the usual designation for native peoples. This shaky hypothesis drove me to twelve years of fruitless research on South American civilizations. Having lost all hope, I shelved the project. Through luck or destiny, once again I found the tracks of Atlantis two years later in a James Bay tourist guide which a colleague from work had written. And the flame was reignited.

The journey finally culminated with the deciphering of the pictograms on the disk of Phaistos. The first symbol is the spiral or the writing in the form of spiral images. The 'Atlants' had very great knowledge of astronomy and the laws that govern the movement of the planets. When we observe the creation of a new galaxy in the universe, the event takes the form of a spiral to the terrestrial observer.

Introduction

J'ai aperçu, pour la première fois, le disque de Phaistos dans le guide Gallimard sur l'île de Crète. Une photo minuscule que j'ai partiellement déchiffrée à l'aide d'une loupe. Quelques mois plus tard, je me rends au musée d'Héraklion pour examiner cette merveille et prendre des photos. Soudainement, la panique s'empare de moi, je découvre le merveilleux livre de Louis Godart, dont les photos sont d'une qualité inespérée. Je scrute nerveusement cet ouvrage. Soulagement, en introduction l'auteur déclare qu'il a fait ce travail pour celui qui en déchiffrera le contenu : Le « Champollion » ou « Ventris » du futur ! Hé bien, en toute modestie, me voilà !

Mon cher ami, votre travail n'a pas été en vain, puisque voici, en pure langue atlante, la signification de cette succession d'images étalées en spirale sur le disque.

La langue atlante réfère à l'écriture des survivants de l'Atlantide. Ces survivants ont bâti l'Égypte pharaonique et bien d'autres monuments sur tous les continents. Une forme dérivée de cette langue est toujours écrite et parlée par les populations cries du Canada. J'ai d'ailleurs utilisé un dictionnaire cri pour connaître la signification de certains symboles. À l'origine, j'avais orienté mes recherches vers les peuples autochtones, ayant constaté que, sur les plus anciennes fresques égyptiennes, la peau des personnages était peinte en rouge. J'ai alors formulé l'hypothèse qu'ils étaient des « peaux rouges », terme par lequel nous désignons si souvent ces peuples. Cette hypothèse précaire m'a conduit à douze années de recherches infructueuses sur les civilisations sud-américaines. Ayant perdu tout espoir, j'ai relégué le projet aux oubliettes. Chance ou destin, j'ai retrouvé la trace des Atlantes deux ans plus tard, dans un guide touristique sur la Baie James, qu'une consoeur de travail avait rédigé, et la flamme se ralluma !

Tout ce chemin parcouru pour finalement arriver à déchiffrer les pictogrammes du « Disque de Phaistos ». Le premier symbole est la spirale ou l'écriture en forme spiralée des images. Les « Atlantes » avaient une très grande connaissance de l'astronomie et des lois qui régissent le mouvement des planètes. Lorsque

Consequently, the spiral is the symbol of creation. In the Egyptian hieroglyphics, the symbol has the same significance. The disk tells of the creation of the Island of Crete, which is to say all the steps in the implementation of civilization on the island since its origin. The first human footstep upon this land.

In the following pages you will find an exhaustive explanation of each of the symbols engraved on both faces of the disk. The fruit of thousands of hours of research in several languages, the message appears to us in the highest form of sophistication known: SIMPLICITY ! 'Scientific Atlantology' is born.

Each of the segments has been numbered for easy following and to guide the reader in the logic of the expression resulting from the successive interdependence of several symbols. You will notice that the same symbol can have several meanings in relation to its association with the others or simply according to its sequence or orientation within a segment.

Finally, why a book in three languages? Because I am a dreamer. I see it as the **Rosetta Stone of the new millenium**. Or, is it simply to answer Belzonis's question: 'How is it possible that a people who has built for eternity vanish without leaving traces?

Note: The author prefers to use 'Atlants' instead of 'Atlanteans' because the former combines 'Atlas' and 'Ants', and more approriately refers to the monumental achievement they left us: the work of 'giant ants.'

nous observons la création d'une nouvelle galaxie dans l'univers, cet événement prend la forme d'une spirale pour l'observateur terrestre. Conséquemment, la spirale est le symbole de la création. Dans les hiéroglyphes égyptiens, ce symbole a conservé la même signification. Le disque relate donc la création de l'île de Crète, c'est-à-dire toutes les étapes de l'implantation de la civilisation dans l'île depuis ses origines. Le premier pas humain sur cette terre.

Vous trouverez dans les pages suivantes une explication exhaustive de chacun des symboles gravés sur les deux faces du disque. Fruit de milliers d'heures de recherches en plusieurs langues, le message nous apparaît dans la plus grande sophistication connue : la SIMPLICITÉ ! « L'Atlantologie scientifique » est née !

Chacun des segments a été numéroté pour en faciliter le suivi et guider le lecteur dans la logique d'expression issue de l'interdépendance successive de plusieurs symboles. Vous constaterez qu'un même symbole peut avoir plusieurs significations en fonction de son association avec d'autres ou simplement selon sa séquence ou son orientation dans un segment.

Finalement, pourquoi un livre en trois langues ? Parce que je suis un rêveur. Je le vois devenir la **Pierre de Rosette du nouveau millénaire**. Ou bien est-ce simplement pour répondre à la question de Belzoni : « Comment est-ce possible qu'un peuple qui a bâti pour l'éternité, disparaisse sans laisser de trace ? »

Note : L'auteur identifie le peuple de l'Atlantide par le terme « Atlantes », sous-entendant « Atlas », et en anglais « *Ants* » signifiant fourmis, pour souligner l'accomplissement colossal qu'ils nous ont légué; nous rappelant le travail de fourmis géantes.

THE PHAISTOS DISK - FACE A
© Archaeological Museum of Herakleion,
Ministry of Culture, Greece

LE DISQUE DE PHAISTOS - FACE A
© Archaeological Museum of Herakleion,
Ministère de la Culture, Grèce

The early symbols

Les symboles primaires

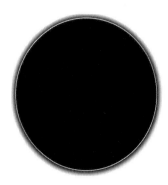

THE CIRCLE

The exterior circle represents the universe of described events, hence the interior circles of the segment represent sites within the universe. We use this notation to represent the cities on our geographic maps.

LE CERCLE

Le cercle extérieur représente l'univers des événements décrits, alors que les cercles internes au segment représentent des lieux à l'intérieur de l'univers. Nous utilisons cette notation pour décrire les villes dans nos cartes géographiques.

THE SPIRAL

The spiral, cosmic symbol of creation, has the same significance in Egyptian writing. Albert Slosman described its significance very well in his book, ' Le Grand Cataclysme'1, (The Great Cataclysm).

LA SPIRALE

La spirale, symbole cosmique de la création, a la même signification dans l'écriture égyptienne. Albert Slosman décrit très bien sa signification dans son livre, *Le Grand Cataclysme*[1].

1) *'LE GRAND CATACLYSME'*
Albert Slosman
© Éditions Robert Laffont,S. A., 1976

1) *LE GRAND CATACLYSME*
Albert Slosman
© Éditions Robert Laffont, S. A., 1976

In Egyptian hieroglyphics:

En hiéroglyphes égyptiens :

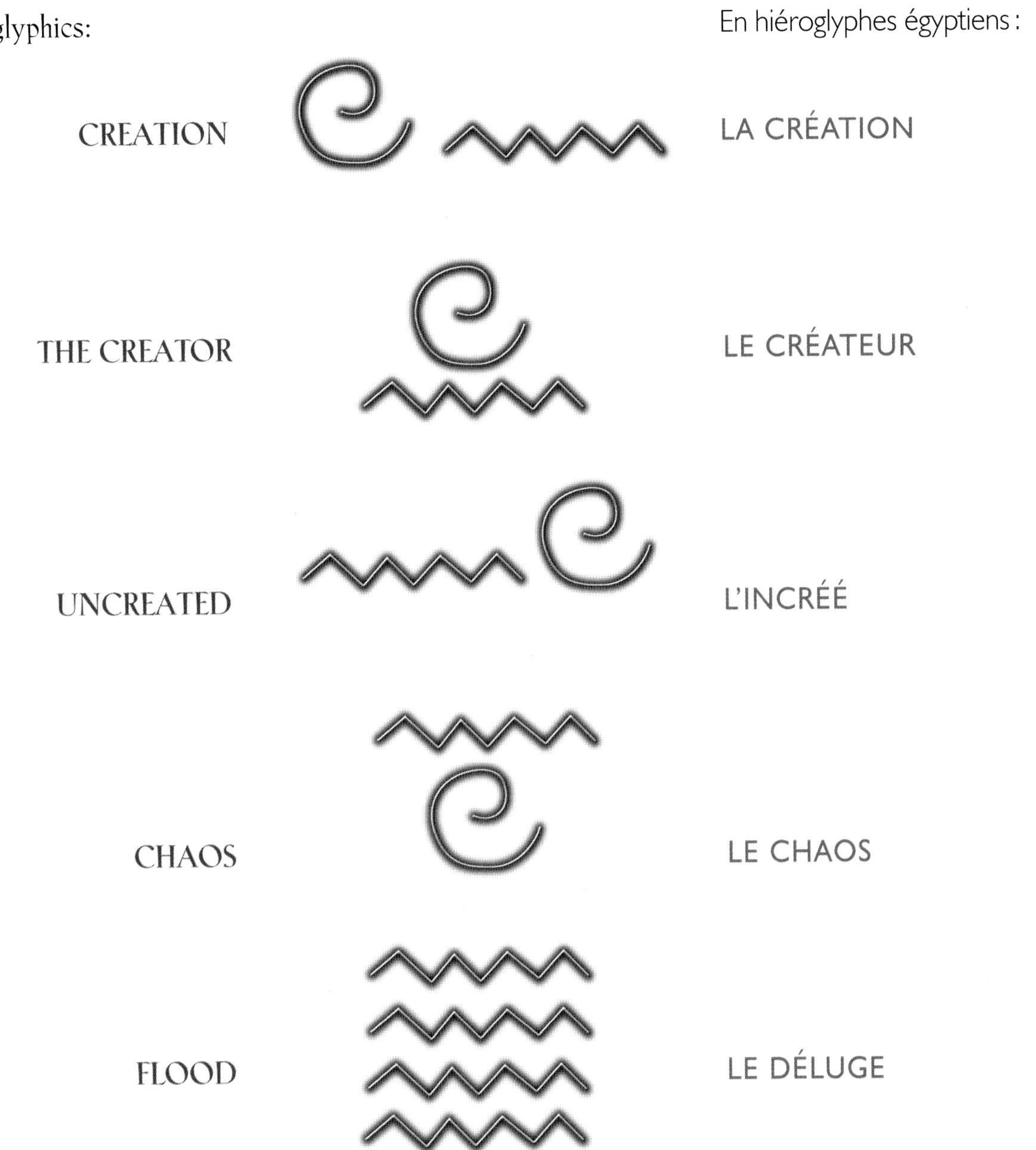

The author comments on this discovery, and I quote: '... in this way, appeared a very precise and comprehensive frame for whom follows there too, the initiatory cycles. Even the hieroglyphic origins are thusly transparent, stamped with the original history of the 'ancient' people, that of AHA-MEN-PTAH' (Atlantis). This comment is absolutely exact, as you will see in a few chapters.

L'auteur commente cette découverte et je cite : « … ainsi apparaît une trame extrêmement précise et compréhensible pour qui suit, là aussi, les cycles initiatiques. L'origine même des hiéroglyphes transparaît alors, empruntée à l'histoire originelle du peuple « Aîné » : celui d'AHA-MEN-PTAH. » (Atlantide). Ce commentaire est rigoureusement exact comme vous le verrez dans quelques chapitres.

The symbols / Les symboles

Segment 1

CENTRE
The centre is always the starting point to describe an event or an action. As we will see in the chapter dealing with the Aztec disk, the main message is always centralized. This message is the prime reason for which the disk was carved.

CENTRE
Le centre est toujours le point de départ pour décrire un événement ou une action. Comme nous le verrons dans le chapitre traitant du disque aztèque, le message principal est toujours centralisé. Ce message constitue le motif premier pour lequel le disque a été gravé.

NORTHWEST TRIANGULATED CIRCLE
The circle and the triangle are present in this sign. The circle is a place. We will assume that it most likely represents the Island of Crete. The triangle refers to a northwest direction from their land of origin (Egypt). It equally indicates knowledge of the North Magnetic Pole.

CERCLE TRIANGULAIRE NORD-OUEST
Le cercle et le triangle sont combinés en un seul symbole. Le cercle représente un lieu. Nous présumerons, sans trop de risque d'erreur, qu'il s'agit de l'île de Crète. Le triangle indique une direction au nord-ouest du lieu d'origine (Égypte). Il nous indique également une connaissance du Nord magnétique.

ROAD
In a large sense, the road represents a journey or trip. Crete being an island, this symbol refers us to a boat trip from Egypt.

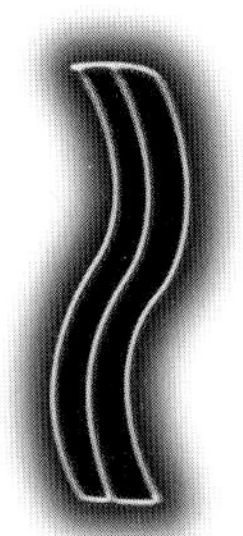

ROUTE
La route, au sens large, est le parcours ou le voyage pour se rendre dans un lieu. La Crète étant une île, ce symbole nous réfère à un déplacement par bateau depuis l'Égypte.

SEGMENT 1
Here is the tale of the northwest journey that brought us to this place (Crete). Or, in other words, this is the story relating how civilization was implented on the Island of Crete.

SEGMENT 1
Voici le récit du voyage en direction du Nord-Ouest, qui nous a amené en ce lieu (Crète). Ou, en d'autres mots, ceci est l'histoire de l'implantation de la civilisation dans l'île de Crète.

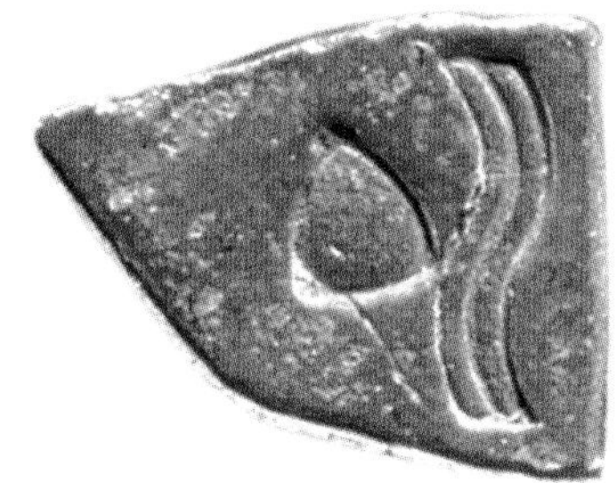

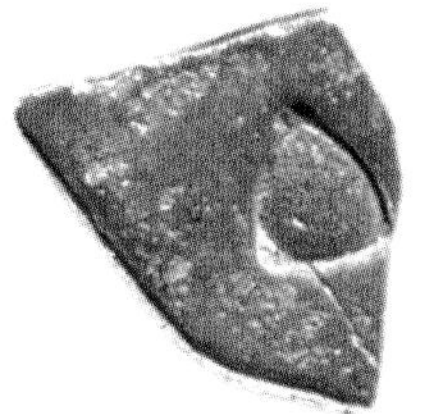

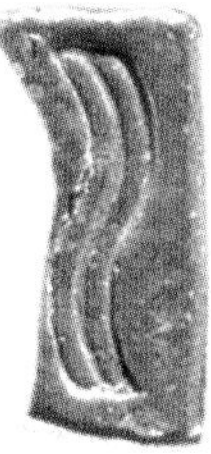

The symbols / Les symboles

Segment 2

IMPERIAL OR PHARAONIC BOAT

This is an Egyptian boat, designed under the name of 'Mandjit' by archaeologists. This symbol is present throughout the majority of Egyptian frescos. Grouped with the next symbol, the meaning becomes 'an imperial boat.'

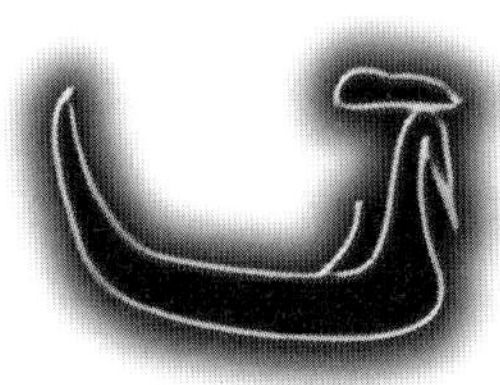

BATEAU IMPÉRIAL OU PHARAONIQUE

Ceci est un bateau égyptien, désigné sous le nom de « Mandjit » par les archéologues. Ce symbole est omniprésent dans la majorité des fresques égyptiennes. Groupée avec le symbole suivant, la signification devient « un bateau impérial ».

SCEPTRE

The sceptre is the combination of two hieroglyphs. The first is the house 'Per' and the second 'ÂA' which signifies large. Per–ÂA is the designation of pharaoh. We will designate the representative of pharaoh by the word 'leader' in order to simplify the translation.

SCEPTRE

Le sceptre est la combinaison de deux hiéroglyphes. Le premier est la maison « Per » et le second « ÂA » qui signifie : grande. Per-ÂA est la désignation de pharaon. Nous désignerons le représentant de pharaon par le mot « chef » afin de simplifier la traduction.

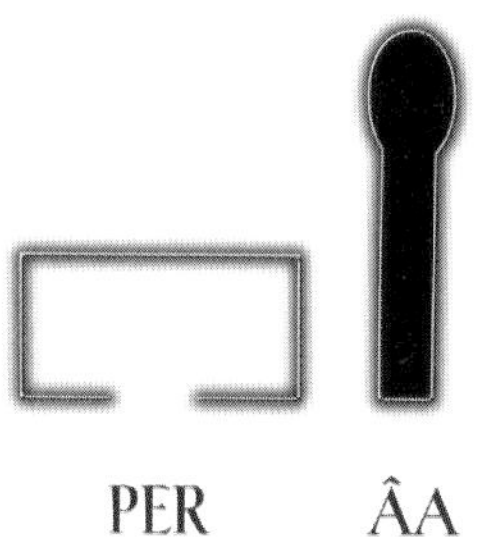

BAG

The bag is the usual container for the transport of seeds. The availability of food is essential for survival. Therefore, sowing is the first step towards future establishment.

POCHE

La poche est le contenant habituel pour le transport des semences. L'approvisionnement de nourriture est essentiel à la survie. L'ensemencement est donc la première étape en vue de l'établissement futur.

GRAZING ANIMAL

The pictogram shows an animal feeding from the land. We have translated it as grazing ground.

ANIMAL BROUTANT

Le pictogramme montre un animal dont la tête est orientée vers le sol pour se nourrir. Nous l'avons traduit par pâturage.

SEGMENT 2

On board an imperial boat, we brought seeds to establish the first grazing grounds on the island.

SEGMENT 2

À bord d'un bateau impérial, nous avons transporté des semences pour établir les premiers pâturages dans l'île.

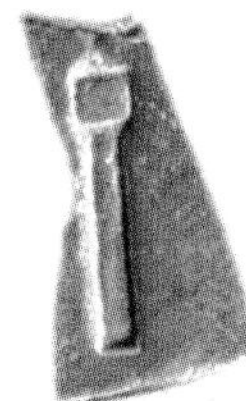
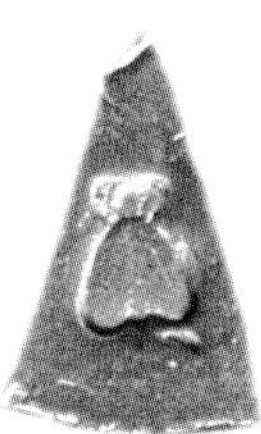
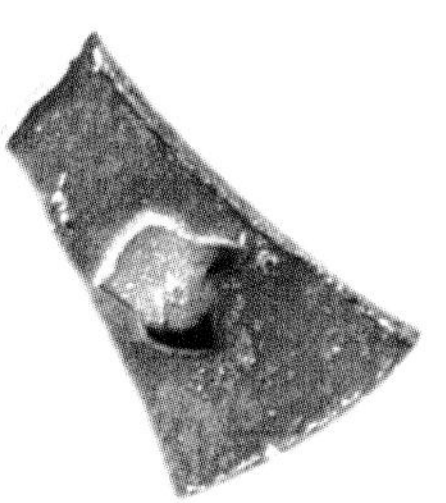

The symbols / Les symboles

Segment 3

NORTHWEST TRIANGULATED CIRCLE

The circle and the triangle are present in this sign. The circle is a place. We will assume that it most likely represents the Island of Crete. The triangle refers to a northwest direction from their land of origin (Egypt). It equally indicates knowledge of the North Magnetic Pole.

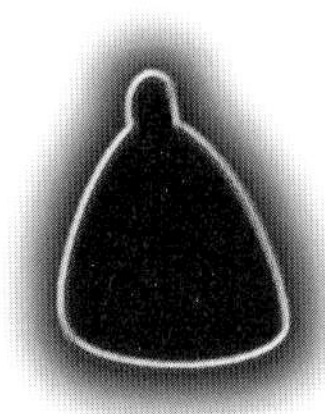

CERCLE TRIANGULÉ NORD-OUEST

Le cercle et le triangle sont combinés en un seul symbole. Le cercle représente un lieu. Nous présumerons, sans trop de risque d'erreur, qu'il s'agit de l'île de Crète. Le triangle indique une direction au nord-ouest du lieu d'origine (Égypte). Il nous indique également une connaissance du Nord magnétique.

SCEPTRE

The sceptre is the combination of two hieroglyphs. The first is the house 'Per' and the second 'ÂA' which signifies large. Per–ÂA is the designation of pharaoh. We will designate the representative of pharaoh by the word 'leader' in order to simplify the translation.

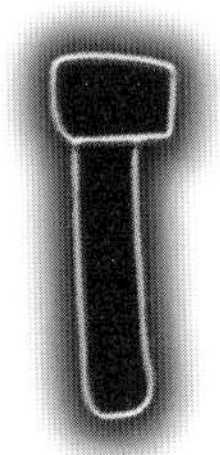

SCEPTRE

Le sceptre est la combinaison de deux hiéroglyphes. Le premier est la maison « Per » et le second « ÂA » qui signifie : grande. Per-ÂA est la désignation de pharaon. Nous désignerons le représentant de pharaon par le mot « chef » afin de simplifier la traduction.

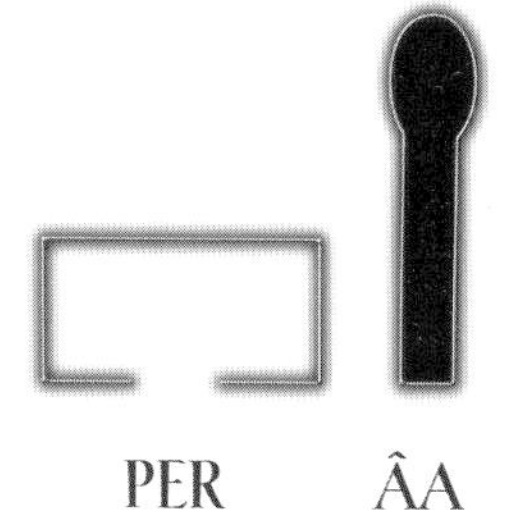

FIELDS

This symbol refers to lands under cultivation. In the context it means the developement of fields, or simply fields or by extrapolation, crops.

CHAMPS

Symbole pour des étendues de culture. Dans le contexte, l'aménagement de champs de culture ou simplement les champs ou, par extrapolation, nourriture récoltée.

FAMILY

The woman wearing an apron represents the family.

FAMILLE

La femme vêtue d'un tablier représente la famille.

TIME (TIME LAPSE)

Time is represented by a young man becoming an adult and therefore his hair is spiked like the comb of a rooster. There exists no point of reference for the significance of this symbol. The translation is ours. This interpretation holds true for all other segments of the disk.

TEMPS (LAPS DE TEMPS)

Le temps est représenté par un jeune homme devenant un adulte et dont les cheveux sont hérissés comme la crête d'un coq. Il n'existe aucun point de référence pour la signification de ce symbole. La traduction est nôtre et cette interprétation s'avère exacte pour tous les autres segments du disque.

SEGMENT 3

Under the direction of our leader, we started to seed and transplant fruit tree cuttings on the island, in order to nourish the families that will live here in the future.

SEGMENT 3

Sous la direction de notre chef, nous avons débuté l'ensemencement et la transplantation des boutures d'arbres fruitiers dans l'île, afin de nourrir les familles qui viendront vivre ici dans le futur.

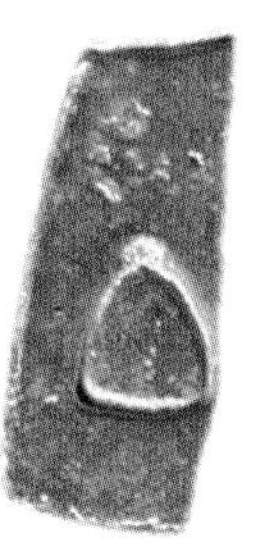

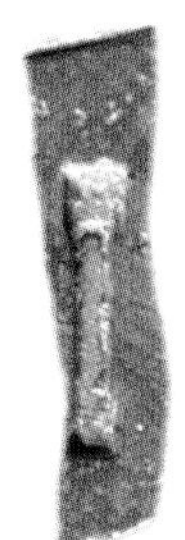

The symbols / Les symboles

Segment 4

NORTHWEST TRIANGULATED CIRCLE

The circle and the triangle are present in this sign. The circle is a place. We will assume that it most likely represents the Island of Crete. The triangle refers to a northwest direction from their land of origin (Egypt). It equally indicates knowledge of the North Magnetic Pole.

CERCLE TRIANGULÉ NORD-OUEST

Le cercle et le triangle sont combinés en un seul symbole. Le cercle représente un lieu. Nous présumerons, sans trop de risque d'erreur, qu'il s'agit de l'île de Crète. Le triangle indique une direction au nord-ouest du lieu d'origine (Égypte). Il nous indique également une connaissance du Nord magnétique.

FORCE

The triangle, in the Cree language, signifies force. The orientation of the point indicates direction of movement. The boomerang is an instrument that travels over an area and returns to its launching point. Consequently, the symbol signifies: 'We have travelled an area.'

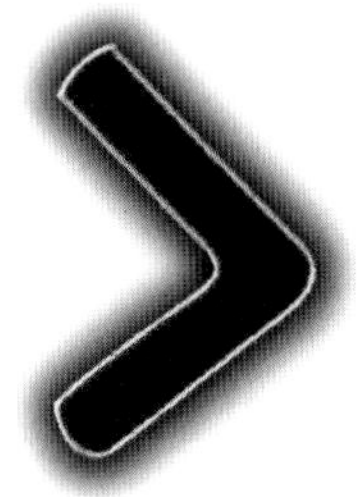

FORCE

Le triangle, dans la langue crie, signifie : la force. L'orientation de la pointe indique la direction du mouvement. Le boomerang est un instrument qui parcourt une étendue et revient à son point de lancement, conséquemment, le symbole signifie : « nous avons parcouru une étendue ».

WOOD

The dried branch represents wood used for heating.

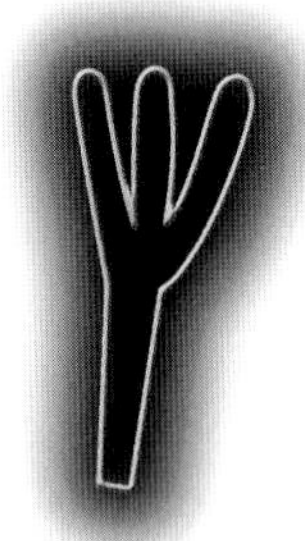

BOIS

La branche séchée représente du bois utilisé pour le chauffage.

URN

The urn is the water container. So by association it represents water. The urn is also the Egyptian symbol of water.

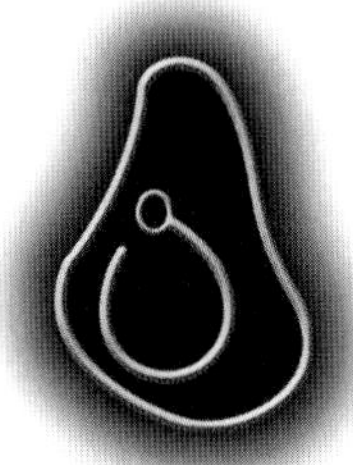

URNE

L'urne est le contenant de l'eau, donc, par association, signifie : l'eau. L'urne est également le symbole égyptien de l'eau.

CAVE

The cave is the perfect habitat in the absence of materials to build a shelter. Discovered remains show that the pioneers lived in the caverns for a long period.

CAVERNE

La caverne est l'habitat par excellence en l'absence de matériaux pour construire un abri. Des vestiges démontrent que les pionniers ont habité les cavernes durant une longue période.

SEGMENT 4

We travelled the island in search of wood for fire, water sources and caves for shelter.

SEGMENT 4

Nous avons parcouru l'île à la recherche de bois de chauffage, de sources d'eau et de cavernes pour nous abriter.

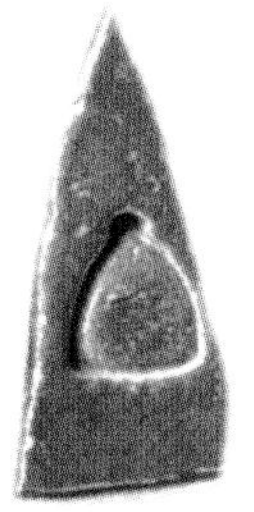
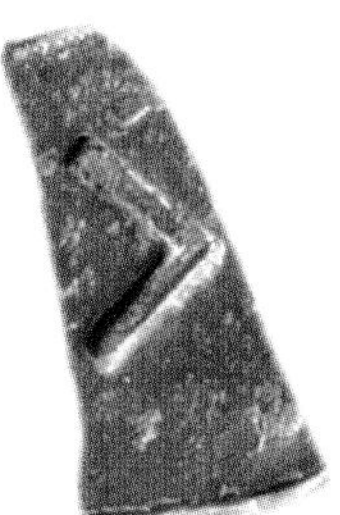

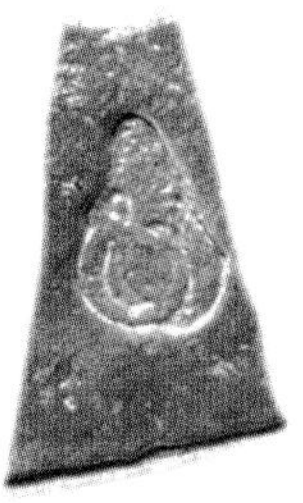
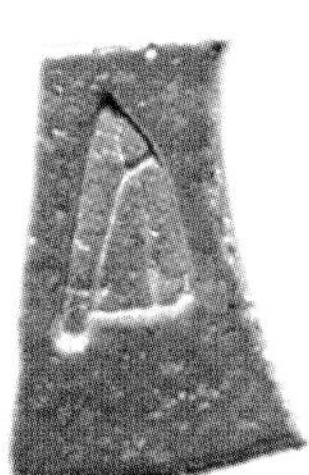

The symbols / Les symboles

Segment 5

HAND WITH A STROKE TO THE RIGHT

The hand, with the palm face up, signifies to bring. The oblique line at the right of the hand represents a border. Jointly, this symbol has a double meaning: to bring to this side of the border, from our place of origin.

MAIN ET UN TRAIT À DROITE

La main, dont la paume est face au sujet, signifie : ramener. Le trait oblique à droite de la main représente une frontière. Conjointement, ce symbole double signifie : ramener de ce côté de la frontière en provenance de notre lieu d'origine.

NORTHWEST TRIANGULATED CIRCLE

The circle and the triangle are present in this sign. The circle is a place. We will assume that it most likely represents the Island of Crete. The triangle refers to a northwest direction from their land of origin (Egypt). It equally indicates knowledge of the North Magnetic Pole.

CERCLE TRIANGULÉ NORD-OUEST

Le cercle et le triangle sont combinés en un seul symbole. Le cercle représente un lieu. Nous présumerons, sans trop de risque d'erreur, qu'il s'agit de l'île de Crète. Le triangle indique une direction au nord-ouest du lieu d'origine (Égypte). Il nous indique également une connaissance du Nord magnétique.

DONKEY

The pictogram is self-explanatory.

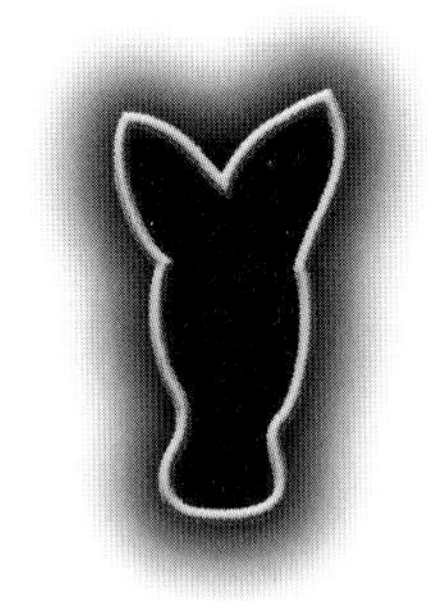

ÂNE

Ce pictogramme s'explique par lui-même.

DOMESTIC ANIMAL (MEAT)

The domestic animals intended for consumption such as pork, goats, sheep and possibly chickens. It is worth noting that when the head points upward, it indicates that it is meat and not a living animal. Extrapolated the meaning becomes food provisions.

ANIMAL DOMESTIQUE (VIANDE)

Les animaux domestiques destinés à la consommation : porcs, chèvres, moutons et possiblement poules. Notons que la tête, pointée vers le haut, indique qu'il s'agit de viande et non d'animaux vivants. Extrapolée, la signification devient des provisions alimentaires.

TOOL

We recognize that the 'V' force combined with the square, represents shaped material. So, the force that shapes material is a tool. Extrapolated it represents crafted materials: merchandise or work according to the context.

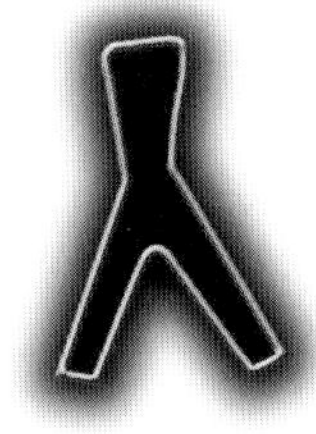

OUTIL

Nous reconnaissons la force « V » et le carré, représentant la matière façonnée. Donc, la force qui façonne la matière est un outil. Extrapolé, ce symbole représente des matériaux oeuvrés, marchandises, ou le travail, selon le contexte.

SEGMENT 5

We brought donkeys, food provisions, various materials and tools on subsequent trips from Egypt to Crete.

SEGMENT 5

Nous avons ramené des ânes, des provisions alimentaires, divers matériaux et outils, lors de nos voyages subséquents entre l'Égypte et la Crète.

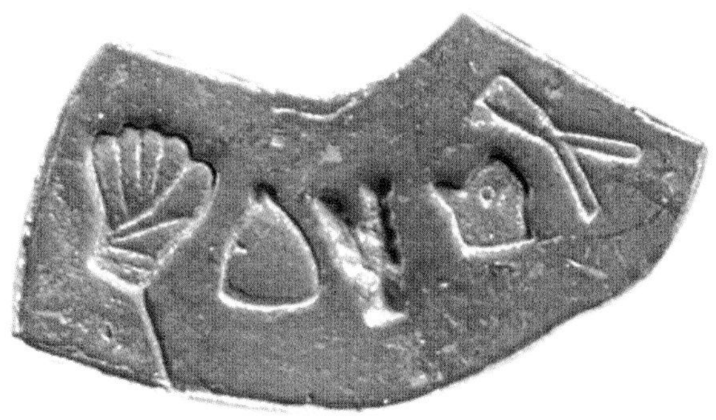

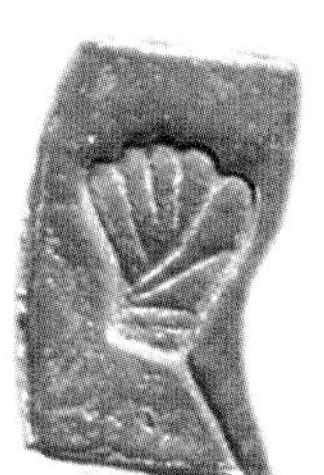

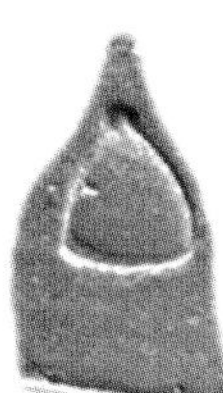

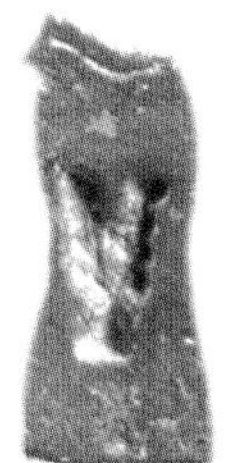

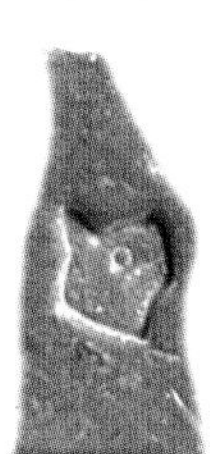

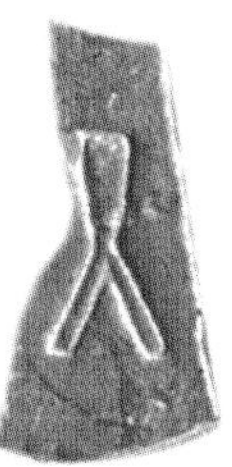

The symbols / Les symboles

Segment 6

STOREHOUSES

This symbol refers to the construction of grain warehouses and buildings for domestic animals. The size of the door, when compared to the size of the building, lets us believe that they are not houses.

ENTREPÔTS

Ce symbole réfère à la construction d'entrepôts de grains et de bâtisses pour les animaux domestiques.
La dimension de la porte par rapport à la dimension du bâtiment nous laisse croire qu'il ne s'agit pas de maisons.

FORCE AND SCEPTRE

These two symbols literally mean: the deployment of force over an area as ordered by the leader. In other words, the distribution of work as determined by the leader.

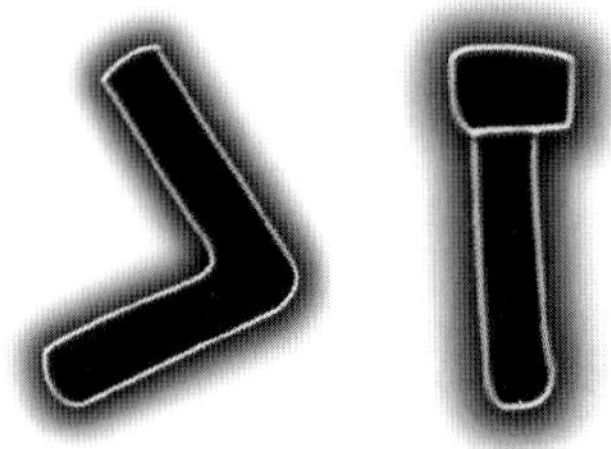

FORCE ET SCEPTRE

Ces deux symboles signifient littéralement : le déploiement de la force sur une étendue dirigée par le chef. Autrement dit, l'étendue des travaux déterminés par le chef.

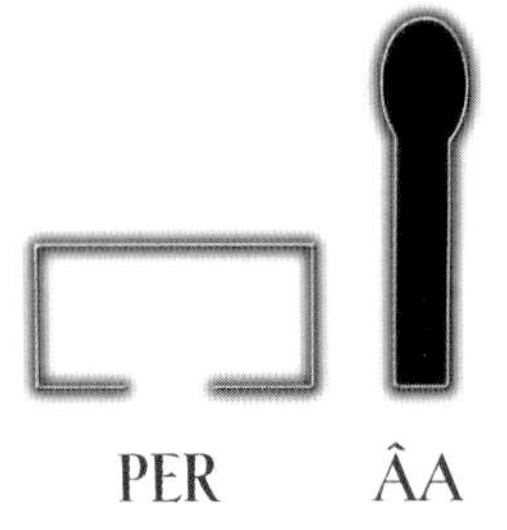

NORTHWEST TRIANGULATED CIRCLE

The circle and the triangle are present in this sign. The circle is a place. We will assume that it most likely represents the Island of Crete. The triangle refers to a northwest direction from their land of origin (Egypt). It equally indicates knowledge of the North Magnetic Pole.

CERCLE TRIANGULÉ NORD-OUEST

Le cercle et le triangle sont combinés en un seul symbole. Le cercle représente un lieu. Nous présumerons, sans trop de risque d'erreur, qu'il s'agit de l'île de Crète. Le triangle indique une direction au nord-ouest du lieu d'origine (Égypte). Il nous indique également une connaissance du Nord magnétique.

SEGMENT 6

We constructed the first grain storehouses and barns for animals under the direction of our leader in several places on the island.

SEGMENT 6

Nous avons construit les premiers entrepôts de grains et bâtiments pour les animaux, sous la direction de notre chef, en plusieurs endroits dans l'île.

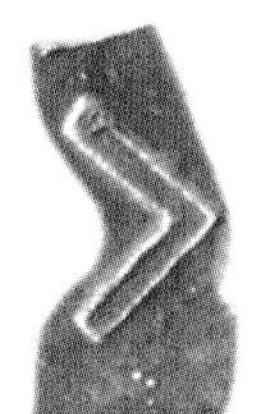

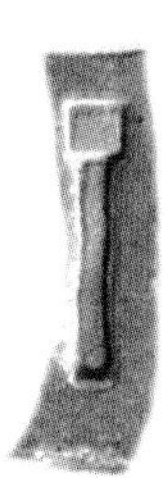

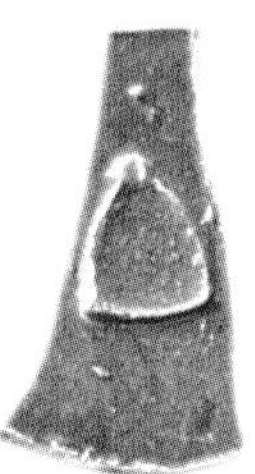

The Disk of Phaistos face A / Le disque de Phaistos face A

The symbols / Les symboles

Segment 7

VOYAGES
The segment indicates the frequent trips from Crete to other countries to get provisions. The stroke underneath the left circle indicates a border.

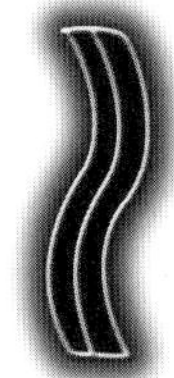

VOYAGES
La signification de ce segment indique des voyages fréquents entre divers pays et l'île de Crète, pour s'approvisionner. Le trait sous le cercle gauche indique une frontière.

NORTHWEST TRIANGULATED CIRCLE
The circle and the triangle are present in this sign. The circle is a place. We will assume that it most likely represents the Island of Crete. The triangle refers to a northwest direction from their land of origin (Egypt). It equally indicates knowledge of the North Magnetic Pole.

CERCLE TRIANGULÉ NORD-OUEST
Le cercle et le triangle sont combinés en un seul symbole. Le cercle représente un lieu. Nous présumerons, sans trop de risque d'erreur, qu'il s'agit de l'île de Crète. Le triangle indique une direction au nord-ouest du lieu d'origine (Égypte). Il nous indique également une connaissance du Nord magnétique.

Segment 8

PLANTING
We have expanded the plantations of fruit trees and cultivated fields on the island.

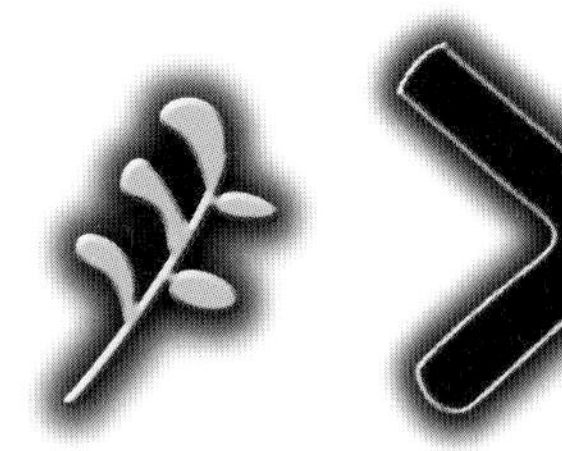

PLANTATION
Nous avons accru l'étendue des plantations d'arbres fruitiers et des champs cultivables sur l'île.

NORTHWEST TRIANGULATED CIRCLE
The circle and the triangle are present in this sign. The circle is a place. We will assume that it most likely represents the Island of Crete. The triangle refers to a northwest direction from their land of origin (Egypt). It equally indicates knowledge of the North Magnetic Pole.

CERCLE TRIANGULÉ NORD-OUEST
Le cercle et le triangle sont combinés en un seul symbole. Le cercle représente un lieu. Nous présumerons, sans trop de risque d'erreur, qu'il s'agit de l'île de Crète. Le triangle indique une direction au nord-ouest du lieu d'origine (Égypte). Il nous indique également une connaissance du Nord magnétique.

SEGMENT 7

We established commercial routes with other countries.

SEGMENT 7

Nous avons établi des routes commerciales avec d'autres pays.

SEGMENT 8

We increased the cultivated areas and the number of plantations on the island.

SEGMENT 8

Nous avons accru la surface cultivable et le nombre de plantations dans l'île.

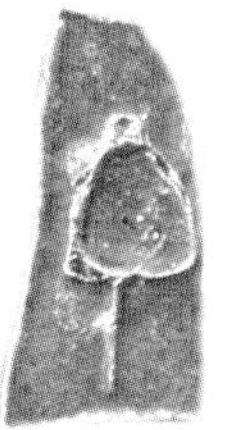

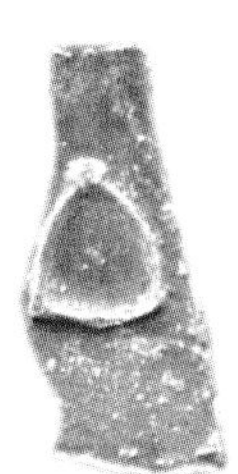

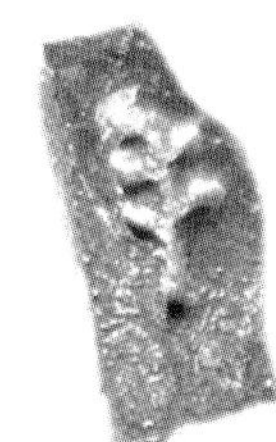

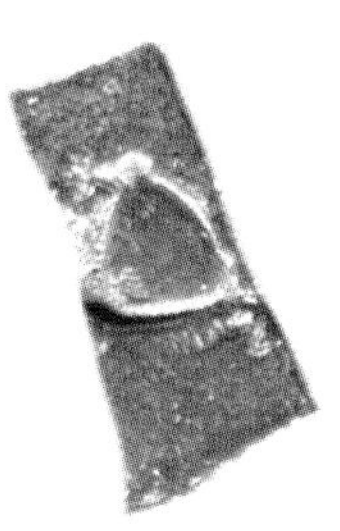

The symbols / Les symboles

Segment 9

IMPERIAL OR PHARAONIC BOAT

This is an Egyptian boat, designed under the name of 'Mandjit' by archaeologists. This symbol is present throughout the majority of Egyptian frescos. Grouped with the next symbol, the meaning becomes 'an imperial boat.'

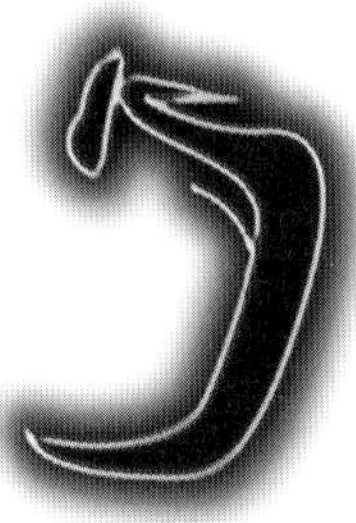

BATEAU IMPÉRIAL OU PHARAONIQUE

Ceci est un bateau égyptien, désigné sous le nom de « Mandjit » par les archéologues. Ce symbole est omniprésent dans la majorité des fresques égyptiennes. Groupée avec le symbole suivant, la signification devient « un bateau impérial ».

SCEPTRE

The sceptre is the combination of two hieroglyphs. The first is the house 'Per' and the second 'ÂA' which signifies large. Per–ÂA is the designation of pharaoh. We will designate the representative of pharaoh by the word 'leader' in order to simplify the translation.

SCEPTRE

Le sceptre est la combinaison de deux hiéroglyphes. Le premier est la maison « Per » et le second « ÂA » qui signifie : grande. Per-ÂA est la désignation de pharaon. Nous désignerons le représentant de pharaon par le mot « chef » afin de simplifier la traduction.

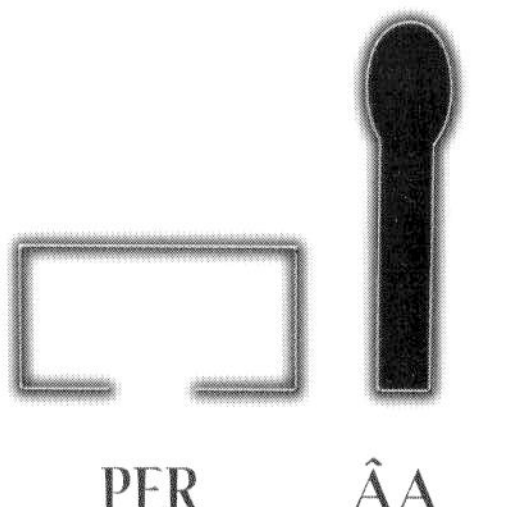

MERCHANDISE

When associated with the other symbols of this segment, the significance here is: the loss of merchandise at sea.

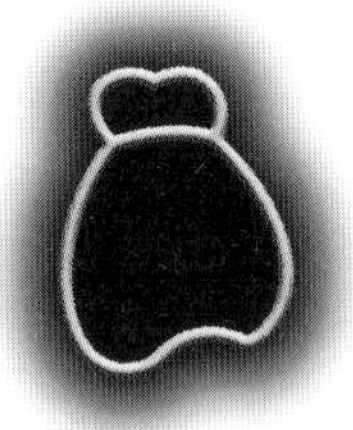

MARCHANDISES

Lorsque associé aux autres symboles de ce segment, la signification ici est : la perte de marchandises en mer.

DEATH

When associated with the other symbols of this segment, the symbol means the loss of human lives by drowning.

MORT

Lorsque associé aux autres symboles de ce segment, cela signifie la perte de vies humaines par naufrage.

SEGMENT 9

Many boats went down at sea. Much merchandise and many human lives were lost on these supply trips.

SEGMENT 9

Plusieurs bateaux ont sombré en mer. Beaucoup de marchandises et de vies humaines ont été perdues lors de ces expéditions de ravitaillement.

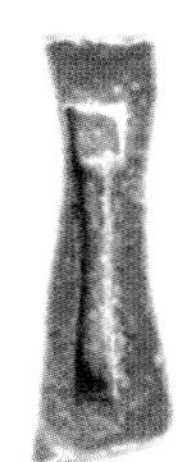

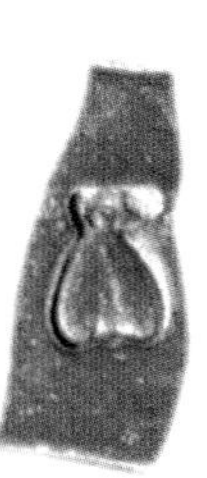

The symbols / Les symboles

Segment 10

HAND WITH A STROKE TO THE LEFT
The hand still signifies to 'bring' or 'to exchange' and the left stroke represents a border. The action occurs outside Crete since the stroke is on the left side.

MAIN ET TRAIT À GAUCHE
La main signifie « ramener » ou « échanger », et le trait à gauche représente une frontière. L'action se passe à l'extérieur de la Crète puisque le trait est à gauche.

NORTHEAST TRIANGULATED CIRCLE
The pictogram indicates a country located northeast of Crete (Turkey?). The meaning of this double symbol can be found at segment 1.

CERCLE TRIANGULÉ NORD-EST
Le pictogramme nous indique un pays au nord-est de la Crète (Turquie ?). La signification de ce symbole double se retrouve au segment 1. Seule l'orientation diffère.

FRUIT TREES
In the context of the segment, this symbol refers to the commerce of fruits

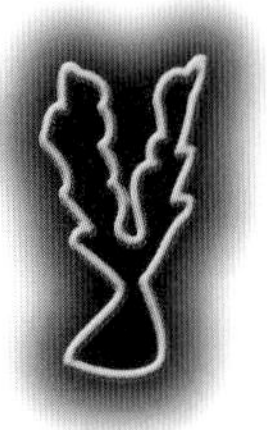

ARBRES FRUITIERS
Dans le contexte de ce segment, ce symbole réfère au commerce des fruits.

LIVE DOMESTIC ANIMAL
The domestic animals intended for consumption, such as pork, goats, sheep and possibly chickens. The horizontal position of the symbol indicates live animals.

ANIMAL DOMESTIQUE VIVANT
Les animaux domestiques destinés à la consommation : porcs, chèvres, moutons et possiblement poules. L'orientation horizontale du symbole indique qu'il s'agit d'animaux vivants.

TOOL
We recognizethat the 'V' force combined with the square, represents shaped material. So, the force that shapes material is a tool. Extrapolated it represents crafted materials: merchandise or work according to the context.

OUTIL
Nous reconnaissons la force « V » et le carré, représentant la matière façonnée. Donc, la force qui façonne la matière est un outil. Extrapolé, ce symbole représente des matériaux oeuvrés, marchandises, ou le travail, selon le contexte.

SEGMENT 10

We established links with other countries located northeast, to initiate the commerce of animals, fruits and merchandise.

SEGMENT 10

Nous avons établi des liens avec d'autres pays situés au Nord-Est, pour initier le commerce des animaux, des fruits et des marchandises.

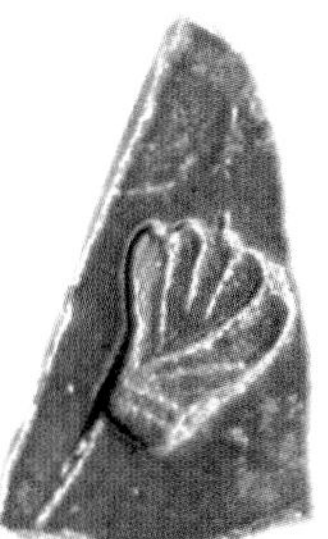

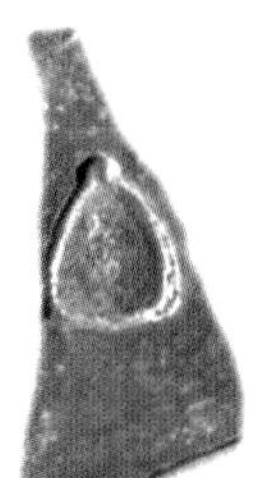

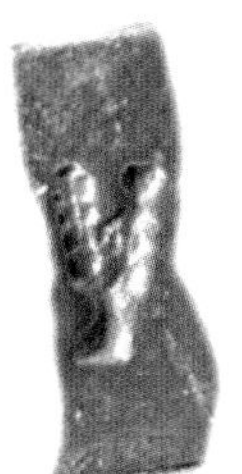

The symbols / Les symboles

Segment 11

CRETE WITH A STROKE TO THE RIGHT
The explanation of the northwest triangulated circle is at segment 1. The stroke to the right means 'the commerce beyond our frontier.'

CRÈTE ET TRAIT À DROITE
L'explication du cercle triangulé Nord-Ouest se trouve au segment 1. Le trait à droite signifie : « le commerce à l'extérieur de notre frontière ».

ROAD
In a large sense, the road represents a journey or trip. Crete being an island, this symbol refers us to a boat trip. Associated with the preceding symbol, we translate it as 'commercial routes.'

ROUTE
La route, au sens large, est le parcours ou le voyage pour se rendre dans un lieu. La Crète étant une île, ce symbole nous réfère à un déplacement par bateau. Joint au symbole précédent, nous traduirons par « routes commerciales ».

LIVE DOMESTIC ANIMAL
The domestic animals intended for consumption, such as pork, goats, sheep and possibly chickens. The horizontal position of the symbol indicates live animals.

ANIMAL DOMESTIQUE VIVANT
Les animaux domestiques destinés à la consommation : porcs, chèvres, moutons et possiblement poules. L'orientation horizontale du symbole indique qu'il s'agit d'animaux vivants.

SEGMENT 11

We multiplied the number of commercial routes in order to increase the commerce of domestic animals.

SEGMENT 11

Nous avons multiplié le nombre de routes commerciales pour accroître le commerce des animaux domestiques.

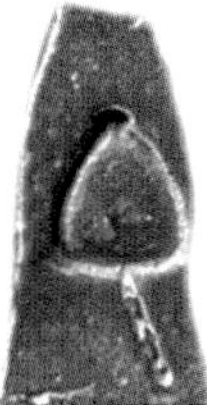

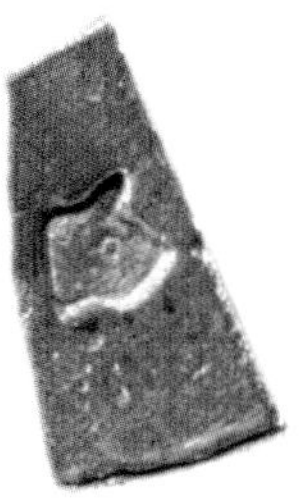

The symbols / Les symboles

Segment 12

MEASURE
In a general sense, measurement represents a quantity measured. Its position in relation to an inverted hand tells us that it is acting as an increasing quantity.

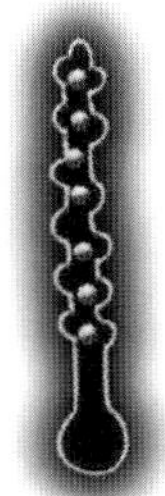

MESURE
Au sens large, la mesure représente : une quantité mesurée. Sa position par rapport à la main inversée nous indique qu'il s'agit d'une quantité croissante.

INVERTED HAND
The inverted hand associated with the following symbol signifies: the animals that we brought back, which means commerce.

MAIN INVERSÉE
La main inversée s'associe au symbole suivant pour signifier : les animaux que nous avons ramené, ce qui veut dire le commerce.

LIVE DOMESTIC ANIMAL
The domestic animals intended for consumption, such as pork, goats, sheep and possibly chickens. The horizontal position of the symbol indicates live animals.

ANIMAL DOMESTIQUE VIVANT
Les animaux domestiques destinés à la consommation : porcs, chèvres, moutons et possiblement poules. L'orientation horizontale du symbole indique qu'il s'agit d'animaux vivants.

SEGMENT 12

The commerce of animals was continuously growing.

SEGMENT 12

Le commerce des animaux était toujours en croissance.

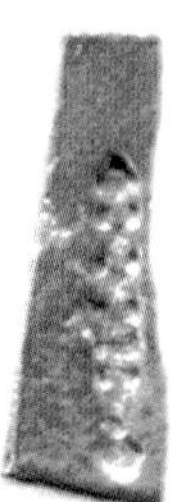

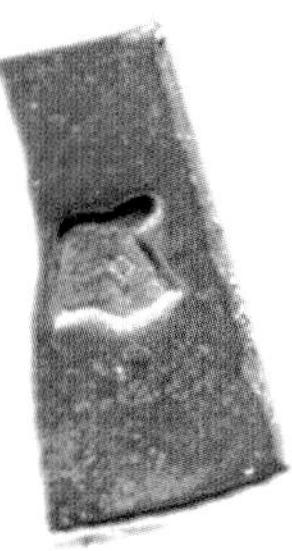

The symbols / Les symboles

Segment 13

HAND WITH A STROKE TO THE RIGHT

The hand, with the palm face up, signifies to bring. The oblique line at the right of the hand represents a border. Jointly in this context, this symbol has a double meaning: to bring to this side of the border, from our place of origin.

MAIN ET TRAIT À DROITE

La main, dont la paume est face au sujet, signifie : ramener. Le trait oblique à droite de la main représente une frontière. Conjointement, ce symbole double signifie : ramener de ce côté de la frontière en provenance de notre lieu d'origine, dans le contexte.

NORTHWEST TRIANGULATED CIRCLE

The circle and the triangle are present in this sign. The circle is a place. We will assume that it most likely represents the Island of Crete. The triangle refers to a northwest direction from their land of origin (Egypt). It equally indicates knowledge of the North Magnetic Pole.

CERCLE TRIANGULÉ NORD-OUEST

Le cercle et le triangle sont combinés en un seul symbole. Le cercle représente un lieu. Nous présumerons, sans trop de risque d'erreur, qu'il s'agit de l'île de Crète. Le triangle indique une direction au nord-ouest du lieu d'origine (Égypte). Il nous indique également une connaissance du Nord magnétique.

FRUIT TREES

Within a commercial context where there was a surplus, we interpret as: other varieties of fruit trees.

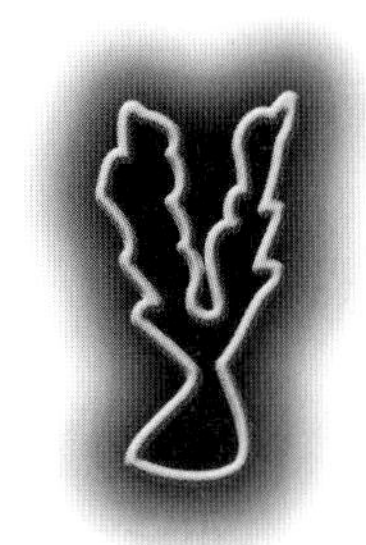

ARBRES FRUITIERS

Dans un contexte commercial où il y avait un surplus, nous traduirons par : d'autres variétés d'arbres fruitiers.

DOMESTIC ANIMAL (MEAT)

The domestic animals intended for consumption such as pork, goats, sheep and possibly chickens. It is worth noting that when the head points upward, it indicates that it is meat and not a live animal. Extrapolated the meaning becomes food provisions.

ANIMAL DOMESTIQUE (VIANDE)

Les animaux domestiques destinés à la consommation : porcs, chèvres, moutons et possiblement poules. Notons que, la tête pointée vers le haut, indique qu'il s'agit de viande et non d'animaux vivants. Extrapolée, la signification devient des provisions alimentaires.

SEGMENT 13

Through our commercial activities, we imported new varieties of fruit trees and preserved meats.

SEGMENT 13

Suite à nos activités commerciales, nous avons importé de nouvelles variétés d'arbres fruitiers et de viandes préservées.

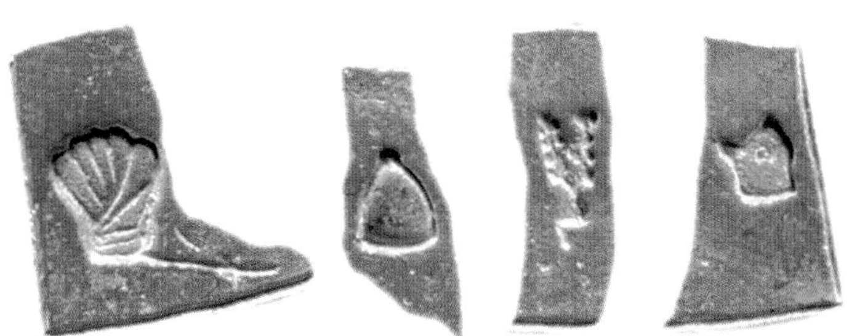

The symbols / Les symboles

Segment 14

GENERATION

An individual who crosses the frontier of life to death. In relation with the next symbol, we translate it as 'generations.' The stroke, representing the frontier, is partially erased.

GÉNÉRATION

L'individu qui traverse la frontière de la vie vers la mort. En relation avec le symbole suivant, nous avons défini ce symbole par « générations ». Le trait, représentant la frontière, est partiellement effacé.

DEATH

Linked with the preceding symbol, this symbol signifies: the passage of life to death, or in other words, previous generations.

MORT

Ce symbole, associé au symbole précédent, signifie : le passage de la vie à la mort, ou, les générations antérieures.

CAVE

The cave is the perfect habitat in the absence of materials to build a shelter. Discovered remains show that the pioneers lived in the caverns for a long period.

CAVERNE

La caverne est l'habitat par excellence en l'absence de matériaux pour construire un abri. Des vestiges démontrent que les pionniers ont habité les cavernes durant une longue période.

TIME (TIME LAPSE)

Time is represented by a young man becoming an adult and therefore his hair is spiked like the comb of a rooster. There exists no point of reference for the significance of this symbol. The translation is ours. This interpretation holds true for all other segments of the disk.

TEMPS (LAPS DE TEMPS)

Le temps est représenté par un jeune homme devenant un adulte et dont les cheveux sont hérissés comme la crête d'un coq. Il n'existe aucun point de référence pour la signification de ce symbole. La traduction est nôtre et cette interprétation s'avère exacte pour tous les autres segments du disque.

SEGMENT 14
Several generations passed since we have lived in the caves.

SEGMENT 14
Plusieurs générations ont passé depuis le temps où nous vivions dans les cavernes.

The symbols / Les symboles

Segment 15

FISH

In the context of this segment, the fish is presented as a food because of its vertical position. In other circumstances, it can represent fishing, the fisherman or the sea.

POISSON

Dans ce segment, le poisson est présenté comme un aliment puisqu'il est en position verticale. En d'autres circonstances, il peut représenter la pêche, le pêcheur ou la mer.

VEGETABLES OR CEREALS

This symbol represents food growing in the ground. We have defined it as vegetables and cereals.

LÉGUMES OU CÉRÉALES

Ce symbole représente les aliments qui poussent dans la terre. Nous l'avons défini par légumes ou céréales.

FOWL

The fowl, in a vertical position is presented as food.

VOLAILLE

La volaille est présentée comme aliment dans ce segment à cause de sa position verticale.

FIELDS

This symbol refers to lands under cultivation. In the context it means the developement of fields, or simply fields or by extrapolation, crops.

CHAMPS

Symbole pour des étendues de culture. Dans le contexte, l'aménagement de champs de culture ou simplement les champs ou, par extrapolation, nourriture récoltée.

FAMILY

The woman wearing an apron represents the family.

FAMILLE

La femme vêtue d'un tablier représente la famille.

SEGMENT 15

Our families were nourished with fish, vegetables, cereals, fruits and fowl.

SEGMENT 15

Nos familles se nourrissaient de poissons, de légumes, de céréales, de fruits et de volailles.

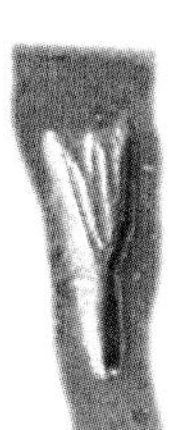

The symbols / Les symboles

Segment 16

WORK
In this segment, the man in movement refers to the activity of man: work.

TRAVAIL
Dans ce segment, l'homme, en mouvement, réfère à l'activité de l'homme : le travail.

FISH
The fish, related to the preceding symbol, becomes fishing.

POISSON
Le poisson, relié au signe précédent, devient : la pêche.

HERD
When the head of the animal is inverted, such as a suckling offspring, it represents a herd. Linked to the preceding signs, the symbol refers to a herdsman or breeder.

TROUPEAU
Lorsque la tête de l'animal est inversée, tel un petit qui boit le lait de sa mère, le pictogramme représente un troupeau. Lié aux signes précédents, le symbole réfère à un gardien de troupeau ou éleveur.

Segment 17

FORCE
The triangle, in the Cree language, signifies force. The orientation of the point indicates direction of movement. The boomerang is an instrument that travels over an area and returns to its launching point. Consequently, the symbol signifies: 'We have travelled an area.'

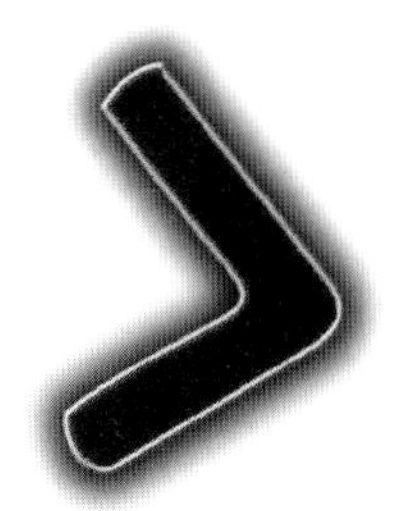

FORCE
Le triangle, dans la langue crie, signifie : la force. L'orientation de la pointe indique la direction du mouvement. Le boomerang est un instrument qui parcourt une étendue et revient à son point de lancement conséquemment, le symbole signifie : « nous avons parcouru une étendue ».

HARNESS
The harness used to attach oxen that carried out the field labour.

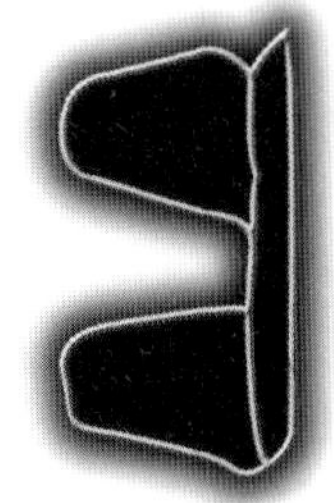

HARNAIS
Le harnais utilisé pour attacher les boeufs qui effectuaient le labeur des champs.

PLOUGHSHARE
The ploughshare is an instrument still used today in many countries.

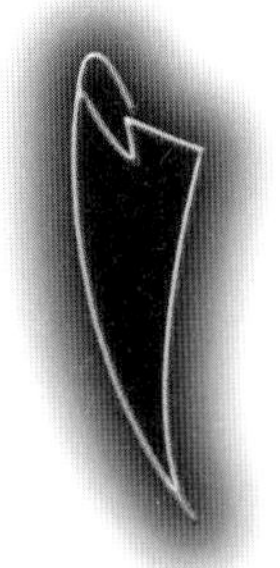

SOC DE CHARRUE
Le soc de charrue est un instrument toujours en usage aujourd'hui dans plusieurs pays.

SEGMENT 16

The work of the men was divided between fishing and animal breeding.

SEGMENT 16

Le travail des hommes a été réparti entre la pêche et l'élevage des animaux.

SEGMENT 17

Later, we increased the area of the cultivated surfaces by using ploughs pulled by oxen.

SEGMENT 17

Plus tard, nous avons accru l'étendue des surfaces cultivées en utilisant des charrues tirées par des boeufs.

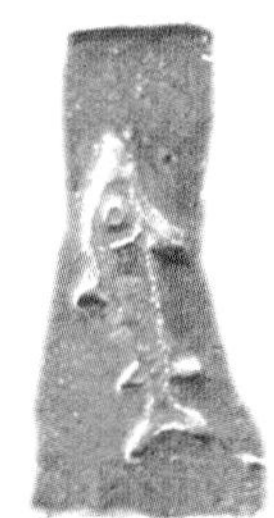

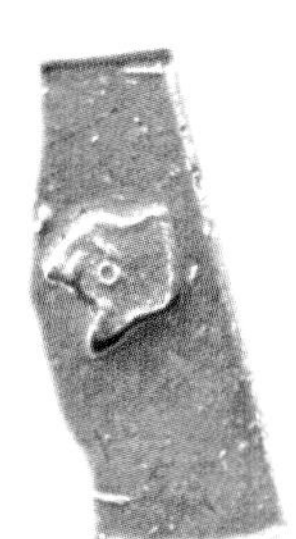

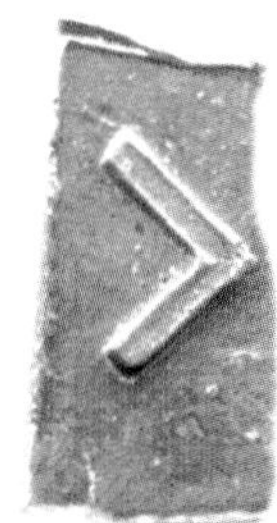

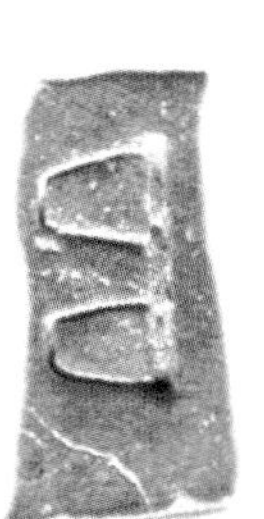

The symbols / Les symboles

Segment 18

FIELDS
This symbol refers to lands under cultivation. In the context it means the developement of fields, or simply fields or by extrapolation, crops.

CHAMPS
Symbole pour des étendues de culture. Dans le contexte, l'aménagement de champs de culture ou simplement les champs ou, par extrapolation, nourriture récoltée

SURFACE OF THE ISLAND OF CRETE
Refers to the coverage of all available surface area. The pictogram shows graduated lines indicating the systematic development of agricultural land.

SURFACE DE L'ÎLE DE CRÈTE
Réfère à couvrir toute la surface disponible. Le pictogramme présente des lignes graduées démontrant le développement systématique des surfaces cultivables.

STOREHOUSES
This symbol refers to the construction of grain warehouses and buildings for domestic animals. The size of the door, when compared to the size of the building, makes us believe that they are not houses.

ENTREPÔTS
Ce symbole réfère à la construction d'entrepôts de grains et de bâtisses pour les animaux domestiques.
La dimension de la porte par rapport à la dimension du bâtiment nous laisse croire qu'il ne s'agit pas de maisons.

HERD
When the head of the animal is inverted, such as a suckling offspring, it represents a herd. Linked to the preceding signs, the symbol refers to a herdsman or breeder.

TROUPEAU
La tête de l'animal inversée, tel un petit buvant le lait de sa mère, signifie un troupeau. Lié aux signes précédents, le pictogramme réfère au gardien de troupeau ou éleveur.

ERASED PICTOGRAM
According to the residual traces, this erased pictogram was identical to the one representing the surface of the Island of Crete.

PICTOGRAMME EFFACÉ
Selon la trace résiduelle, ce pictogramme effacé était identique à celui représentant la surface de l'île de Crète,

SEGMENT 18

Considering the enlargement of horticultural surfaces, we constructed more storehouses for the harvests. We increased in number and surface, the livestock pens.

SEGMENT 18

Vu l'accroissement des surfaces de plantations, nous avons construit d'autres entrepôts pour les récoltes. Nous avons accru, en nombre et en surface, les parcs d'élevage d'animaux.

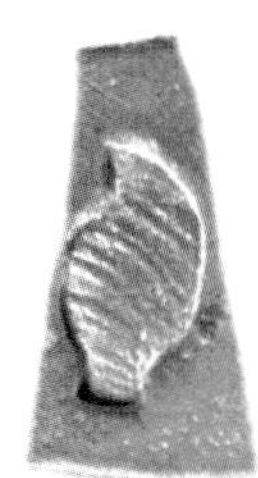

The symbols / Les symboles

Segment 19

WORK
In this segment, the man in movement refers to the activity of man: work.

TRAVAIL
Dans ce segment, l'homme, en mouvement réfère à l'activité de l'homme : le travail.

FLOWER
The symbol represents achievement, prosperity and success.

FLEUR ÉPANOUIE
La fleur épanouie représente la réussite, la prospérité et le succès.

BOAT
In this segment, the boat that sinks represents failure, poverty and misery.

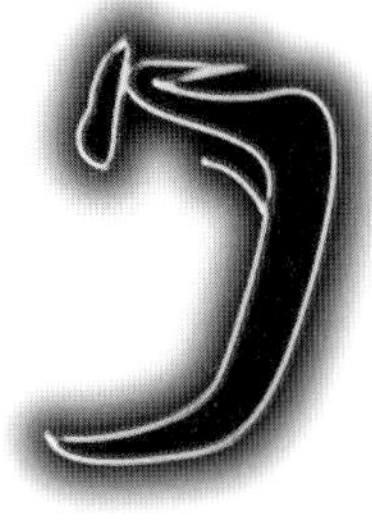

BATEAU
Le bateau qui sombre représente dans ce segment, l'échec, la pauvreté et la misère.

DEATH
The cadaver of a human being, death, or loss of life during an event.

MORT
Le cadavre d'un être humain, la mort; ou la perte de vies lors d'un événement.

SEGMENT 19

The brave workers prospered, while the others foundered.

SEGMENT 19

Les vaillants travailleurs ont prospéré, alors que les autres ont sombré.

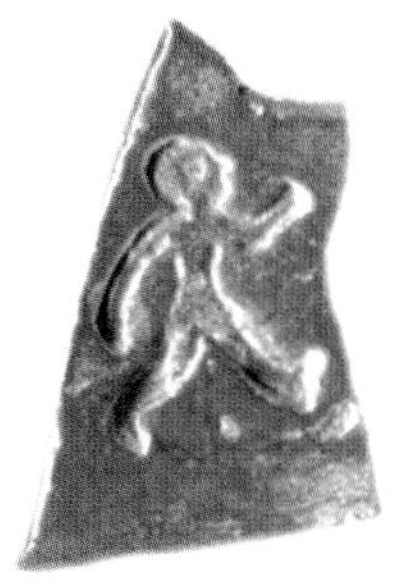

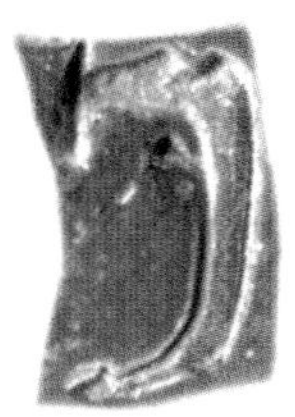

The symbols / Les symboles

Segment 20

SHARING

This pictogram represents the rearview of an animal with a central line dividing it into two equal parts. We have translated it as sharing.

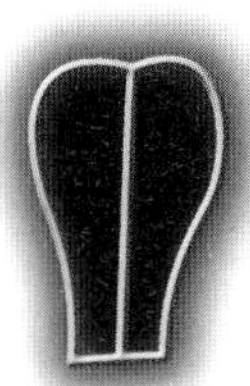

PARTAGE

Ce pictogramme représente la vue arrière d'un animal, divisée en deux parties égales, par une ligne centrale. Nous l'avons traduit par partage.

FRUIT TREES

In the context of the segment, this symbol refers to the whole harvest of the community.

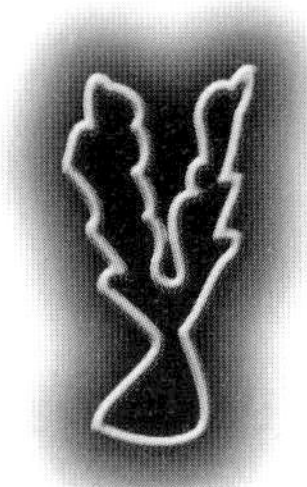

ARBRES FRUITIERS

Dans le contexte de ce segment, le symbole réfère à la récolte globale de la communauté.

FLAME

The flame signifies a dispute, disagreement or a confrontation between two parties.

FLAMME

La flamme signifie : une dispute, une altercation ou une confrontation, entre deux parties.

TIME (TIME LAPSE)

Time is represented by a young man becoming an adult and therefore his hair is spiked like the comb of a rooster. There exists no point of reference for the significance of this symbol. The translation is ours. This interpretation holds true for all other segments of the disk.

TEMPS (LAPS DE TEMPS)

Le temps est représenté par un jeune homme devenant un adulte et dont les cheveux sont hérissés comme la crête d'un coq. Il n'existe aucun point de référence pour la signification de ce symbole. La traduction est nôtre et cette interprétation s'avère exacte pour tous les autres segments du disque.

SEGMENT 20
Through the years, the sharing of harvests was the subject of numerous disputes.

SEGMENT 20
Au fil des années, le partage des récoltes fut l'objet de nombreuses disputes.

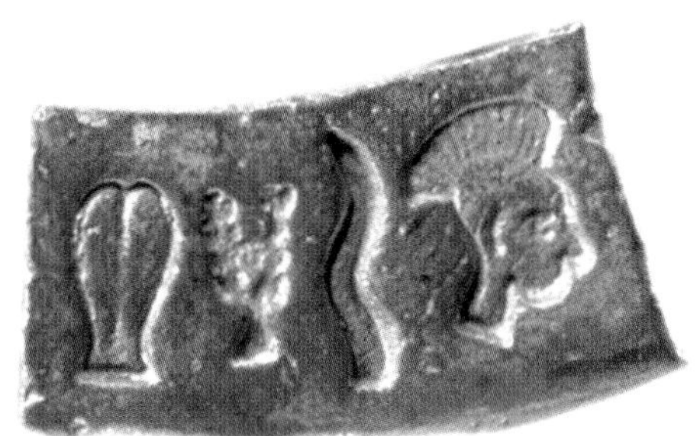

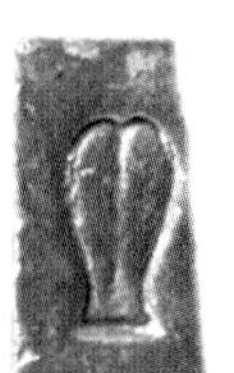
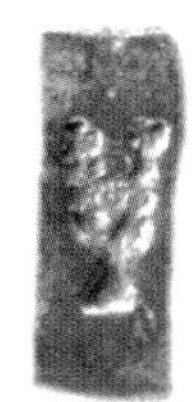

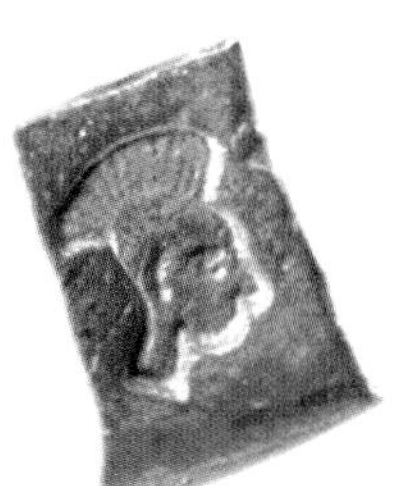

The Disk of Phaistos face A / Le disque de Phaistos face A

The symbols / Les symboles

Segment 21

FIELDS
This symbol refers to lands under cultivation. In the context it means the developement of fields, or simply fields or by extrapolation, crops.

CHAMPS
Symbole pour des étendues de culture. Dans le contexte, l'aménagement de champs de culture ou simplement les champs ou, par extrapolation, nourriture récoltée.

SHARING
This pictogram represents the rearview of an animal with a central line dividing it into two equal parts. We have translated it as sharing.

PARTAGE
Ce pictogramme représente la vue arrière d'un animal, divisée en deux parties égales, par une ligne centrale. Nous l'avons traduit par partage.

STOREHOUSES
This symbol refers to the construction of grain warehouses and buildings for domestic animals. The size of the door, when compared to the size of the building, makes us believe that they are not houses.

ENTREPÔTS
Ce symbole réfère à la construction d'entrepôts de grains et de bâtisses pour les animaux domestiques.
La dimension de la porte par rapport à la dimension du bâtiment nous laisse croire qu'il ne s'agit pas de maisons.

CRETE WITH A STROKE TO THE RIGHT
The explanation of the northwest triangulated circle is at segment 1. The right stroke means 'the commerce on both sides of the frontier.'

CRÊTE ET TRAIT À DROITE
L'explication du cercle triangulé Nord-Ouest se trouve au segment 1. Le trait à droite signifie : « le commerce des deux côtés de la frontière ».

SEGMENT 21

The division of harvests between quantities to store, and quantities to export to other countries was the main cause of dispute.

SEGMENT 21

Le partage des récoltes entre les quantités à conserver en entrepôt, et les quantités à exporter vers d'autres pays, a été la principale cause de disputes.

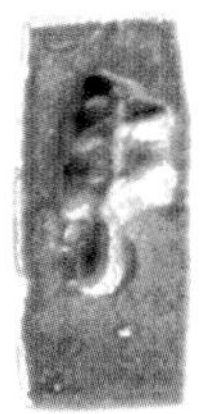

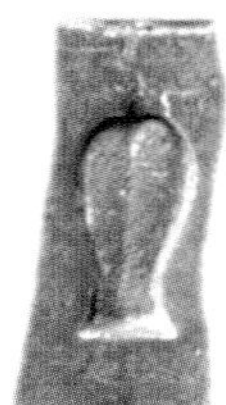

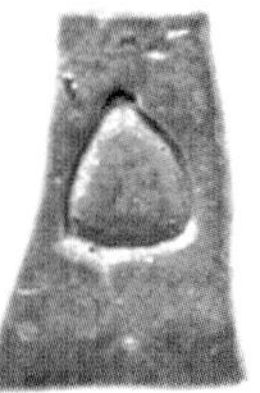

The symbols / Les symboles

Segment 22

BOAT
In the context of this segment, the boat that sinks refers to loss, destruction or annihilation.

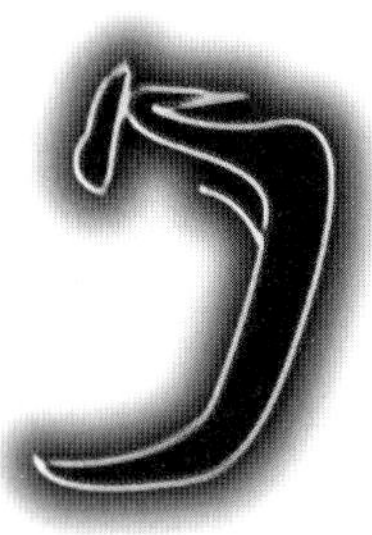

BATEAU
Dans le contexte de ce segment, le bateau qui sombre réfère à la perte, à la destruction ou à l'anéantissement.

DROUGHT
Refers to periods of drought. Considering the geographical position of the Island of Crete, periods of drought were unavoidable,

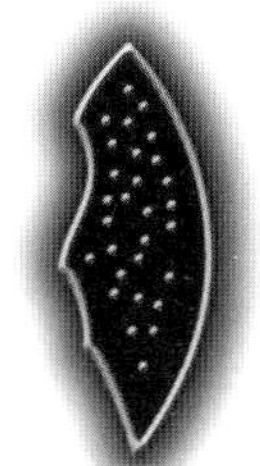

SÉCHERESSE
Réfère à des périodes de sécheresse. Considérant la position géographique de l'île de Crète, les périodes de sécheresse étaient inévitables.

PLANTATIONS
In relation to the other symbols, the fruit tree represents, by extrapolation, the plantations or crops destroyed and dried by heat.

PLANTATIONS
En relation avec les autres symboles, ici l'arbre fruitier représente par extrapolation : les plantations ou récoltes détruites et asséchées par la chaleur.

TOOL
We recognize that the 'V' force combined with the square, represents shaped material. So, the force that shapes material is a tool. Extrapolated it represents crafted materials: merchandise or work according to the context.

OUTIL
Nous reconnaissons la force « V » et le carré, représentant la matière façonnée. Donc, la force qui façonne la matière est un outil. Extrapolé, ce symbole représente des matériaux oeuvrés, marchandises, ou le travail, selon le contexte.

SEGMENT 22

A great part of our crops was destroyed during the times of drought.

SEGMENT 22

Une grande partie de nos récoltes a été anéantie durant les périodes de sécheresse.

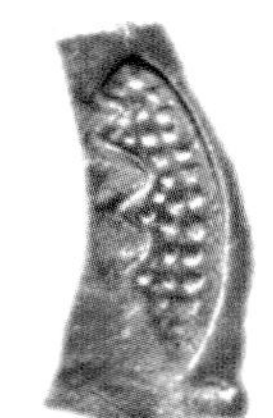

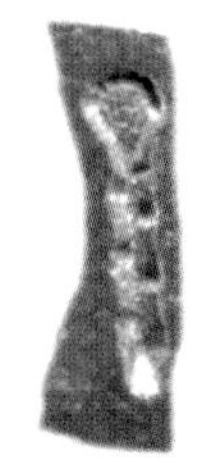

The symbols / Les symboles

Segment 23

FORCE
The triangle, in the Cree language, signifies force. The orientation of the point indicates direction of movement. The boomerang is an instrument that travels over an area and returns to its launching point. Consequently, the symbol signifies: 'We have travelled an area.'

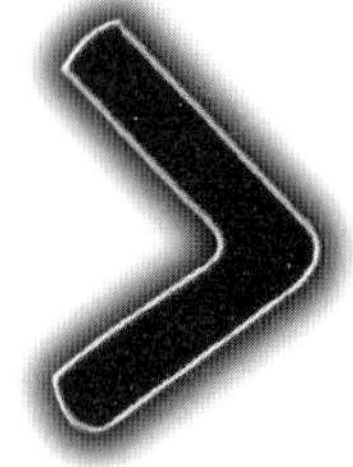

FORCE
Le triangle, dans la langue crie, signifie : la force. L'orientation de la pointe indique la direction du mouvement. Le boomerang est un instrument qui parcourt une étendue et revient à son point de lancement, conséquemment, le symbole signifie : « nous avons parcouru une étendue ».

WORK
Symbol defined in segment 16. When smoke is added over the man's head, it translates as: 'we worked by the sweat of our brows.'

TRAVAIL
Symbole défini au segment 16, avec l'ajout de la fumée au dessus de la tête de l'homme, que nous traduirons par : « nous avons travaillé à la sueur de notre front ».

MEASURE
In this context it signifies: the increase of cultivated surfaces.

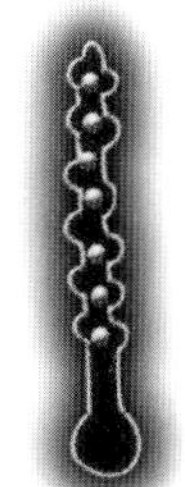

MESURE
Dans le contexte signifie : l'accroissement des surfaces cultivées.

NORTHWEST TRIANGULATED CIRCLE
The circle and the triangle are present in this sign. The circle is a place. We will assume that it most likely represents the Island of Crete. The triangle refers to a northwest direction from their land of origin (Egypt). It equally indicates knowledge of the North Magnetic Pole.

CERCLE TRIANGULÉ NORD-OUEST
Le cercle et le triangle sont combinés en un seul symbole. Le cercle représente un lieu. Nous présumerons, sans trop de risque d'erreur, qu'il s'agit de l'île de Crète. Le triangle indique une direction au nord-ouest du lieu d'origine (Égypte). Il nous indique également une connaissance du Nord magnétique.

AXE OR PICKAXE
This symbol means to work the land manually or clear new areas.

HACHE OU PIOCHE
Signifie : travailler la terre manuellement ou défricher de nouvelles étendues.

SEGMENT 23

By the sweat of our brows through manual labour, we increased the areas suitable for cultivation using a pickaxe.

SEGMENT 23

À la sueur de notre front, nous avons agrandi l'étendue des surfaces cultivables par notre travail manuel à la pioche.

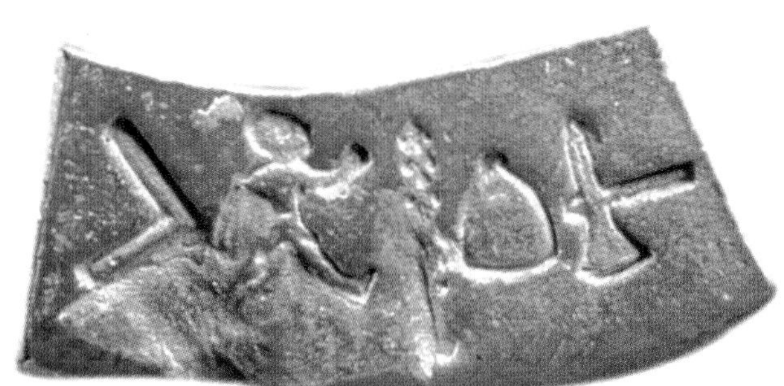

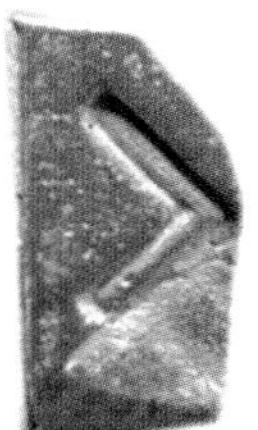 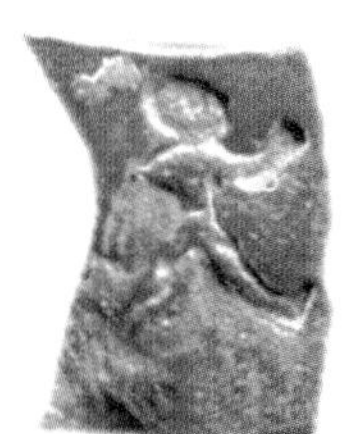  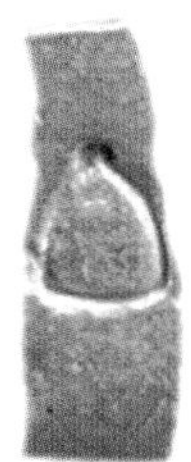 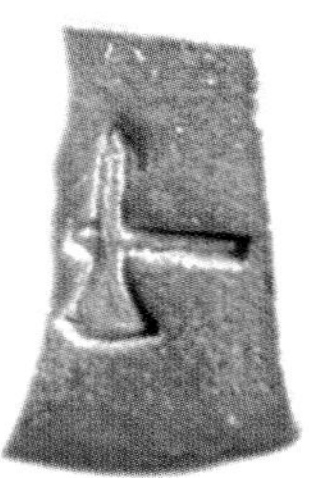

The symbols / Les symboles

Segment 24

FISH
In the context of the segment, the fish is presented as a food because of its vertical position. In other circumstances, it can represent fishing, the fisherman or the sea.

POISSON
Dans ce segment, le poisson est présenté comme un aliment puisqu'il est en position verticale. En d'autres circonstances, il peut représenter la pêche, le pêcheur ou la mer.

VEGETABLES OR CEREALS
This symbol represents food growing in the ground. We have defined it as vegetables and cereals.

LÉGUMES OU CÉRÉALES
Ce symbole représente les aliments qui poussent dans la terre. Nous avons défini par légumes ou céréales.

WORK
The man in action represents work. The hand points towards the top of the measure.

TRAVAIL
L'homme en activité représente le travail. La main pointe vers le haut de la mesure.

MEASURE
In this segment, measure represents the level of reserves. The raised arm of the man indicates the highest level of measure.

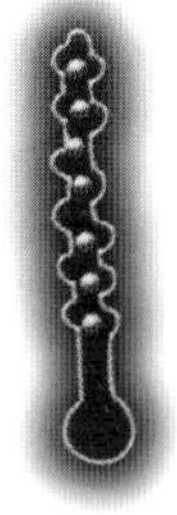

MESURE
Dans ce segment, la mesure représente le niveau des réserves. Le bras élevé de l'homme nous indique le plus haut niveau de la mesure.

SEGMENT 24

After the harvest, when the reserves of grains and fish were at their highest level.

SEGMENT 24

Après la récolte, lorsque les réserves de semences et de poissons étaient à leur plus haut niveau.

The symbols / Les symboles

Segment 25

GROUP FORCE
The triangle is the symbol of force and the dots represent people's heads. Hence, the pictogram refers to people grouped together to perform a duty: increase the cultivated area. The stroke is the division between cultivated area and bush. By extrapolation, the pictogram means 'to push back the border of the bush area.'

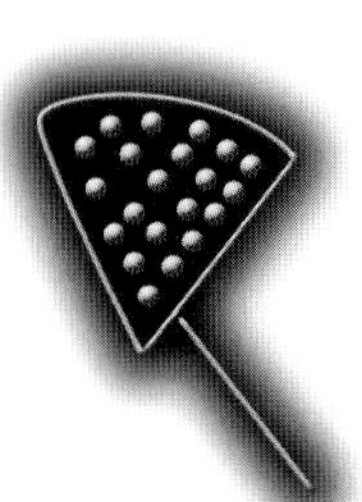

FORCE REGROUPÉE
Le triangle est le symbole de la force et les points représentent les têtes de personnes. Donc, le pictogramme réfère à la force regroupée de personnes pour accomplir une tâche : accroître les surfaces cultivées. Le trait est la division entre la partie aménagée et la partie non aménagée. Par extrapolation, le pictogramme signifie « repousser la frontière de la partie non aménagée ».

FORCE
The triangle, in the Cree language, signifies force. The orientation of the point indicates direction of movement. The boomerang is an instrument that travels over an area and returns to its launching point. Consequently, the symbol signifies: 'we have travelled an area.'

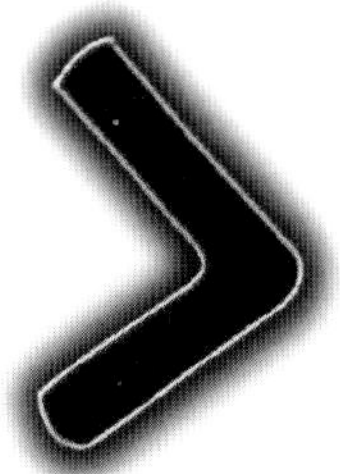

FORCE
Le triangle, dans la langue crie, signifie : la force. L'orientation de la pointe indique la direction du mouvement. Le boomerang est un instrument qui parcourt une étendue et revient à son point de lancement conséquemment, le symbole signifie : « nous avons parcouru une étendue ».

SCEPTRE
The sceptre is the combination of two hieroglyphs. The first is the house 'Per' and the second 'ÂA' which signifies large. Per–ÂA is the designation of pharaoh. We will designate the representative of pharaoh by the word 'leader' in order to simplify the translation.

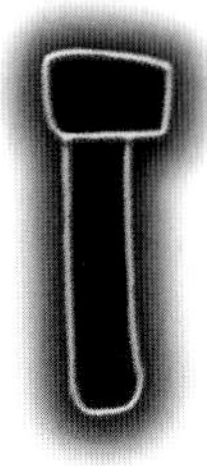

SCEPTRE
Le sceptre est la combinaison de deux hiéroglyphes. Le premier est la maison « Per » et le second « ÂA » qui signifie : grande. Per-ÂA est la désignation de pharaon. Nous désignerons le représentant de pharaon par le mot « chef » afin de simplifier la traduction.

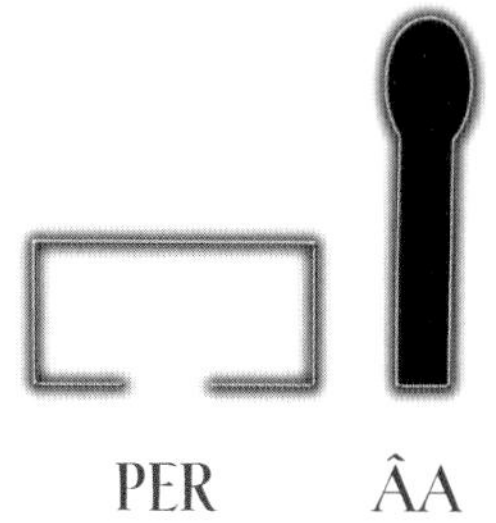

PLOUGHSHARE
The ploughshare is an instrument still in use today in many countries.

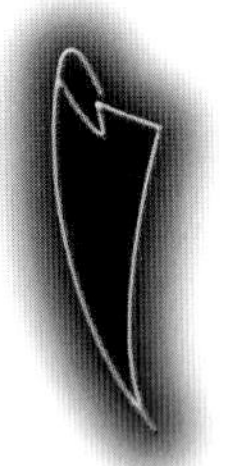

SOC DE CHARRUE
Le soc de charrue est un instrument toujours en usage aujourd'hui dans plusieurs pays.

SEGMENT 25

We regrouped under the direction of our leader to work the land and to develop new fields.

SEGMENT 25

Nous nous sommes regroupés, sous la direction de notre chef, pour travailler la terre et développer de nouveaux champs.

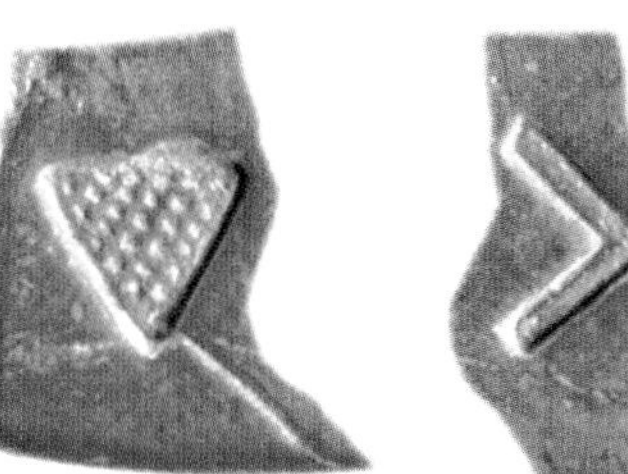
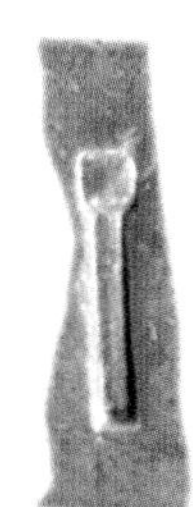

The symbols / Les symboles

Segment 26

VILLAGES

The distant points represent the dispersed sites on the Island of Crete. Ultimately, this symbol could refer to towns or villages of the island.

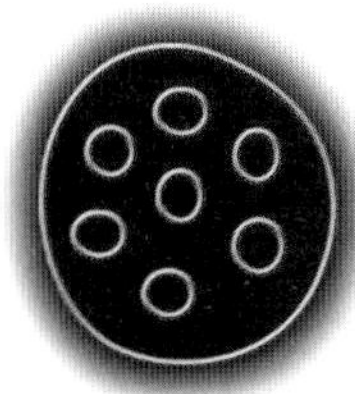

VILLAGES

Les points distants représentent des lieux dispersés sur l'île de Crète. Ultimement, ce symbole pourrait représenter les villes ou villages de l'île.

SURFACE OF THE ISLAND OF CRETE

Refers to the coverage of all available surface area. The pictogram shows graduated lines indicating a systematic development of agricultural land.

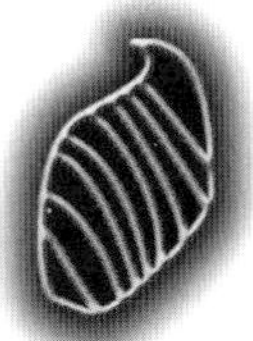

SURFACE DE L'ÎLE DE CRÈTE

Réfère à couvrir toute la surface disponible. Le pictogramme présente des lignes graduées démontrant le développement systématique des surfaces cultivables.

STOREHOUSES

This symbol refers to the construction of grain warehouses and buildings for domestic animals. The size of the door, when compared to the size of the building, makes us believe that they are not houses.

ENTREPÔTS

Ce symbole réfère à la construction d'entrepôts de grains et de bâtisses pour les animaux domestiques.
La dimension de la porte par rapport à la dimension du bâtiment nous laisse croire qu'il ne s'agit pas de maisons.

FISH

In this context, the fish represents the sites where the salted or dried fish were kept.

POISSON

Selon le contexte, le poisson représente ici les lieux de conservation des poissons salés ou séchés.

SEGMENT 26

We erected new grain and fish storehouses on all corners of the island.

SEGMENT 26

Nous avons érigé de nouveaux entrepôts de semences et de poissons dans tous les coins de l'île.

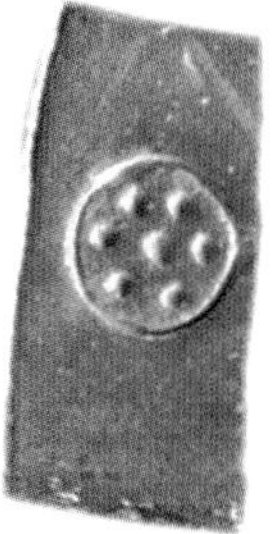

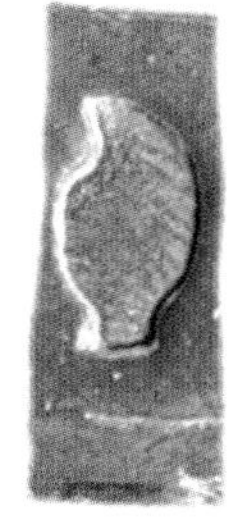

The symbols / Les symboles

Segment 27

DEATH
When associated with the other symbols of this segment, the symbol means the loss of human lives by drowning.

MORT
Lorsque associé aux autres symboles de ce segment, cela signifie la perte de vies humaines par naufrage.

BOAT
The sinking boat combined with the line representing a border signifies sailing abroad.

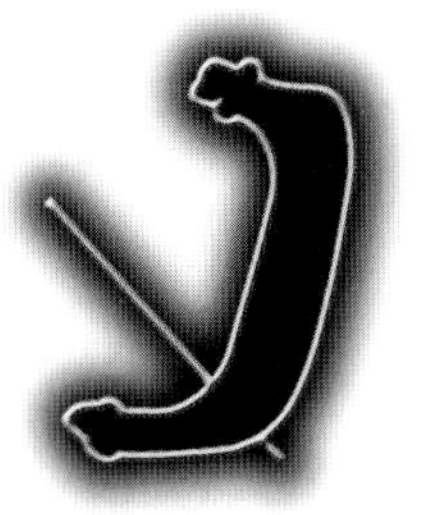

BATEAU
Le bateau qui sombre combiné au trait qui représente une frontière, signifie naviguer hors frontière.

TOOL
We recognize that the 'V' force combined with the square, represents shaped material. So, the force that shapes material is a tool. Extrapolated it represents crafted materials: merchandise or work according to the context.

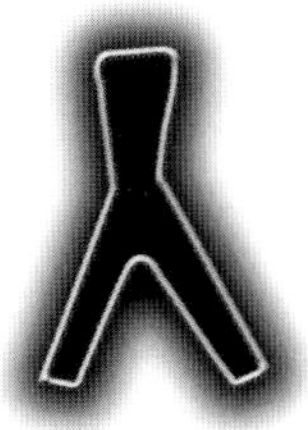

OUTIL
Nous reconnaissons la force « V » et le carré, représentant la matière façonnée. Donc, la force qui façonne la matière est un outil. Extrapolé, ce symbole représente des matériaux oeuvrés, marchandises, ou le travail, selon le contexte.

SEGMENT 27

Many crews and their cargoes disappeared beyond our borders.

SEGMENT 27

Beaucoup d'équipages et leurs cargaisons ont disparu hors de nos frontières.

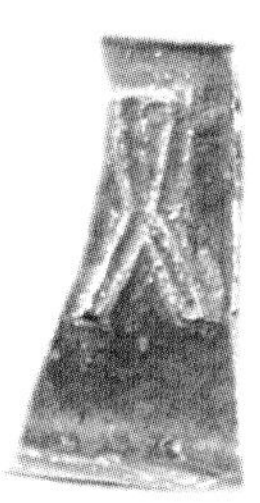

The symbols / Les symboles

Segment 28

DIVISION, REDISTRIBUTION
In this context, the symbol signifies fair distribution of land seeing that the line represents the division of the land.

DIVISER, RÉPARTIR
Dans le contexte, ce symbole signifie répartir équitablement les terres, puisque la ligne représente une division du terrain.

SCEPTRE
The sceptre is the combination of two hieroglyphs. The first is the house 'Per' and the second 'ÂA' which signifies large. Per–ÂA is the designation of pharaoh. We will designate the representative of pharaoh by the word 'leader' in order to simplify the translation.

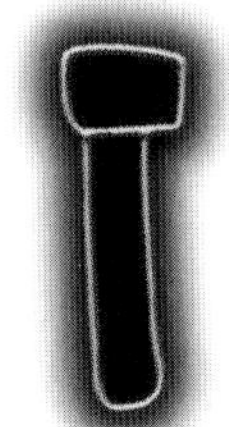

SCEPTRE
Le sceptre est la combinaison de deux hiéroglyphes. Le premier est la maison « Per » et le second « ÂA » qui signifie : grande. Per-ÂA est la désignation de pharaon. Nous désignerons le représentant de pharaon par le mot « chef » afin de simplifier la traduction.

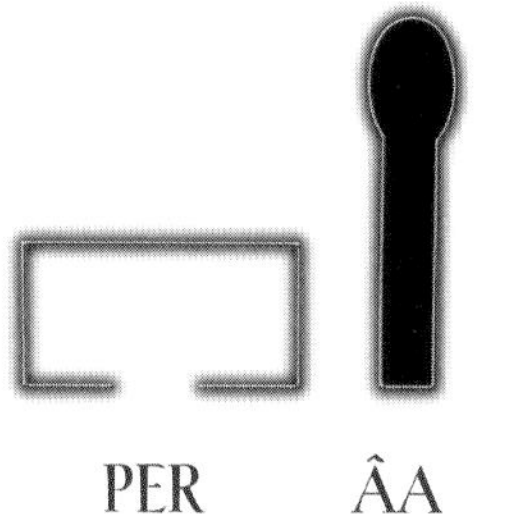

PLANTATIONS
This symbol represents a tree with branches. We have translated it as plantations.

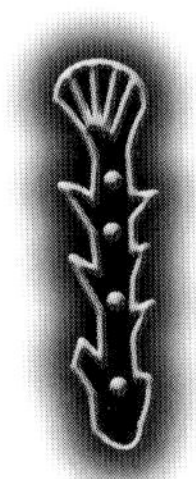

PLANTATIONS
Ce symbole représente un arbre et ses branches. Nous l'avons traduit par plantations.

TIME (TIME LAPSE)
Time is represented by a young man becoming an adult and therefore his hair is spiked like the comb of a rooster. There exists no point of reference for the significance of this symbol. The translation is ours. This interpretation holds true for all other segments of the disk.

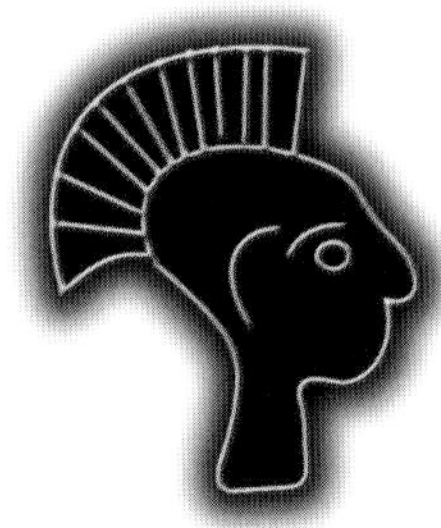

TEMPS (LAPS DE TEMPS)
Le temps est représenté par un jeune homme devenant un adulte et dont les cheveux sont hérissés comme la crête d'un coq. Il n'existe aucun point de référence pour la signification de ce symbole. La traduction est nôtre et cette interprétation s'avère exacte pour tous les autres segments du disque.

SEGMENT 28

Over the course of the years, our leader equitably distributed the agricultural lands and plantations.

SEGMENT 28

Au fil des années, notre chef a réparti équitablement les terres agricoles et les plantations.

The symbols / Les symboles

Segment 29

FIELDS
This symbol refers to lands under cultivation. In the context it means the developement of fields, or simply fields or by extrapolation, crops.

CHAMPS
Symbole pour des étendues de culture. Dans le contexte, l'aménagement de champs de culture ou simplement les champs ou, par extrapolation, nourriture récoltée.

NORTHWEST TRIANGULATED CIRCLE
The circle and the triangle are present in this sign. The circle is a place. We will assume that it most likely represents the Island of Crete. The triangle refers to a northwest direction from their land of origin (Egypt). It equally indicates knowledge of the North Magnetic Pole.

CERCLE TRIANGULÉ NORD-OUEST
Le cercle et le triangle sont combinés en un seul symbole. Le cercle représente un lieu. Nous présumerons, sans trop de risque d'erreur, qu'il s'agit de l'île de Crète. Le triangle indique une direction au nord-ouest du lieu d'origine (Égypte). Il nous indique également une connaissance du Nord magnétique.

ROAD
In a large sense, the road represents a journey or trip. In the context of the segment, it refers to road construction.

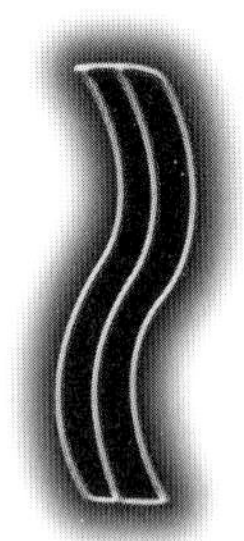

ROUTE
La route, au sens large, est le parcours ou le voyage pour se rendre dans un lieu. Dans le contexte du segment, on réfère à la construction de routes.

DEATH
The cadaver of a human being, death, or loss of life during an event.

MORT
Le cadavre d'un être humain, la mort; ou la perte de vies lors d'un événement.

SEGMENT 29
Many men perished during the phases of road construction and in the development of lands suitable for cultivation.

SEGMENT 29
Beaucoup d'hommes ont péri durant les phases de construction de routes et d'aménagement des terres cultivables.

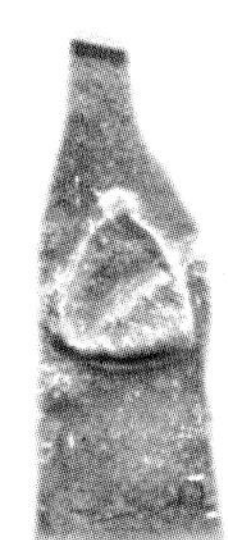
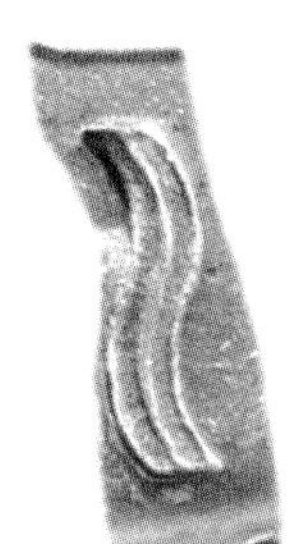

The Disk of Phaistos face A / Le disque de Phaistos face A

The symbols / Les symboles

Segment 30

NORTHWEST TRIANGULATED CIRCLE
The circle and the triangle are present in this sign. The circle is a place. We will assume that it most likely represents the Island of Crete. The triangle refers to a northwest direction from their land of origin (Egypt). It equally indicates knowledge of the North Magnetic Pole.

CERCLE TRIANGULÉ NORD-OUEST
Le cercle et le triangle sont combinés en un seul symbole. Le cercle représente un lieu. Nous présumerons, sans trop de risque d'erreur, qu'il s'agit de l'île de Crète. Le triangle indique une direction au nord-ouest du lieu d'origine (Égypte). Il nous indique également une connaissance du Nord magnétique.

SHARING
This pictogram represents the rearview of an animal with a central line dividing it into two equal parts.We have translated it as sharing.

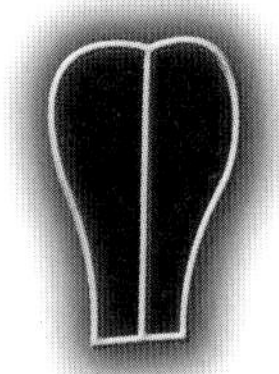

PARTAGE
Ce pictogramme représente la vue arrière d'un animal, divisée en deux parties égales, par une ligne centrale. Nous l'avons traduit par partage.

DISPERSION ON THE ISLAND
The dots represent dispersed sites on the Island of Crete.

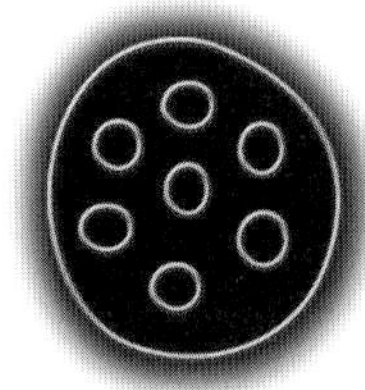

DISPERSION SUR L'ÎLE
Les points distants représentent des lieux dispersés sur l'île de Crète.

TOOL
We recognize that the 'V' force combined with the square, represents shaped material. So, the force that shapes material is a tool. Extrapolated it represents crafted materials: merchandise or work according to the context.

OUTIL
Nous reconnaissons la force « V » et le carré, représentant la matière façonnée. Donc, la force qui façonne la matière est un outil. Extrapolé, ce symbole représente des matériaux oeuvrés, marchandises, ou le travail, selon le contexte.

TIME (TIME LAPSE)
Time is represented by a young man becoming an adult and therefore his hair is spiked like the comb of a rooster. There exists no point of reference for the significance of this symbol. The translation is ours. This interpretation holds true for all other segments of the disk.

TEMPS (LAPS DE TEMPS)
Le temps est représenté par un jeune homme devenant un adulte et dont les cheveux sont hérissés comme la crête d'un coq. Il n'existe aucun point de référence pour la signification de ce symbole. La traduction est nôtre et cette interprétation s'avère exacte pour tous les autres segments du disque.

CHAIN OR CORD
This symbol indicates a link between the two faces of the disk. It is simply the equivalent of the word 'over.'

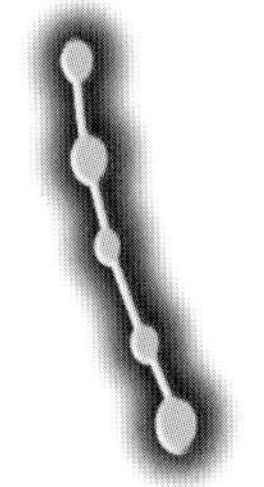

CHAÎNE OU CORDE
Ce symbole représente le lien entre les deux faces du disque. Simplement, il est l'équivalent du mot « verso ».

SEGMENT 30

During this period, the material resources were shared equitably amongst all inhabitants of the entire island.

The chain or cord tells us that the disk is continued on the second face.

SEGMENT 30

Durant cette période, les ressources matérielles ont été réparties équitablement entre tous les habitants de l'île.

La chaîne ou la corde nous indique que la suite est sur la seconde face.

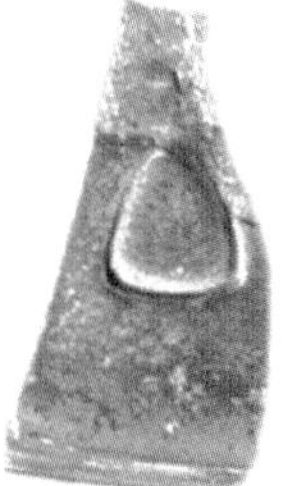
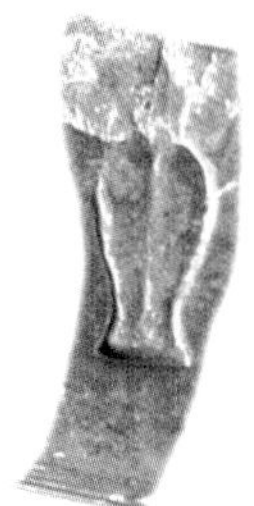
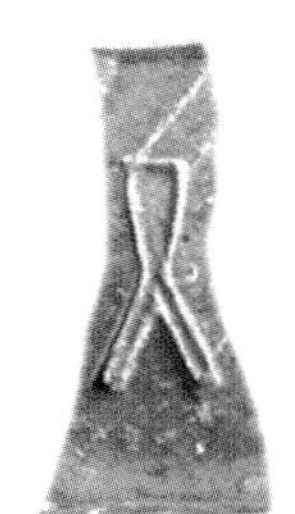
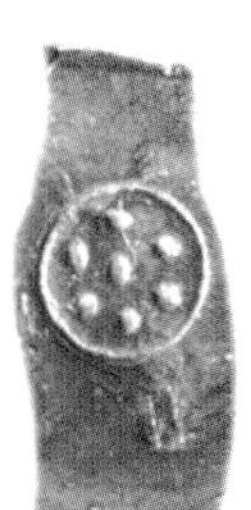

THE PHAISTOS DISK – FACE B
© Archaeological Museum of Herakleion,
Ministry of Culture, Greece

LE DISQUE DE PHAISTOS - FACE B
© Archaeological Museum of Herakleion,
Ministère de la Culture, Grèce

The symbols / Les symboles

Segment 31

PROSPERITY, SUCCESS, BLOSSOMING

The symbol represents achievement, prosperity and success. As we established on face A of the disk, global production in the island was above the internal need of its habitants. They lived in a period of prosperity.

PROSPÉRITÉ, RÉUSSITE. ÉPANOUISSEMENT

La fleur épanouie représente la réussite, la prospérité et le succès. Comme nous l'avons constaté sur la face A du disque, la production globale de l'île dépassait les besoins internes de ses habitants. Ils vivaient une période de prospérité.

SPEECH OR VOICE OF MAN

This symbol is known except for the sign close to the mouth, which represents speech. Note that it is still used today to denote mathematical infinity. The voice is immaterial. The best way to describe it is by a symbol that has no beginning or end.

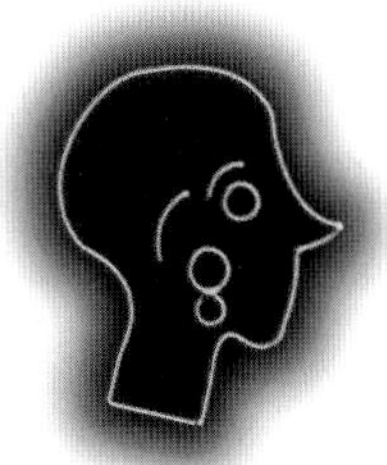

PAROLE OU VOIX D'HOMME

Ce symbole est connu, à l'exception du signe près de la bouche qui représente la parole. Il est à noter que ce signe est encore utilisé aujourd'hui pour désigner l'infini mathématique. La voix est immatérielle. La meilleure façon de la décrire est par un symbole qui n'a pas de début ni de fin.

CLAN OR GROUP LEADER

The supreme leader is designated by a square with no inscription. The present symbol indicates a leader of breeders or village leader, identified by a stem of wheat in the sceptre.

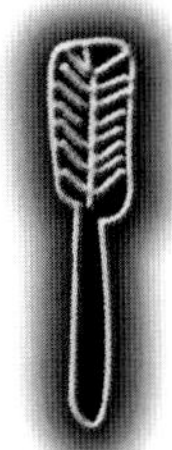

CHEF DE CLAN, GROUPE OU VILLAGE

Le chef suprême est désigné par un carré sans inscription. Le présent symbole indique un chef des éleveurs ou chef de village, identifié par un épi de blé dans le sceptre.

SEGMENT 31

Prosperity created demands as vocalized by group leaders.

SEGMENT 31

La prospérité a engendré des revendications transmises par la voix des chefs de groupe.

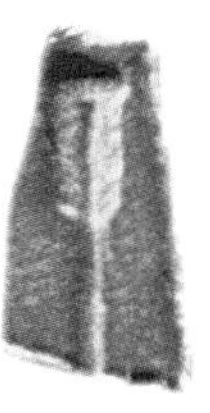

The symbols / Les symboles

Segment 32

WORK

In this segment, the man in movement refers to the activity of man: work.

TRAVAIL

Dans ce segment, l'homme, en mouvement, réfère à l'activité de l'homme : le travail.

MEASURE

In this segment, measure represents the level of reserves. The raised arm of the man indicates the highest level of measure.

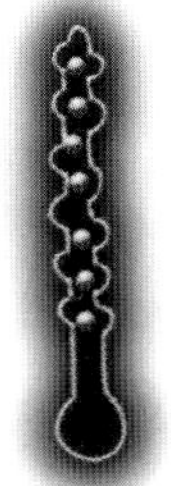

MESURE

Dans ce segment, la mesure représente le niveau des réserves. Le bras élevé de l'homme nous indique le plus haut niveau de la mesure.

AUTHOR'S NOTE

This segment is the culminating point of the disk. Abundance has substituted individual goals to the common goal. This situation has been the origin of many wars throughout the history of mankind.

NOTE DE L'AUTEUR

Ce segment est le point culminant du disque. L'abondance a substitué des objectifs individuels à l'objectif commun du départ. Cette situation a été à l'origine de nombreuses guerres dans l'histoire de la race humaine.

SEGMENT 32
It was a period of great abundance.

SEGMENT 32
C'était une période de grande abondance.

The symbols / Les symboles

Segment 33

VILLAGE
This new symbol is a regrouping of houses. We have translated it as village.

VILLAGE
Ce nouveau symbole est un regroupement de maisons. Nous l'avons traduit par village.

PLANTATIONS
This symbol represents a tree with branches. We have translated it as plantations.

PLANTATIONS
Ce symbole représente un arbre et ses branches. Nous l'avons traduit par plantations.

FIELDS
This symbol refers to lands under cultivation. In the context it means the developement of fields, or simply fields or by extrapolation, crops.

CHAMPS
Symbole pour des étendues de culture. Dans le contexte, l'aménagement de champs de culture ou simplement les champs ou, par extrapolation, nourriture récoltée.

PREVIOUS GENERATIONS
These two symbols of deceased persons, combined with the next mean preceding generations.

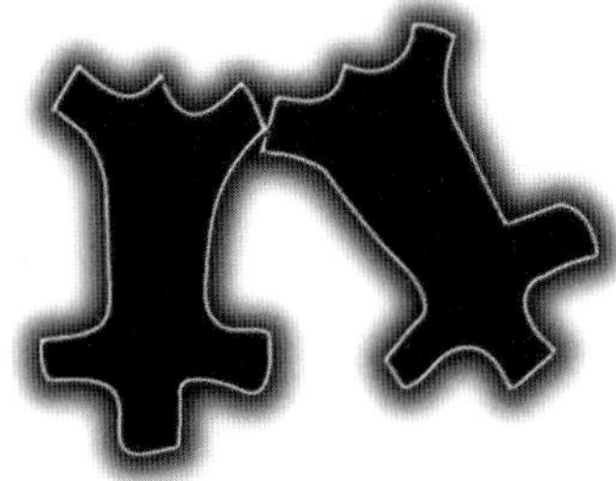

GÉNÉRATIONS ANTÉRIEURES
Ces deux symboles de personnes décédées, combinés au suivant, se traduisent par : générations antérieures.

DISPERSION
The dots represent dispersed sites on the Island of Crete.

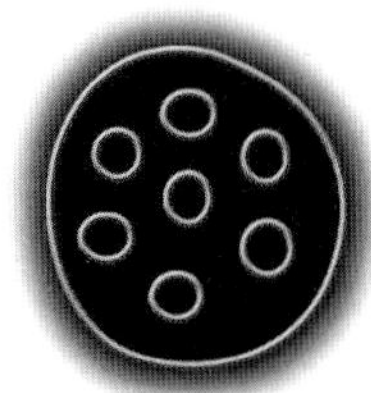

DISPERSION
Les points distants représentent des lieux dispersés sur l'île de Crète.

TIME (TIME LAPSE)
Time is represented by a young man becoming an adult and therefore his hair is spiked like the comb of a rooster. There exists no point of reference for the significance of this symbol. The translation is ours. This interpretation holds true for all other segments of the disk.

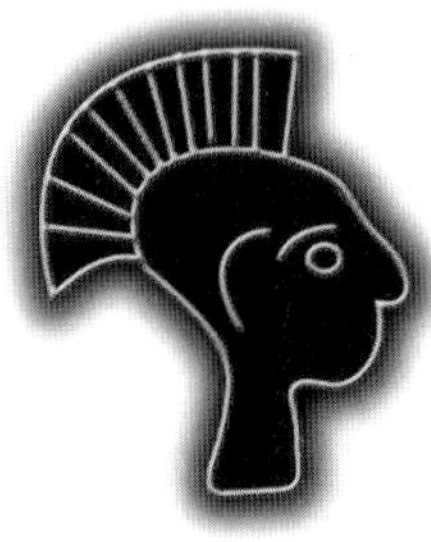

TEMPS (LAPS DE TEMPS)
Le temps est représenté par un jeune homme devenant un adulte et dont les cheveux sont hérissés comme la crête d'un coq. Il n'existe aucun point de référence pour la signification de ce symbole. La traduction est nôtre et cette interprétation s'avère exacte pour tous les autres segments du disque.

SEGMENT 33

The preceding generations constructed villages, developed areas and plantations suitable for cultivation throughout the island.

SEGMENT 33

Les générations précédentes ont construit des villages, développé les étendues de cultures et de plantations dans tous les coins de l'île.

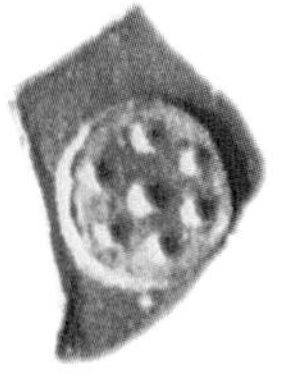

The symbols / Les symboles

Segment 34

REPETITION OF SEGMENT 31

The repetition of this segment indicates a growing intensification of the strength of the popular masses. As seen in our societies where abundance is the rule, social groups appear and make demands on behalf of their members.

RÉPÉTITION DU SEGMENT 31

La répétition de ce segment indique une intensification du pouvoir des masses populaires. Comme nous le constatons dans nos sociétés, où l'abondance est la règle, les groupes sociaux apparaissent et revendiquent au nom de leurs membres.

FLOWER

The flower represents achievement, prosperity and success.

FLEUR

La fleur épanouie représente la réussite, la prospérité et le succès.

SPEECH OR VOICE OF MAN

This symbol is known except for the sign close to the mouth, which represents speech. Note that it is still used today to denote mathematical infinity. The voice is immaterial. The best way to describe it is by a symbol that has no beginning or end.

PAROLE OU VOIX D'HOMME

Ce symbole est connu à l'exception du signe près de la bouche qui représente la parole. Il est à noter que ce signe est encore utilisé aujourd'hui pour désigner l'infini mathématique. La voix est immatérielle. La meilleure façon de la décrire est par un symbole qui n'a pas de début ni de fin.

CLAN, GROUP OR VILLAGE LEADER

The supreme leader is designated by a square with no inscription. The present symbol indicates a leader of breeders or village leader, identified by a stem of wheat in the sceptre.

CHEF DE CLAN, GROUPE OU VILLAGE

Le chef suprême est désigné par un carré sans inscription. Le présent symbole indique un chef des éleveurs ou chef de village, identifié par un épi de blé dans le sceptre.

SEGMENT 34

The claims by the village leaders intensified during this period of prosperity.

SEGMENT 34

Les revendications des chefs de village se sont intensifiées durant cette période de prospérité.

The symbols / Les symboles

Segment 35

IRRIGATE
The symbol represents a canal of water towards a plant, and we have translated this as: to irrigate. Take note that this symbol may have been interpreted differently in the absence of the next pictogram.

IRRIGUER
Ce symbole représente un canal d'eau vers une plante et nous l'avons traduit par : irriguer. Il est à noter que le symbole aurait été interprété différemment en l'absence du pictogramme suivant.

WATER
This symbol in the form of a branch of a hazel tree, used by water diviners to find water underground, means water canals. The use of this symbol shows the knowledge of this tool.

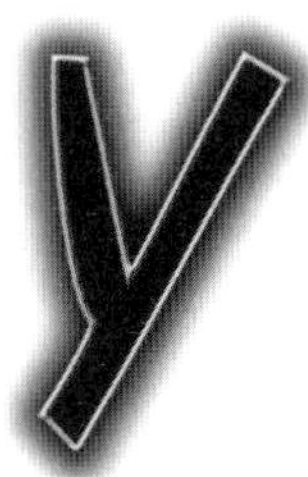

EAU
Ce symbole a la forme de la branche de noisetier que les sourciers utilisent pour trouver de l'eau, dans les campagnes. Nous l'avons traduit par : canaux d'irrigation. L'utilisation de ce symbole témoigne d'une connaissance de cet outil.

SCEPTRE
The sceptre is the combination of two hieroglyphs. The first is the house 'Per' and the second 'ÂA' which signifies large. Per–ÂA is the designation of pharaoh. We will designate the representative of pharaoh by the word 'leader' in order to simplify the translation.

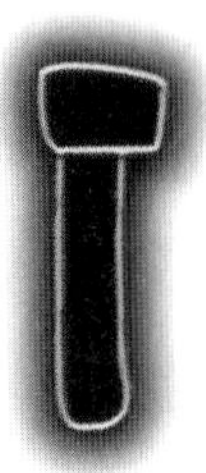

SCEPTRE
Le sceptre est la combinaison de deux hiéroglyphes. Le premier est la maison « Per » et le second « ÂA » qui signifie : grande. Per-ÂA est la désignation de pharaon. Nous désignerons le représentant de pharaon par le mot « chef » afin de simplifier la traduction.

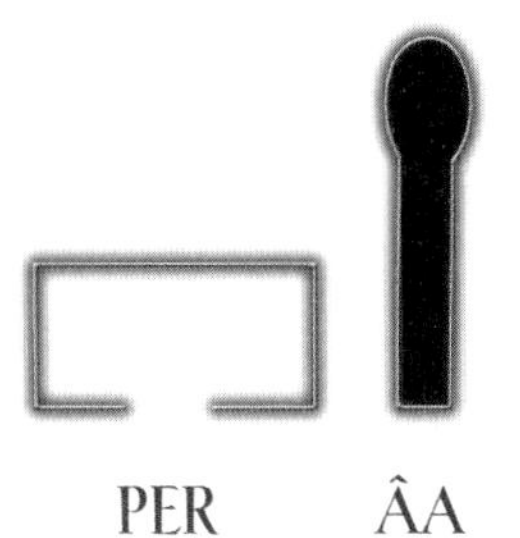

SEGMENT 35

Under the direction of our leader, we undertook the task of irrigating the fields and plantations.

SEGMENT 35

Sous la direction de notre chef, nous avons entrepris des travaux d'irrigation des champs et des plantations.

The symbols / Les symboles

Segment 36

WORK
The man in action represents work. The hand points towards the top of the measure. In relation with the preceding segment, it says that irrigation generated great abundance.

TRAVAIL
L'homme en activité représente le travail. La main pointe le haut de la mesure. En relation avec le segment précédent, nous dirons que l'irrigation a engendré une très grande abondance.

MEASURE
In this segment, measure represents the level of reserves. The raised arm of the man indicates the highest level of measure.

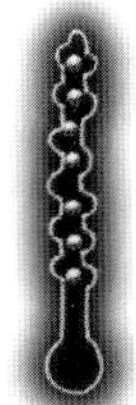

MESURE
Dans ce segment, la mesure représente le niveau des réserves. Le bras élevé de l'homme nous indique le plus haut niveau de la mesure.

VILLAGES
The distant points represent the dispersed sites on the Island of Crete. Ultimately, this symbol could refer to towns or villages of the island.

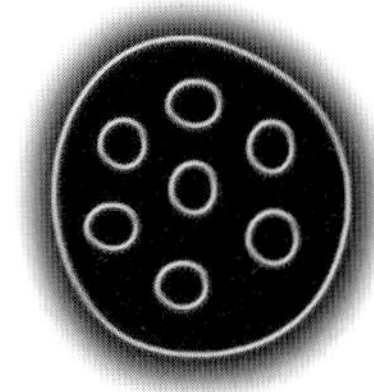

VILLAGES
Les points distants représentent des lieux dispersés sur l'île de Crète. Ultimement, ce symbole pourrait représenter les villes ou villages de l'île.

TIME (TIME LAPSE)
Time is represented by a young man becoming an adult and therefore his hair is spiked like the comb of a rooster. There exists no point of reference for the significance of this symbol. The translation is ours. In this context we interpret it as through the years.

TEMPS (LAPS DE TEMPS)
Le temps est représenté par un jeune homme devenant un adulte et dont les cheveux sont hérissés comme la crête d'un coq. Il n'existe aucun point de référence pour la signification de ce symbole. La traduction est nôtre. Dans le contexte nous l'avons traduit par : au fil des années.

SEGMENT 36
Over the years, irrigation brought great abundance to all parts of the Island of Crete.

SEGMENT 36
Au fil des années, l'irrigation a amené une très grande abondance dans toutes les parties de l'île de Crète.

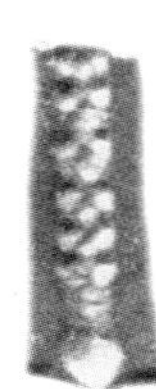
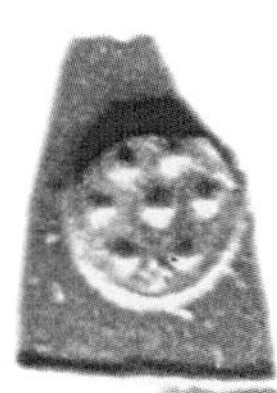

The symbols / Les symboles

Segment 37

VILLAGES

The distant points represent the dispersed sites on the Island of Crete. Ultimately, this symbol could refer to towns or villages of the island.

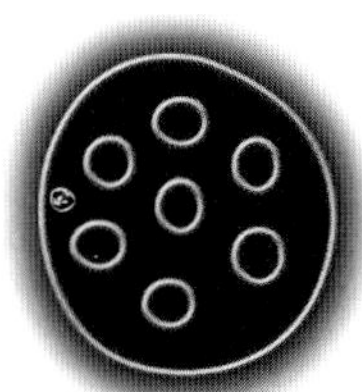

VILLAGES

Les points distants représentent des lieux dispersés sur l'île de Crète. Ultimement, ce symbole pourrait représenter les villes ou villages de l'île.

CIVIL WAR (DISPUTE)

Previously, this symbol was interpreted as 'dispute.' The dimension of the pictogram in relation to the following symbol leads us to the interpretation of civil war.

GUERRE CIVILE (DISPUTE)

Antérieurement nous avons traduit ce symbole par dispute. La dimension du pictogramme, en relation avec le symbole suivant, nous amène à traduire par : guerre civile.

ESCAPE

The escaping bird that takes flight with minimal supplies in its claws. This tells us that the army of the ruling class was outnumbered by the people's army.

FUITE

L'oiseau qui s'envole avec le minimum de provisions entre ses pattes. Ceci nous informe que l'armée de la classe dirigeante était inférieure en nombre à l'armée populaire.

SEGMENT 37

As anticipated, a civil war broke out in all the villages of the island, led by the popular leaders, against us (the ruling class). We fled taking minimal supplies.

SEGMENT 37

Tel que prévu, une guerre civile a éclaté dans tous les villages de l'île, menée par les chefs populaires, contre nous (classe dirigeante). Nous avons fui en emportant le minimum de provisions.

The symbols / Les symboles

Segment 38

WATER
This symbol in the form of a branch of a hazel tree, used by water diviners to find water underground, means water canals. The use of this symbol shows the knowledge of this tool.

EAU
Ce symbole a la forme de la branche de noisetier que les sourciers utilisent pour trouver de l'eau, dans les campagnes. Nous l'avons traduit par : canaux d'irrigation. L'utilisation de ce symbole témoigne de la connaissance de cet outil.

FOOD
The pot cover has been translated as food. In another context, it could be translated as a shield.

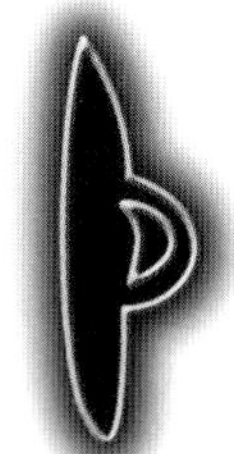

NOURRITURE
Le couvercle d'un chaudron a été traduit par : nourriture. Dans un autre contexte, nous l'aurions traduit par bouclier.

FORCE
The triangle, in the Cree language, signifies force. The orientation of the point indicates direction of movement. The boomerang is an instrument that travels over an area and returns to its launching point. Consequently, the symbol signifies: 'we have travelled an area.'

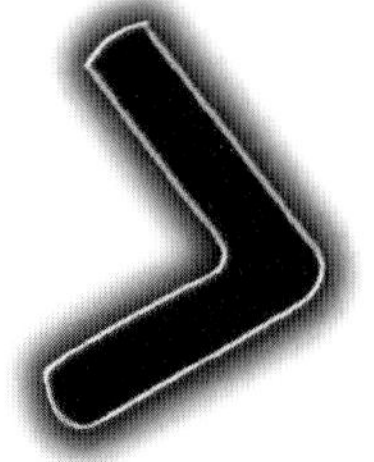

FORCE
Le triangle, dans la langue crie, signifie : la force. L'orientation de la pointe indique la direction du mouvement. Le boomerang est un instrument qui parcourt une étendue et revient à son point de lancement conséquemment, le symbole signifie : « nous avons parcouru une étendue ».

FAMILY
The woman wearing an apron represents the family.

FAMILLE
La femme vêtue d'un tablier représente la famille.

SEGMENT 38

We had to travel great distances to find water and food for our families.

SEGMENT 38

Nous avons dû parcourir de grandes distances pour trouver de l'eau et de la nourriture pour nos familles.

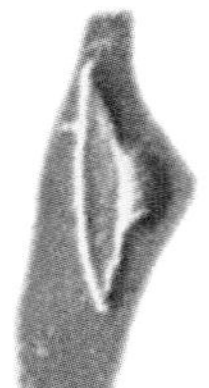

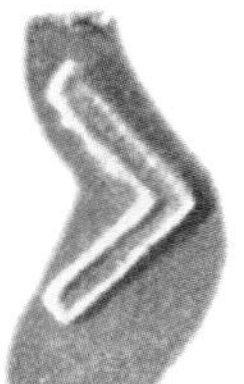

The Disk of Phaistos face B / Le disque de Phaistos face B

The symbols / Les symboles

Segment 39

DEATH
The cadaver of a human being, death, or loss of life during an event.

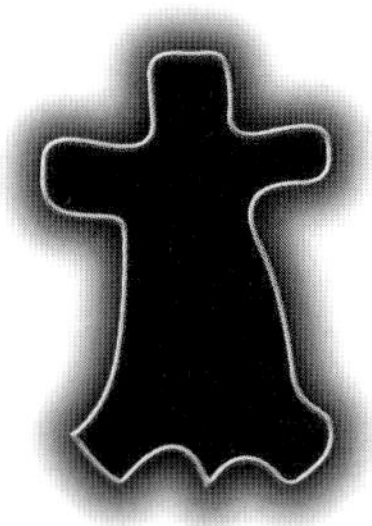

MORT
Le cadavre d'un être humain, la mort; ou la perte de vies lors d'un événement.

FORCE
The triangle, in the Cree language, signifies force. The orientation of the point indicates direction of movement. The boomerang is an instrument that travels over an area and returns to its launching point. Consequently, the symbol signifies: 'we have travelled an area.'

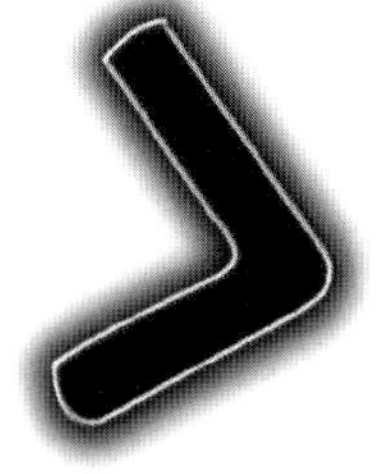

FORCE
Le triangle, dans la langue crie, signifie : la force. L'orientation de la pointe indique la direction. Le boomerang est un instrument qui parcourt une étendue et revient à son point de lancement conséquemment, le symbole signifie : « nous avons parcouru une étendue ».

FOWL
The fowl, in a vertical position is presented as food.

VOLAILLE
La volaille est présentée comme aliment dans ce segment à cause de sa position verticale.

HARNESS
The harness was used on oxen that carried out the field labour. In the actual context, we translated it as vegetables or simply food.

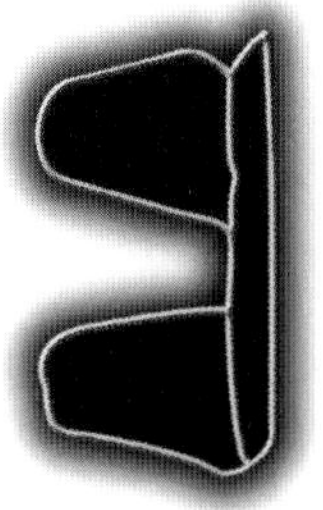

HARNAIS
Le harnais utilisé pour atteler les boeufs qui effectuaient le labeur des champs. Dans le contexte actuel, nous l'avons traduit par légumes ou simplement nourriture.

VILLAGES
The distant points represent the dispersed sites on the Island of Crete. Ultimately, this symbol could refer to towns or villages of the island.

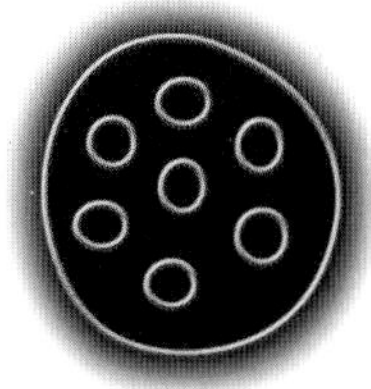

VILLAGES
Les points distants représentent des lieux dispersés sur l'île de Crète. Ultimement, ce symbole pourrait représenter les villes ou villages de l'île.

TIME (TIME LAPSE)
Time is represented by a young man becoming an adult and therefore his hair is spiked like the comb of a rooster. There exists no point of reference for the significance of this symbol. The translation is ours. This interpretation holds true for all other segments of the disk.

TEMPS (LAPS DE TEMPS)
Le temps est représenté par un jeune homme devenant un adulte et dont les cheveux sont hérissés comme la crête d'un coq. Il n'existe aucun point de référence pour la signification de ce symbole. La traduction est nôtre et cette interprétation s'avère exacte pour tous les autres segments du disque.

SEGMENT 39

During this period of upheaval, many men died all over the island in search of food.

SEGMENT 39

Durant cette période de tourments, beaucoup d'hommes sont morts à la recherche de nourriture, dans toutes les parties de l'île.

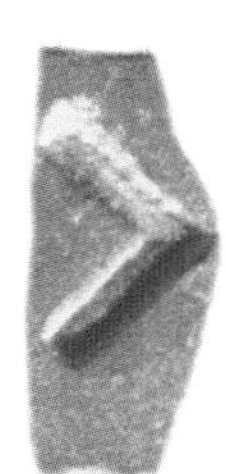

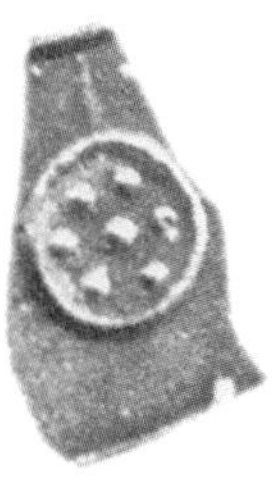

The symbols / Les symboles

Segment 40

CIVIL WAR

We have interpreted the symbol as war that crossed the border because of the right line that signifies: on our side of the border.The size and the repetition of the pictogram can be interpreted as intensification of the civil war.

GUERRE CIVILE

Nous avons traduit ce symbole par la guerre qui traverse notre frontière à cause du trait à droite qui signifie : de notre côté de la frontière. La dimension et la répétition du pictogramme indiquent une intensification de la guerre civile.

ESCAPE

The escaping bird that takes flight with only what it can carry in its claws. The position of the head indicates a western direction. However, it is impossible to validate this hypothesis.

FUITE

L'oiseau qui s'envole avec le minimum de provisions entre ses pattes. La position de la tête indiquerait une fuite vers l'Ouest. Cependant, il nous est impossible de vérifier cette hypothèse.

VILLAGES

The distant points represent the dispersed sites on the Island of Crete. Ultimately, this symbol could refer to towns or villages of the island.

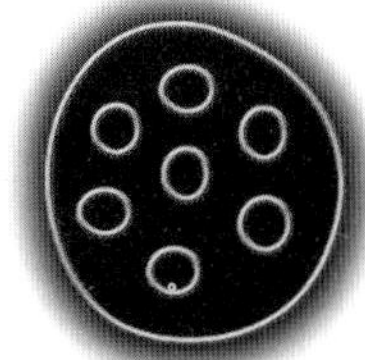

VILLAGES

Les points distants représentent des lieux dispersés sur l'île de Crète. Ultimement, ce symbole pourrait représenter les villes ou villages de l'île.

TIME (TIME LAPSE)

Time is represented by a young man becoming an adult and therefore his hair is spiked like the comb of a rooster. There exists no point of reference for the significance of this symbol. The translation is ours. This interpretation holds true for all other segments of the disk.

TEMPS (LAPS DE TEMPS)

Le temps est représenté par un jeune homme devenant un adulte et dont les cheveux sont hérissés comme la crête d'un coq. Il n'existe aucun point de référence pour la signification de ce symbole. La traduction est nôtre et cette interprétation s'avère exacte pour tous les autres segments du disque.

SEGMENT 40

War, having intensified in all parts of the island, reached our refuge. We were forced to flee again.

SEGMENT 40

La guerre, s'étant intensifiée dans toutes les parties de l'île, a fini par atteindre l'endroit où nous étions réfugiés. Nous avons été contraints de fuir à nouveau.

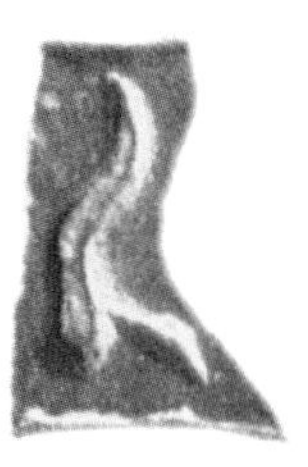

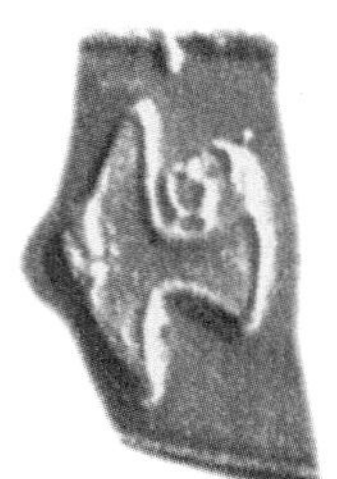

The symbols / Les symboles

Segment 41

BORDER
We have interpreted this as a border that has been established between two warring groups. Warring, because of the raised arm.

FRONTIÈRE
Nous l'avons traduit par une frontière qui a été établie entre les deux groupes belligérants. Belligérants, à cause du bras élevé.

BORDER ON THE ISLAND OF CRETE
The border line demonstrates that a very small part of the island had been granted to the ruling class or more accurately, the former ruling class.

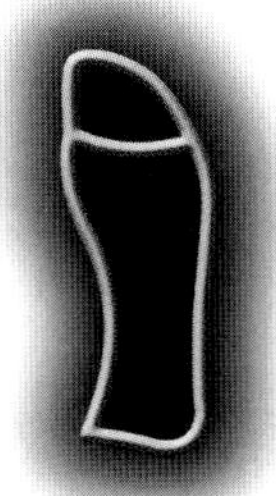

FRONTIÈRE SUR L'ÎLE DE CRÈTE
L'emplacement de la frontière démontre qu'une très petite partie de l'île a été octroyée à la classe dirigeante, ou plutôt l'ex-classe dirigeante.

SEGMENT 41

A border was negotiated between the two warring groups.

SEGMENT 41

Une frontière a été négociée entre les deux groupes belligérants.

The symbols / Les symboles

Segment 42

FORCE
The triangle, in the Cree language, signifies force. The orientation of the point indicates direction of movement. The boomerang is an instrument that travels over an area and returns to its launching point. In association with the other symbols of this segment, we intrepret this as widespread death.

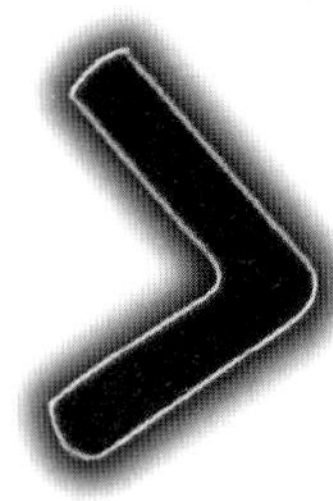

FORCE
Le triangle, dans la langue crie, signifie : la force. L'orientation de la pointe indique la direction du mouvement. Le boomerang est un instrument qui parcourt une étendue et revient à son point de lancement. En association avec les autres symboles de ce segment, nous traduisons par : la mort s'est répandue.

SCEPTERS
The scepters of the leaders of the armies. We interpret this as two armies or two camps in opposition.

SCEPTRES
Les sceptres des chefs des deux armées. Nous traduisons par les deux armées, ou, deux camps qui s'opposent.

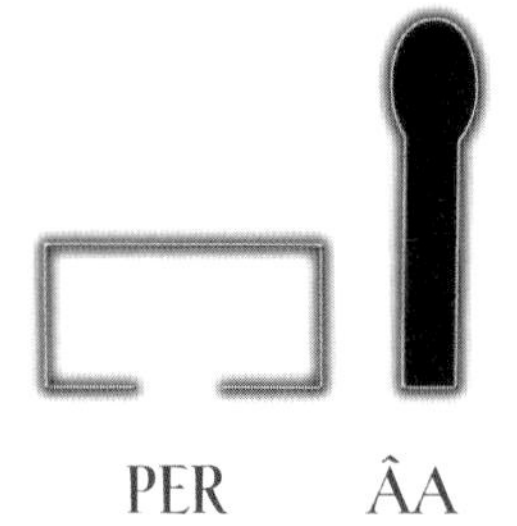

DEATH (MULTIPLE)
The boat that sank with its crew and the symbol of death signifies, the deaths of a great number of individuals.

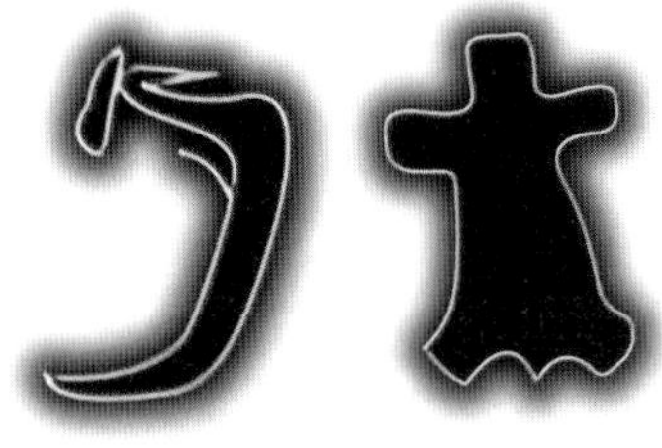

MORT (MULTIPLE)
Le bateau qui sombre avec son équipage et le symbole de la mort signifient la mort d'un très grand nombre d'individus.

TIME (TIME LAPSE)
Time is represented by a young man becoming an adult and therefore his hair is spiked like the comb of a rooster. There exists no point of reference for the significance of this symbol. The translation is ours. This interpretation holds true for all other segments of the disk.

TEMPS (LAPS DE TEMPS)
Le temps est représenté par un jeune homme devenant un adulte et dont les cheveux sont hérissés comme la crête d'un coq. Il n'existe aucun point de référence pour la signification de ce symbole. La traduction est nôtre et cette interprétation s'avère exacte pour tous les autres segments du disque.

SEGMENT 42

During this civil war, a great number of men died on both sides.

SEGMENT 42

Durant cette guerre civile, un très grand nombre d'hommes sont morts dans les deux camps.

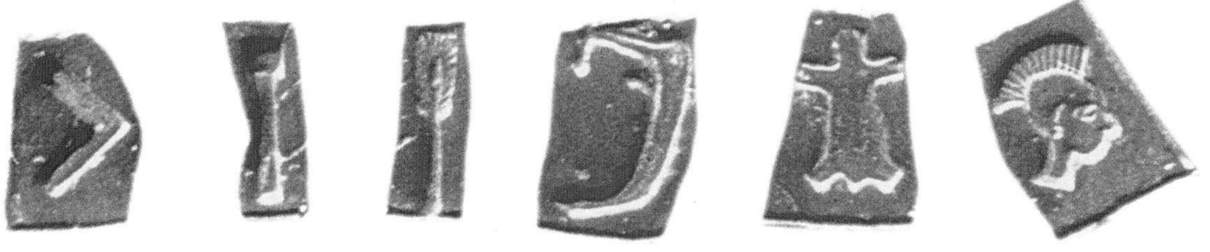

The symbols / Les symboles

Segment 43

CIVIL WAR
We have interpreted the symbol as war that crossed the border, because of the right line that signifies: on our side of the border. The size and repetition of the pictogram can be interpreted as intensification of the civil war.

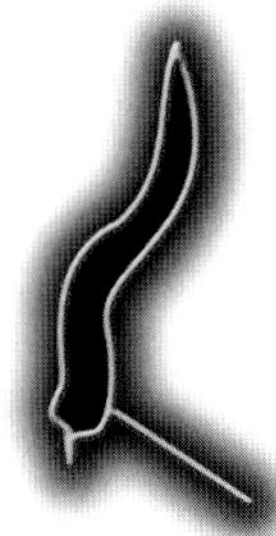

GUERRE CIVILE
Nous avons traduit ce symbole par la guerre qui traverse notre frontière, à cause du trait à droite qui signifie : de notre côté de la frontière. La dimension et la répétition du pictogramme indiquent une intensification de la guerre civile.

ESCAPE
The escaping bird that takes flight with only what it can carry in its claws. The position of the head indicates an eastern direction. However, it is impossible to validate this hypothesis.

FUITE
L'oiseau qui s'envole avec le minimum de provisions entre ses pattes. La position de la tête indiquerait une fuite vers l'Est. Cependant, il nous est impossible de vérifier cette hypothèse.

VILLAGES
The distant points represent the dispersed sites on the Island of Crete. Ultimately, this symbol could refer to towns or villages of the island.

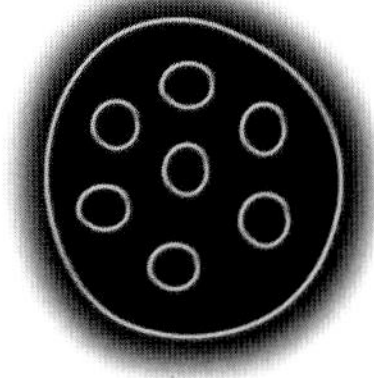

VILLAGES
Les points distants représentent des lieux dispersés sur l'île de Crète. Ultimement, ce symbole pourrait représenter les villes ou villages de l'île.

TIME (TIME LAPSE)
Time is represented by a young man becoming an adult and therefore his hair is spiked like the comb of a rooster. There exists no point of reference for the significance of this symbol. The translation is ours. This interpretation holds true for all other segments of the disk.

TEMPS (LAPS DE TEMPS)
Le temps est représenté par un jeune homme devenant un adulte et dont les cheveux sont hérissés comme la crête d'un coq. Il n'existe aucun point de référence pour la signification de ce symbole. La traduction est nôtre et cette interprétation s'avère exacte pour tous les autres segments du disque.

SEGMENT 43

Once again, the popular army attacked our border and we fled again.

SEGMENT 43

Une fois de plus, l'armée populaire a traversé notre frontière et nous avons fui à nouveau.

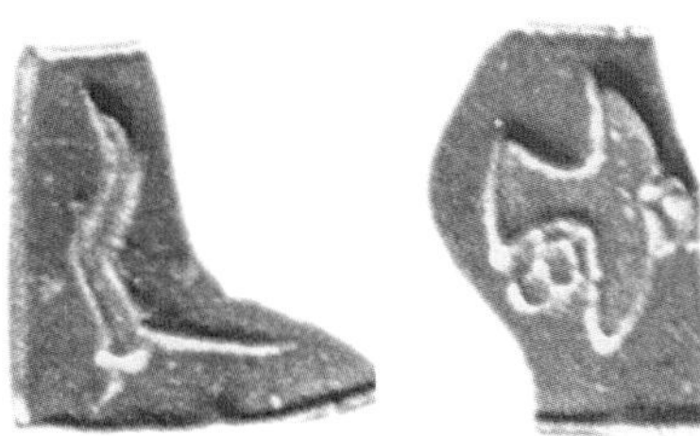

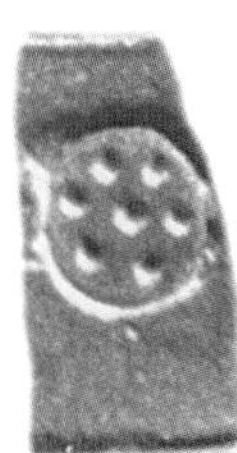

The symbols / Les symboles

Segment 44

SCEPTRE

The sceptre is the combination of two hieroglyphs. The first is the house 'Per' and the second 'ÂA' which signifies large. Per–ÂA is the designation of pharaoh. We will designate the representative of pharaoh by the word 'leader' in order to simplify the translation.

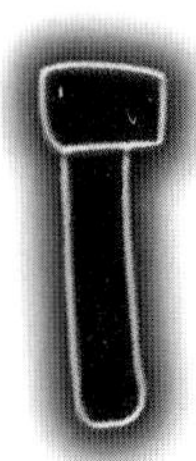

SCEPTRE

Le sceptre est la combinaison de deux hiéroglyphes. Le premier est la maison « Per » et le second « ÂA » qui signifie : grande. Per-ÂA est la désignation de pharaon. Nous désignerons le représentant de pharaon par le mot « chef » afin de simplifier la traduction.

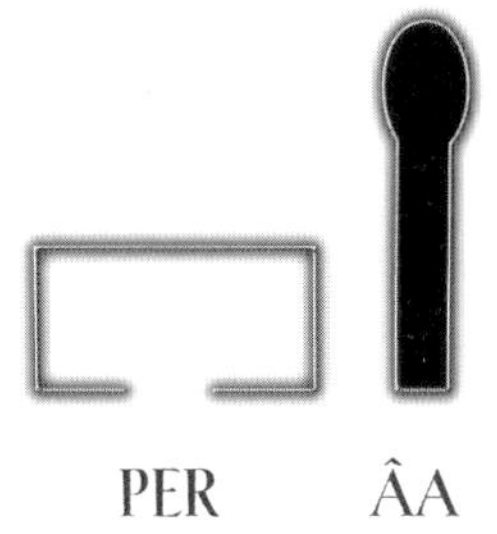

PER ÂA

FISH

In this segment, the fish represents the sea. Note that the scribe could have used the pictogram of the boat. The symbolic use of the caught fish refers to an involuntary action.

POISSON

Dans le présent segment, le poisson symbolise la mer. Il faut remarquer que le scribe avait la possibilité d'utiliser un pictogramme du bateau. La symbolique du poisson sous-entend une action involontaire, tel le poisson capturé.

VARIANT IN THE TRANSLATION

At first, we translated this segment as: our group was made prisoner like a fish caught in a net. However, subsequent segments were responsible for this variant in the translation.

VARIANTE DANS LA TRADUCTION

Originalement, nous avions traduit par : notre groupe a été fait prisonnier tels des poissons pris dans un filet. Cependant, les segments subséquents nous ont forcés à en modifier la traduction.

SEGMENT 44
Our group (or army) was pushed to the sea.

SEGMENT 44
Notre groupe (ou armée) a été repoussé à la mer.

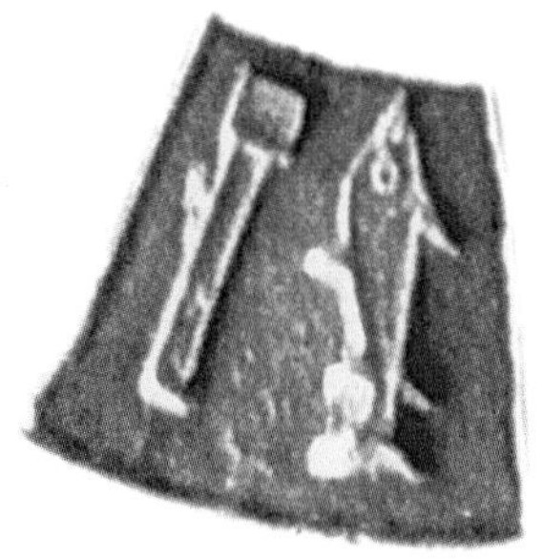

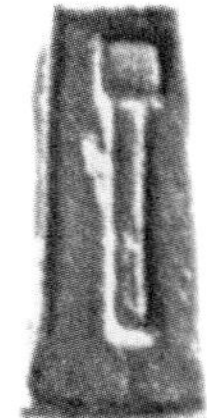

The symbols / Les symboles

Segment 45

VILLAGE
Regrouping of houses with a central area translated as village.

VILLAGE
Regroupement de maisons, avec une place centrale, traduit par : village.

PLANTATIONS
This symbol represents a tree with branches. We have translated it as plantations.

PLANTATIONS
Ce symbole représente un arbre et ses branches. Nous l'avons traduit par plantations.

FIELDS
This symbol refers to lands under cultivation. In the context it means the developement of fields, or simply fields or by extrapolation, crops.

CHAMPS
Symbole pour des étendues de culture. Dans le contexte, l'aménagement de champs de culture ou simplement les champs ou, par extrapolation, nourriture récoltée.

NEGOTIATION
The holding of hands is interpreted as negotiating or negotiation.

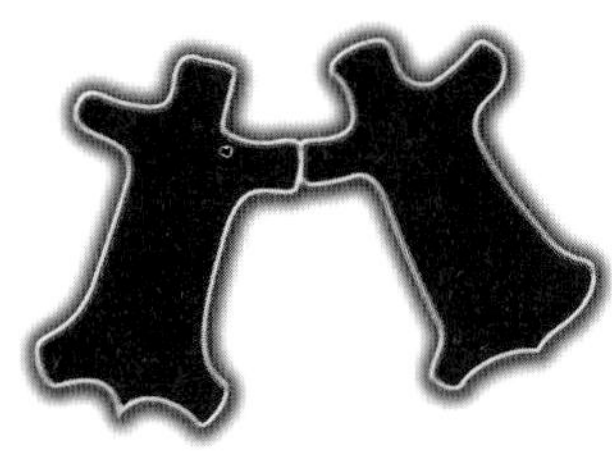

NÉGOCIATION
La poignée de mains a été traduite par : négocier ou négociation.

VILLAGES
The distant points represent the dispersed sites on the Island of Crete. Ultimately, this symbol could refer to towns or villages of the island.

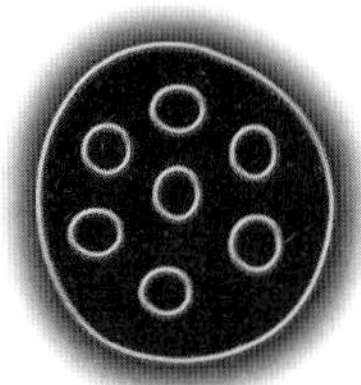

VILLAGES
Les points distants représentent des lieux dispersés sur l'île de Crète. Ultimement, ce symbole pourrait représenter les villes ou villages de l'île.

TIME (TIME LAPSE)
Time is represented by a young man becoming an adult and therefore his hair is spiked like the comb of a rooster. There exists no point of reference for the significance of this symbol. The translation is ours. This interpretation holds true for all other segments of the disk.

TEMPS (LAPS DE TEMPS)
Le temps est représenté par un jeune homme devenant un adulte et dont les cheveux sont hérissés comme la crête d'un coq. Il n'existe aucun point de référence pour la signification de ce symbole. La traduction est nôtre et cette interprétation s'avère exacte pour tous les autres segments du disque.

SEGMENT 45

In the months following the defeat, we negotiated the sharing of villages, cultivation fields and plantations on the island.

SEGMENT 45

Dans les mois qui ont suivi la défaite, nous avons négocié le partage des villages, des champs de culture et des plantations sur l'île.

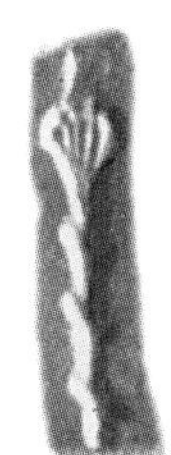

The symbols / Les symboles

Segment 46

CIVIL WAR

We have interpreted the symbol as war that crossed the border because of the right line that signifies: on our side of the border.

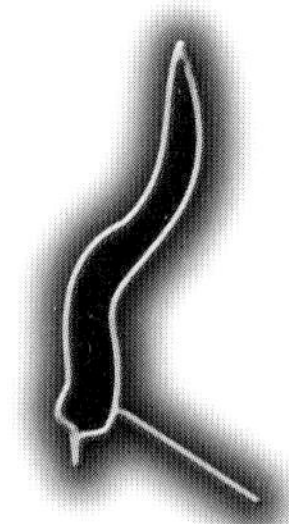

GUERRE CIVILE

Nous avons traduit ce symbole par la guerre qui traverse notre frontière à cause du trait à droite qui signifie : de notre côté de la frontière. La dimension et la répétition du pictogramme indiquent une intensification de la guerre civile.

ESCAPE

The escaping bird that takes flight with only what it can carry in its claws. The position of the head indicates an eastern direction. However, it is impossible to validate this hypothesis.

FUITE

L'oiseau qui s'envole avec le minimum de provisions entre ses pattes. La position de la tête indiquerait une fuite vers l'Est. Cependant, il nous est impossible de vérifier cette hypothèse.

VILLAGES

The distant points represent the dispersed sites on the Island of Crete. Ultimately, this symbol could refer to towns or villages of the island.

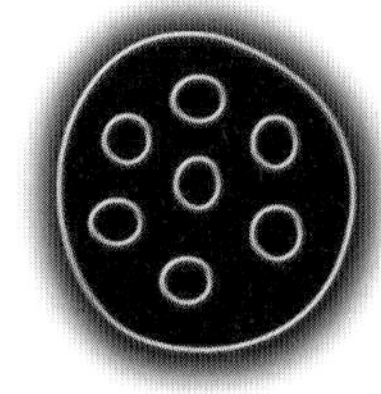

VILLAGES

Les points distants représentent des lieux dispersés sur l'île de Crète. Ultimement, ce symbole pourrait représenter les villes ou villages de l'île.

TIME (TIME LAPSE)

Time is represented by a young man becoming an adult and therefore his hair is spiked like the comb of a rooster. There exists no point of reference for the significance of this symbol. The translation is ours. This interpretation holds true for all other segments of the disk.

LE TEMPS (LAPS DE TEMPS)

Le temps est représenté par un jeune homme devenant un adulte et dont les cheveux sont hérissés comme la crête d'un coq. Il n'existe aucun point de référence pour la signification de ce symbole. La traduction est nôtre et cette interprétation s'avère exacte pour tous les autres segments du disque.

SEGMENT 46

Shortly after this agreement, civil war broke out again and we had to escape once more to our refuge at the extremity of the island.

SEGMENT 46

Peu de temps après cette entente, la guerre civile a repris et nous avons fui à nouveau vers notre refuge à l'extrémité de l'île.

The symbols / Les symboles

Segment 47

POPULAR ARMY
An individual who crosses the frontier with a fist in the air indicates combatants crossing a border.

ARMÉE POPULAIRE
L'individu qui traverse la frontière avec le poing en l'air symbolise des combattants qui traversent une frontière.

BORDER ON THE ISLAND
The border line demonstrates that a very small part of the island had been granted to the ruling class or more accurately, the former ruling class.

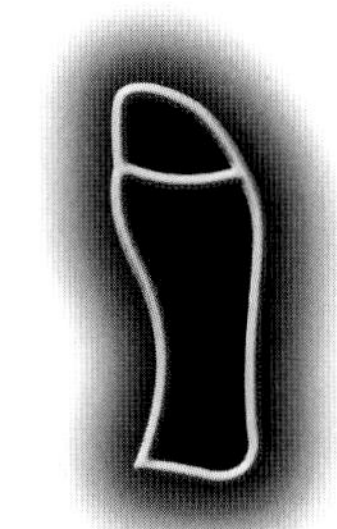

FRONTIÈRE SUR L'ÎLE
L'emplacement de la frontière démontre qu'une très petite partie de l'île a été octroyée à la classe dirigeante ou plutôt l'ex-classe dirigeante.

REPETITION OF SEGMENTS 41/42
This segment is identical to a previous segment.
The repetition indicates an intensification.

RÉPÉTITION DES SEGMENTS 41/42
Ce segment est identique à un segment antérieur.
La répétition présuppose une amplification.

Segment 48

FORCE
In association with the other symbols of this segment, we interpret this as widespread death.

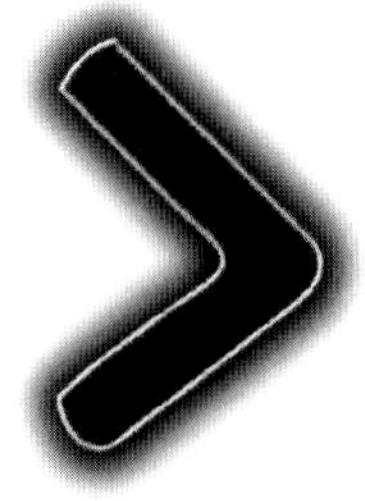

FORCE
Associé aux autres symboles de ce segment, nous l'interprétons comme la mort à grande échelle.

SCEPTERS
The scepters of the leaders of the armies. We interpret this as two armies or two camps in opposition.

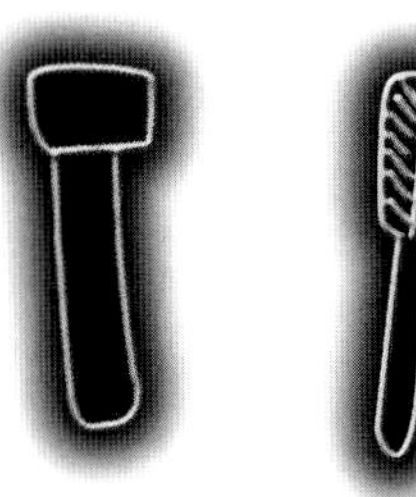

SCEPTRES
Les sceptres des chefs des deux armées. Nous traduisons par les deux armées, ou, deux camps qui s'opposent.

DEATH (MULTIPLE)
The boat that sank with its crew and the symbol of death signifies, the deaths of a great number of individuals.

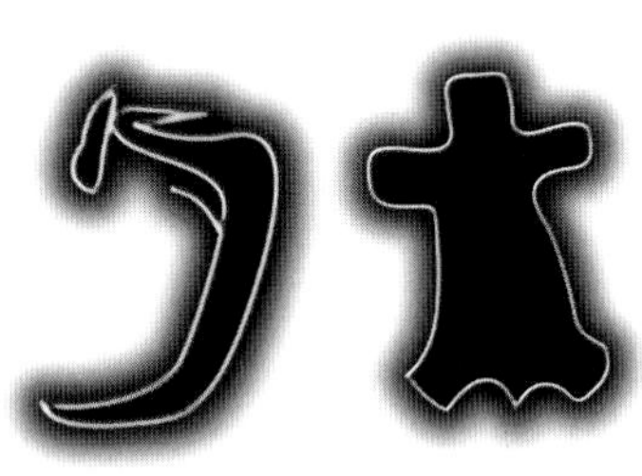

MORT (MULTIPLE)
Le bateau qui sombre avec son équipage et le symbole de la mort signifient la mort d'un très grand nombre d'individus.

TIME (TIME LAPSE)
Same description as on page 96.

TEMPS (LAPS DE TEMPS)
Description identique à la page 96.

SEGMENT 47

Once again, the people's army crossed the border to our refuge, and the war started again.

SEGMENT 47

Une fois de plus, l'armée populaire a traversé la frontière jusqu'à notre refuge et la guerre a repris son cours.

SEGMENT 48

There were once again numerous deaths during the confrontations between the two groups.

SEGMENT 48

Il y a encore eu de nombreux morts lors des affrontements entre les deux groupes.

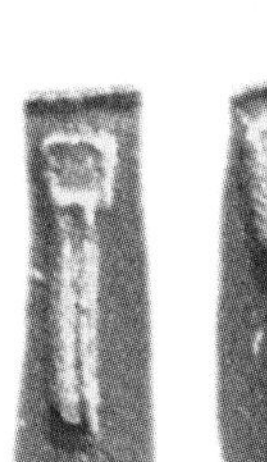

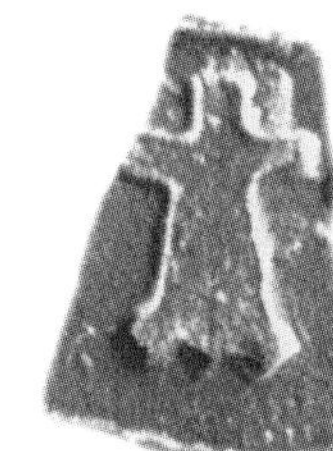

The symbols / Les symboles

Segment 49

BOW
The bow with a loose cord refers to dropping the weapons, surrender or defeat.

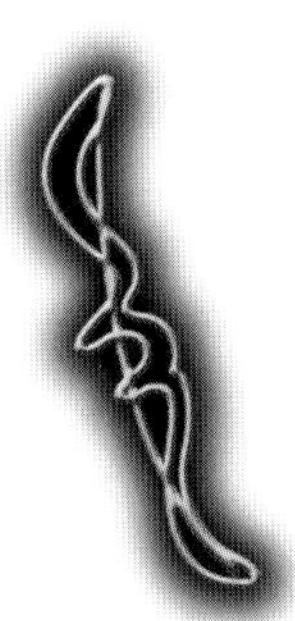

ARC
L'arc, dont la corde est relâchée, représente la reddition des armes, la capitulation ou la défaite.

ARROW
The arrow with the tip in the ground refers to surrendering of the arms, capitulation or defeat.

FLÈCHE
La flèche dont l'extrémité est plantée dans le sol signifie rendre les armes, la capitulation ou la défaite.

Segment 50

DEFEAT OF OUR GROUP
The drooping flower represents defeat. The sceptre still represents 'our group' or 'our army.' We have translated them as 'the defeat of our group.'

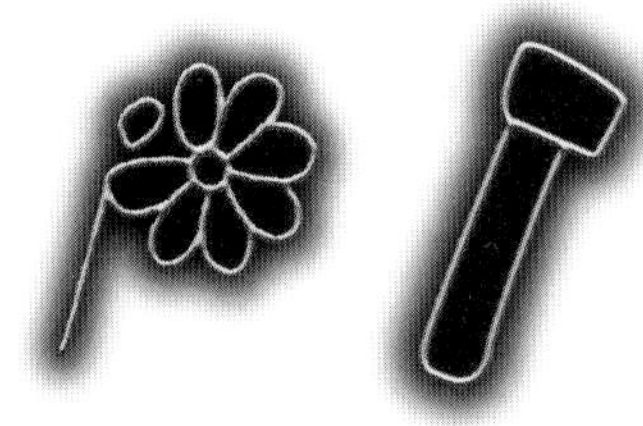

DÉFAITE DE NOTRE GROUPE
La fleur fanée représente la défaite. Le sceptre représente toujours notre groupe ou armée. Nous l'avons traduit par « la défaite de notre groupe ».

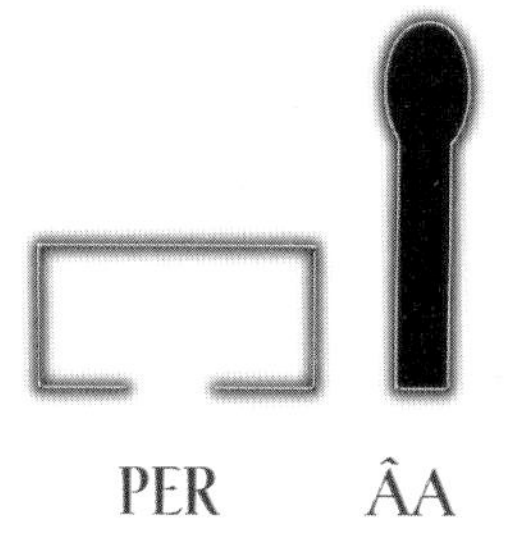

FOWL
The fowl, in a vertical position is presented as food.

VOLAILLE
La volaille représentée comme aliment dans ce segment à cause de sa position verticale.

VILLAGES
The distant points represent the dispersed sites on the Island of Crete. Ultimately, this symbol could refer to towns or villages of the island.

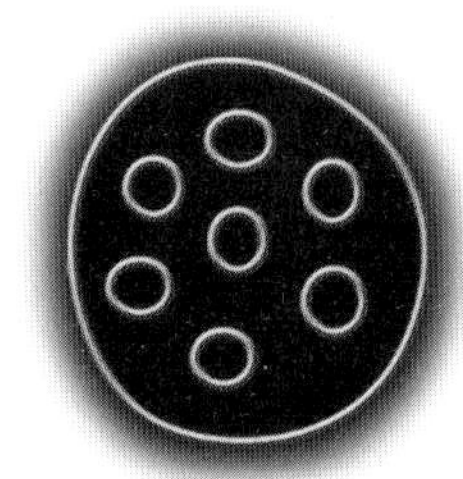

VILLAGES
Les points distants représentent des lieux dispersés sur l'île de Crète. Ultimement, ce symbole pourrait représenter les villes ou villages de l'île.

TIME (TIME LAPSE)
Time is represented by a young man becoming an adult and therefore his hair is spiked like the comb of a rooster. There exists no point of reference for the significance of this symbol. The translation is ours. This interpretation holds true for all other segments of the disk.

TEMPS (LAPS DE TEMPS)
Le temps est représenté par un jeune homme devenant un adulte et dont les cheveux sont hérissés comme la crête d'un coq. Il n'existe aucun point de référence pour la signification de ce symbole. La traduction est nôtre et cette interprétation s'avère exacte pour tous les autres segments du disque.

SEGMENT 49
We surrendered and dropped our weapons.

SEGMENT 49
Nous nous sommes rendus et avons déposé les armes.

SEGMENT 50
At the end of the war, the food supplies were very low for our partisans in all parts of the island.

SEGMENT 50
À la fin de la guerre, la nourriture a été rare pour nos partisans dans tous les coins de l'île.

The symbols / Les symboles

Segments 51

NORTHWEST TRIANGULATED CIRCLE

The circle and the triangle are present in this sign. The circle is a place. We will assume that it most likely represents the Island of Crete. The triangle refers to a northwest direction from their land of origin (Egypt). It equally indicates knowledge of the North Magnetic Pole.

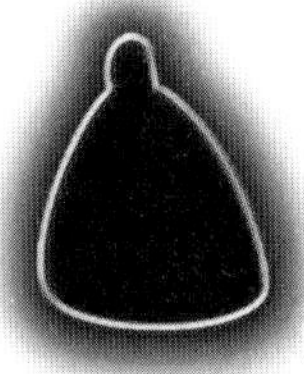

CERCLE TRIANGULÉ NORD-OUEST

Le cercle et le triangle sont combinés en un seul symbole. Le cercle représente un lieu. Nous présumerons, sans trop de risque d'erreur, qu'il s'agit de l'île de Crète. Le triangle indique une direction au nord-ouest du lieu d'origine (Égypte). Il nous indique également une connaissance du Nord magnétique.

SHARING

This pictogram represents the rearview of an animal with a central line dividing it into two equal parts.We have translated it as sharing.

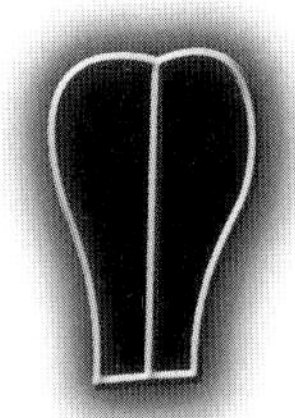

PARTAGE

Ce pictogramme montre la vue arrière d'un animal, divisé en deux parties égales, par une ligne centrale. Nous l'avons traduit par partage.

CLAY TABLETS

The clay tablets were used to keep record of the rationed food. Many of these tablets were found by archeologists.

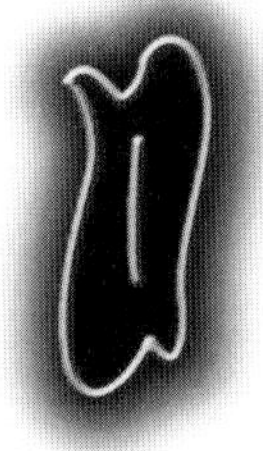

TABLETTES D'ARGILE

Les tablettes d'argile servaient à comptabiliser la nourriture rationnée. Beaucoup de ces tablettes ont été retrouvées par les archéologues.

CIVIL WAR

The raised fist indicates fighting. The pictogram is placed at the end of the segment, so we translated it as 'following the war.'

GUERRE CIVILE

Le poing en l'air indique des combattants. Le pictogramme est placé à la fin du segment. Nous l'avons donc traduit par « suite à la guerre ».

SEGMENT 51

Following the war, the distribution of food was rationed and accounted for on clay tablets throughout the island.

SEGMENT 51

Suite à la guerre, la distribution de la nourriture a été rationnée et comptabilisée sur des tablettes d'argile, dans toute l'île.

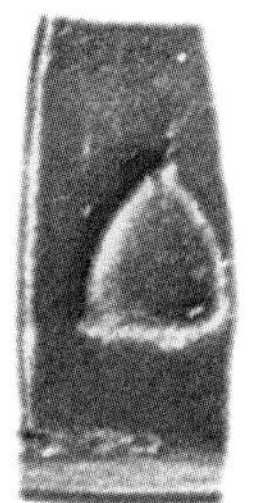

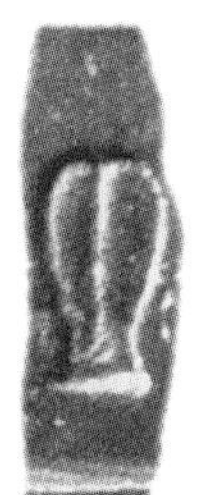

The symbols / Les symboles

Segment 52

FIELDS
This symbol refers to lands under cultivation. In the context it means the developement of fields, or simply fields or by extrapolation, crops.

CHAMPS
Symbole pour des étendues de culture. Dans le contexte, l'aménagement de champs de culture ou simplement les champs ou, par extrapolation, nourriture récoltée.

WATER
This symbol in the form of a branch of a hazel tree, used by water diviners to find water underground, means water canals. The use of this symbol shows the knowledge of this tool.

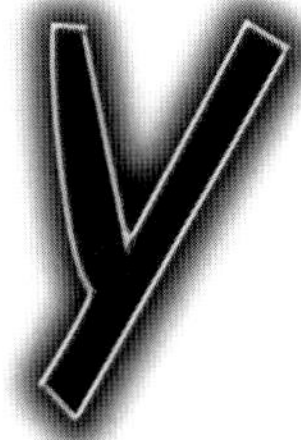

EAU
Ce symbole a la forme de la branche de noisetier, que les sourciers utilisent pour trouver de l'eau, dans les campagnes. Nous l'avons traduit par : canaux d'irrigation. L'utilisation de ce symbole témoigne d'une connaissance de cet outil.

CLAY TABLETS
The clay tablets were used to keep record of the rationed food. Many of these tablets were found by archeologists.

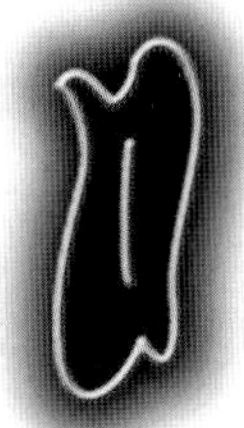

TABLETTES D'ARGILE
Les tablettes d'argile servaient à comptabiliser la nourriture rationnée. Beaucoup de ces tablettes ont été retrouvées par les archéologues.

VILLAGES
The distant points represent the dispersed sites on the Island of Crete. Ultimately, this symbol could refer to towns or villages of the island.

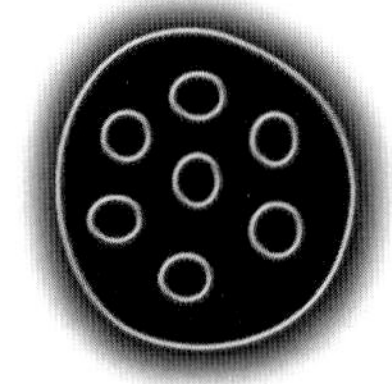

VILLAGES
Les points distants représentent des lieux dispersés sur l'île de Crète. Ultimement, ce symbole pourrait représenter les villes ou villages de l'île.

TIME (TIME LAPSE)
Time is represented by a young man becoming an adult and therefore his hair is spiked like the comb of a rooster. There exists no point of reference for the significance of this symbol. The translation is ours. This interpretation holds true for all other segments of the disk.

TEMPS (LAPS DE TEMPS)
Le temps est représenté par un jeune homme devenant un adulte et dont les cheveux sont hérissés comme la crête d'un coq. Il n'existe aucun point de référence pour la signification de ce symbole. La traduction est nôtre et cette interprétation s'avère exacte pour tous les autres segments du disque.

SEGMENT 52

Throughout a very long period, food and water were rationed and accounted for on clay tablets.

SEGMENT 52

Pendant une très longue période, la nourriture et l'eau ont été rationnées et comptabilisées sur des tablettes d'argile.

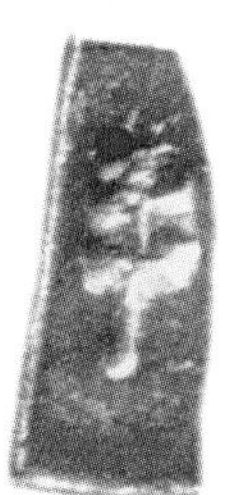
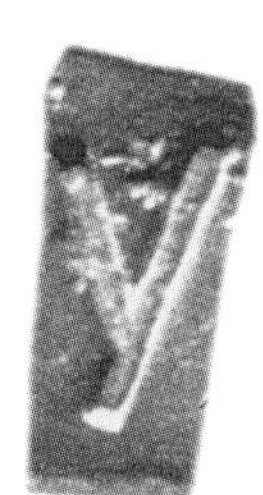

The symbols / Les symboles

Segment 53

FIELDS

This symbol refers to lands under cultivation. In the context it means the developement of fields, or simply fields or by extrapolation, crops.

CHAMPS

Symbole pour des étendues de culture. Dans le contexte, l'aménagement de champs de culture ou simplement les champs ou, par extrapolation, nourriture récoltée.

CIVIL WAR (DISPUTE)

Previously this symbol was interpreted as 'dispute.' The dimension of the pictogram in relation to the following symbol leads us to the interpretation of civil war.

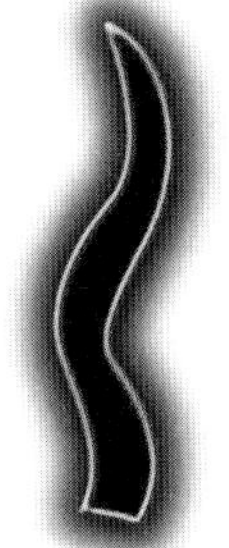

GUERRE CIVILE (DISPUTE)

Antérieurement, nous avons traduit ce symbole par dispute. La dimension du pictogramme, en relation avec le symbole suivant, nous amène à traduire par : guerre civile.

FLIGHT

The escaping bird that takes flight with minimal supplies in its claws. The direction of the head indicates a northwest escape.

FUITE

L'oiseau qui s'envole avec le minimum de provisions entre ses pattes. L'orientation de la tête nous indique une fuite vers le Nord-Ouest.

SEGMENT 53

Again, trouble began over the distribution of food and we were forced to flee once again.

SEGMENT 53

Les hostilités ont recommencé à cause de la distribution de la nourriture et nous avons dû fuir à nouveau.

The symbols / Les symboles

Segment 54

BURNING OF THE FOOD STOREHOUSE
This symbol seems partially erased, but under close scrutiny, we believe that the erased area represents a fire, or in a more specific sense, the destruction of the storehouse by fire.

ENTREPÔT DE NOURRITURE INCENDIÉ
Ce symbole semble partiellement effacé, mais suite à un examen poussé, nous croyons que l'espace effacé représente le feu, et plus spécifiquement, la destruction des entrepôts par le feu.

FORCE
The triangle, in the Cree language, signifies force. The orientation of the point indicates direction of movement. The boomerang is an instrument that travels over an area and returns to its launching point. Consequently, the symbol signifies: 'we have travelled an area.'

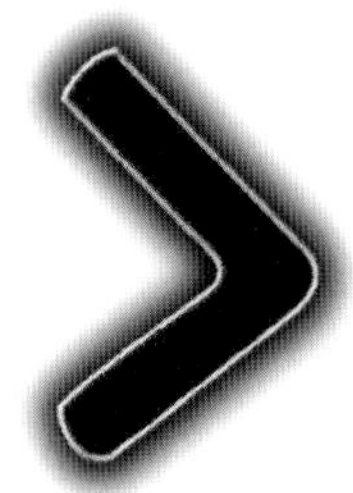

FORCE
Le triangle, dans la langue crie, signifie : la force. L'orientation de la pointe indique la direction du mouvement. Le boomerang est un instrument qui parcourt une étendue et revient à son point de lancement, conséquemment, le symbole signifie : « nous avons parcouru une étendue ».

FAMILY
The woman wearing an apron represents the family.

FAMILLE
La femme vêtue d'un tablier représente la famille.

VILLAGES
The distant points represent the dispersed sites on the Island of Crete. Ultimately, this symbol could refer to towns or villages of the island.

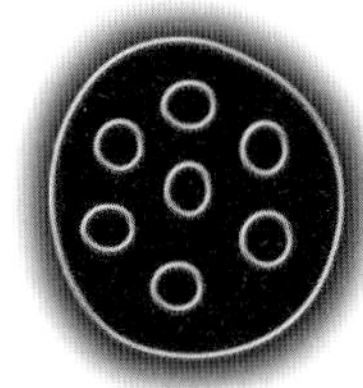

VILLAGES
Les points distants représentent des lieux dispersés sur l'île de Crète. Ultimement, ce symbole pourrait représenter les villes ou villages de l'île.

TIME (TIME LAPSE)
Time is represented by a young man becoming an adult and therefore his hair is spiked like the comb of a rooster. There exists no point of reference for the significance of this symbol. The translation is ours. This interpretation holds true for all other segments of the disk.

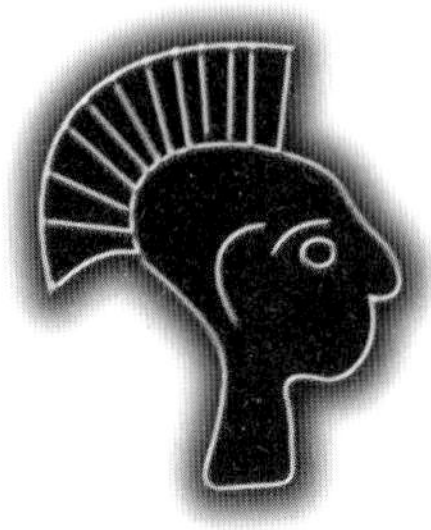

TEMPS (LAPS DE TEMPS)
Le temps est représenté par un jeune homme devenant un adulte et dont les cheveux sont hérissés comme la crête d'un coq. Il n'existe aucun point de référence pour la signification de ce symbole. La traduction est nôtre et cette interprétation s'avère exacte pour tous les autres segments du disque.

SEGMENT 54
The time came when all the food storehouses that fed our families, were burned in all the villages of the island.

SEGMENT 54
Vint un temps où tous les entrepôts de nourriture, pour nourrir nos familles, ont été incendiés dans tous les villages de l'île.

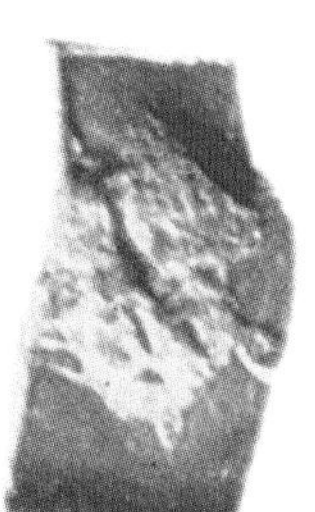

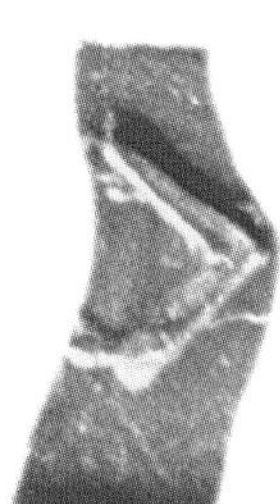

The symbols / Les symboles

Segment 55

LEAVING
Contrary to the other representations of the inverted hand, with all straight fingers, this pictogram shows a hand with its fingers curved as if waving. This is why the interpretation varies in comparison with the quasi-similar symbol.

QUITTER
Contrairement aux autres représentations de la main inversée, où tous les doigts sont droits, ce pictogramme montre une main où les doigts sont courbés en guise de salut. C'est pourquoi la traduction varie par rapport au symbole quasi similaire.

PATRA (TOWN OF)
Journey to the town known today as Patra.

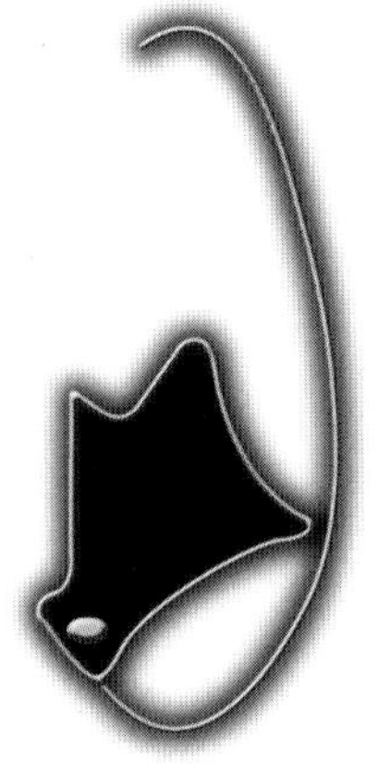

PATRA (VILLE DE)
Trajet jusqu'à la ville connue aujourd'hui sous le nom de Patra.

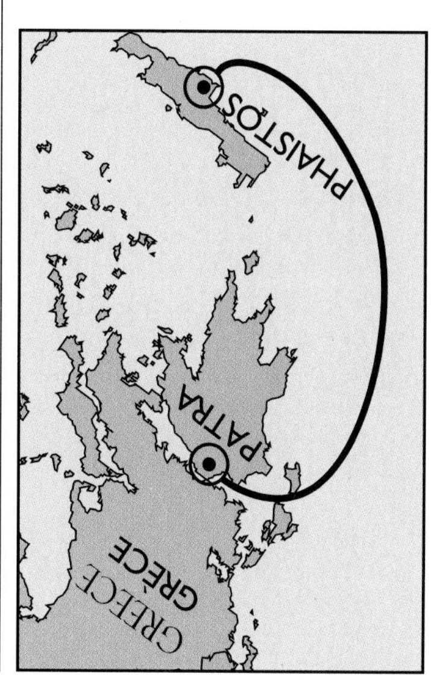

DEATH
When associated with the other symbols of this segment, the symbol means the loss of human lives by drowning.

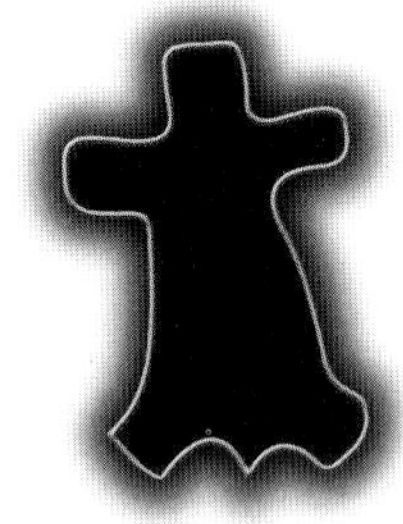

MORT
Lorsque associé aux autres symboles de ce segment, cela signifie la perte de vies humaines par naufrage.

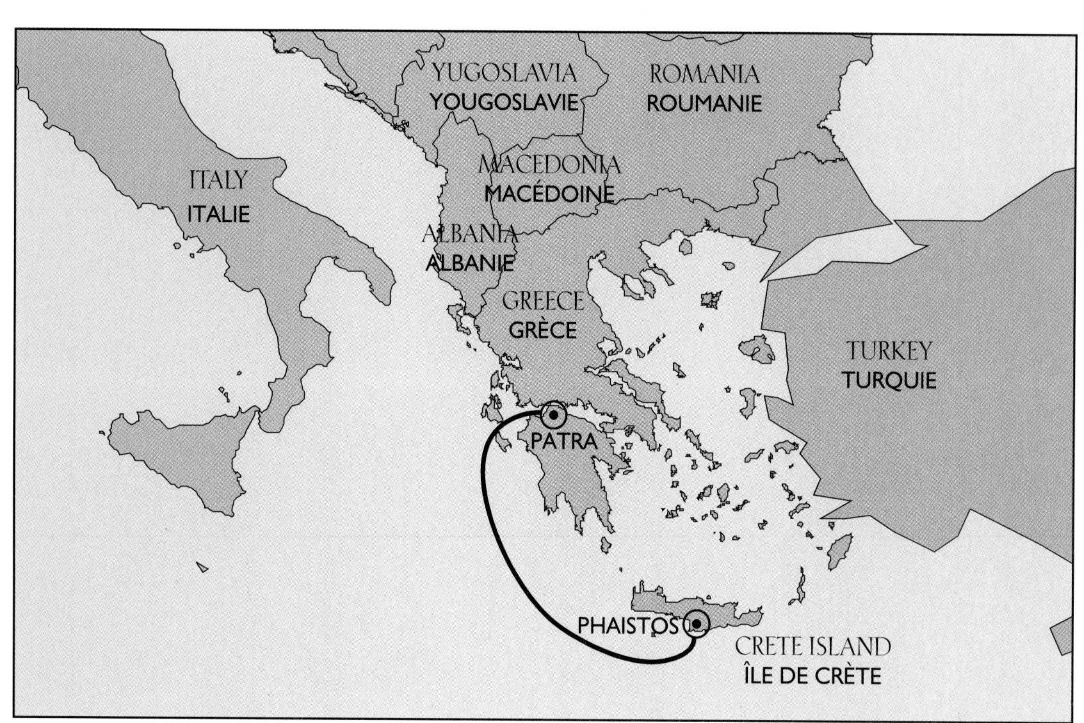

SEGMENT 55

Forced by events, we left Crete to establish a new colony in an inhabited place. Many men died during this period. (The current name of the place is the town of Patra.) NOTE: This military defeat is surely the origin of a warrior cult for which Sparta was famous in Antiquity, imposing the equivalent of compulsory military service.

SEGMENT 55

Par la force des événements, nous avons quitté la Crète pour fonder une nouvelle colonie dans un endroit inhabité. Beaucoup d'hommes sont morts durant cette période. (Le nom actuel de cet endroit est la ville de Patra.) NOTE : Cette défaite militaire est sûrement à l'origine du culte guerrier pour lequel Sparte était reconnue dans l'Antiquité, en imposant l'équivalent du service militaire obligatoire.

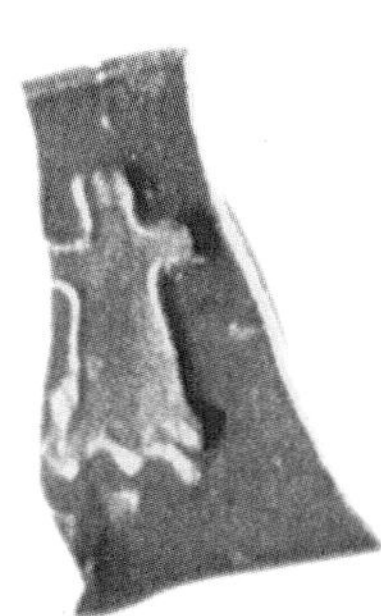

The symbols / Les symboles

Segment 56

VILLAGES
The distant points represent the dispersed sites on the Island of Crete. Ultimately, this symbol could refer to towns or villages of the island.

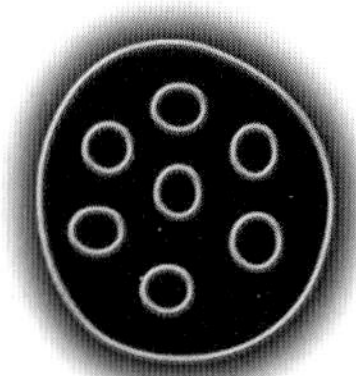

VILLAGES
Les points distants représentent des lieux dispersés sur l'île de Crète. Ultimement, ce symbole pourrait représenter les villes ou villages de l'île.

NORTHWEST TRIANGULATED CIRCLE
The circle and the triangle are present in this sign. The circle is a place. We will assume that it most likely represents the Island of Crete. The triangle refers to a northwest direction from their land of origin (Egypt). It equally indicates knowledge of the North Magnetic Pole.

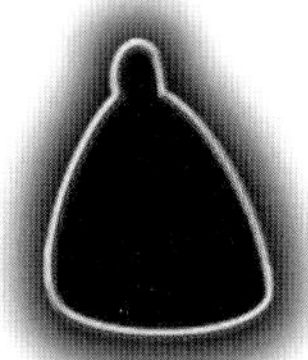

CERCLE TRIANGULÉ NORD-OUEST
Le cercle et le triangle sont combinés en un seul symbole. Le cercle représente un lieu. Nous présumerons, sans trop de risque d'erreur, qu'il s'agit de l'île de Crète. Le triangle indique une direction au nord-ouest du lieu d'origine (Égypte). Il nous indique également une connaissance du Nord magnétique.

ROAD
In a large sense, the road represents a journey or trip. Crete being an island, this symbol refers us to a boat trip from Egypt.

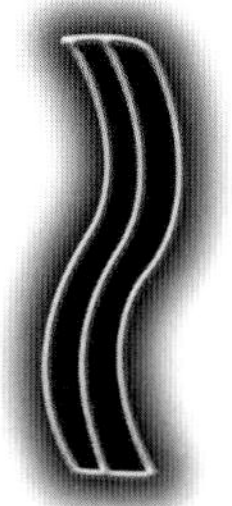

ROUTE
La route, au sens large, est le parcours ou le voyage pour se rendre dans un lieu. La Crète étant une île, ce symbole nous réfère à un déplacement par bateau depuis l'Égypte.

DEATH
In the same logic, when associated with the other symbols of this segment, the symbol means the loss of human lives by drowning.

MORT
Lorsque associé aux autres symboles de ce segment, cela signifie la perte de vies humaines par naufrage.

SEGMENT 56

There were many supply trips between the ports of Crete and our colony. Many died during these expeditions.

SEGMENT 56

Il y a eu beaucoup de voyages de ravitaillement entre les ports de Crète et notre colonie. Beaucoup ont péri durant ces expéditions.

The Disk of Phaistos face B / Le disque de Phaistos face B

The symbols / Les symboles

Segment 57

FISH
The fish is presented as a food because of its vertical position.

POISSON
Le poisson est présenté comme un aliment puisqu'il est en position verticale.

SHARING
This pictogram represents the rearview of an animal with a central line dividing it into two equal parts. We have translated it as sharing.

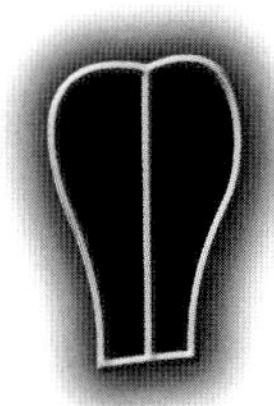

PARTAGE
Ce pictogramme montre la vue arrière d'un animal, divisée en deux parties égales par une ligne centrale. Nous l'avons traduit par partage.

DISPUTE
The fist hitting a table was translated as dispute.

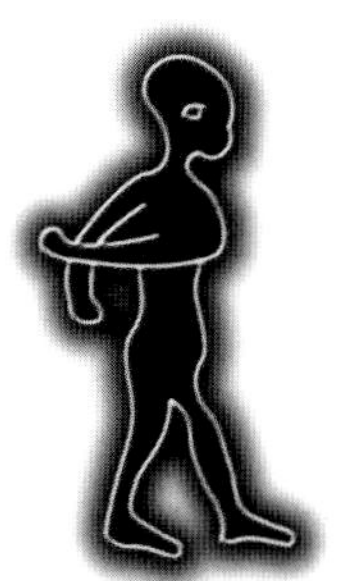

DISPUTE
Le poing qui frappe sur la table a été traduit par dispute.

VILLAGES
The distant points represent the dispersed sites on the Island of Crete. Ultimately, this symbol could refer to towns or villages of the island.

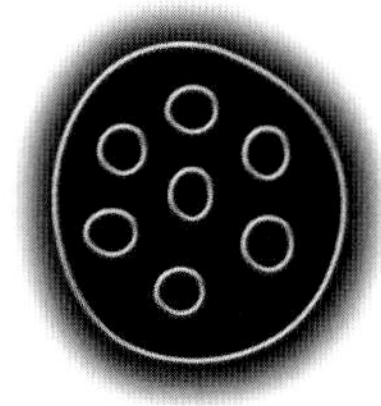

VILLAGES
Les points distants représentent des lieux dispersés sur l'île de Crète. Ultimement, ce symbole pourrait représenter les villes ou villages de l'île.

TIME (TIME LAPSE)
Time is represented by a young man becoming an adult and therefore his hair is spiked like the comb of a rooster. There exists no point of reference for the significance of this symbol. The translation is ours. This interpretation holds true for all other segments of the disk.

TEMPS (LAPS DE TEMPS)
Le temps est représenté par un jeune homme devenant un adulte et dont les cheveux sont hérissés comme la crête d'un coq. Il n'existe aucun point de référence pour la signification de ce symbole. La traduction est nôtre et cette interprétation s'avère exacte pour tous les autres segments du disque.

Segment 58

FOOD
The very small pictogram tells us that food reserves were dwindling.

NOURRITURE
La petite dimension de ce pictogramme nous indique une diminution des réserves de nourriture.

ANIMALS
The small size of this symbol indicates a reduction of the herds.

ANIMAUX
La petite dimension de ce pictogramme nous indique une diminution des troupeaux d'animaux.

SEGMENT 57
It was a period of constant fighting over the sharing of food in every village.

SEGMENT 57
C'était une période de dispute constante sur le partage de la nourriture dans tous les villages.

SEGMENT 58
The reserves of food constantly diminished as well as the number of animals in the herds.

SEGMENT 58
Les réserves de nourriture ont constamment diminué ainsi que le nombre de bêtes dans les troupeaux.

The symbols / Les symboles

Segment 59

OTHER COUNTRIES

The circle combined with the triangle represents the Island of Crete. The triangle refers to a northwest direction from their land of origin (Egypt). This also indicates knowledge of the North Magnetic Pole. We have interpreted this as 'our new colony northwest of the Island of Crete.' The stroke representing a frontier refers to Crete and the new colony, translated as: 'on both sides of the border.'

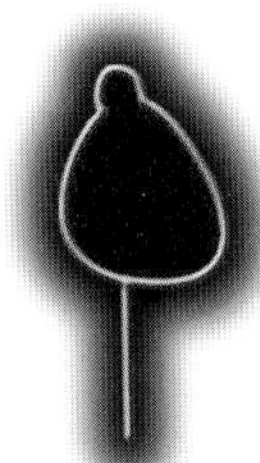

AUTRES PAYS

Le cercle et le triangle sont combinés en un seul symbole représentant un lieu, l'île de Crète. Le triangle indique une direction au nord-ouest du lieu d'origine (Égypte). Il indique également une connaissance du Nord magnétique. Par extension, nous l'avons traduit par « notre nouvelle colonie au nord-ouest de la Crète ». Le trait représentant une frontière, réfère à la Crète et la nouvelle colonie, autrement dit : « des deux côtés de la frontière ».

ROAD

Translated here as a commercial maritime route

ROUTE

Traduit ici par route de navigation commerciale.

HERD

When the head of the animal is inverted, such as a suckling offspring, it represents a herd.

TROUPEAU

La tête de l'animal inversée, tel un petit buvant le lait de sa mère, signifie un troupeau.

Segment 60

VILLAGES

The distant points represent the dispersed sites on the Island of Crete. Ultimately, this symbol could refer to towns or villages of the island.

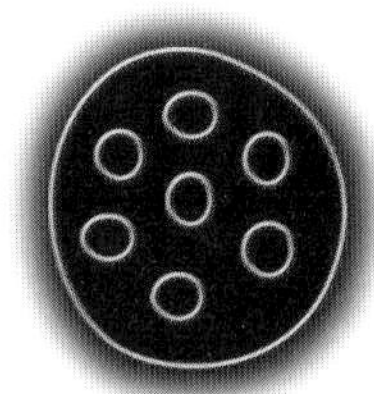

VILLAGES

Les points distants représentent des lieux dispersés sur l'île de Crète. Ultimement, ce symbole pourrait représenter les villes ou villages de l'île.

SHARING

This pictogram represents the rearview of an animal with a central line dividing it into two equal parts.We have translated it as sharing. This symbol also indicates an increase in the quantity of available food.

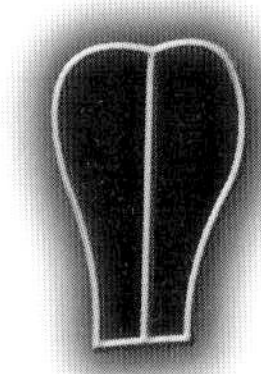

PARTAGE

Ce symbole montre la vue arrière d'un animal divisé en deux parties égales par une ligne centrale, traduit par le partage. La dimension du symbole indique un accroissement de la quantité disponible de nourriture.

STOREHOUSES

This symbol refers to the construction of grain warehouses and buildings for domestic animals. The size of the door, when compared to the size of the building, makes us believe that they are not houses.

ENTREPÔTS

Ce symbole réfère à la construction d'entrepôts de grains et de bâtisses pour les animaux domestiques.
La dimension de la porte par rapport à la dimension du bâtiment nous laisse croire qu'il ne s'agit pas de maisons.

SEGMENT 59

Commercial exchanges between our adopted country and Crete allowed us to reconstitute the herds.

SEGMENT 59

Les échanges commerciaux entre notre patrie d'adoption et la Crète, nous ont permis de reconstituer des troupeaux.

SEGMENT 60

In all the villages on the Island of Crete, the quantity of food available for sharing had increased.

SEGMENT 60

Dans tous les villages de l'île de Crète, la quantité de nourriture disponible pour le partage a augmenté.

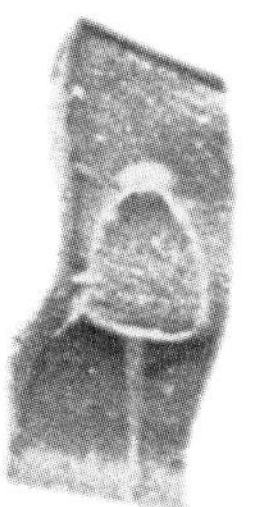

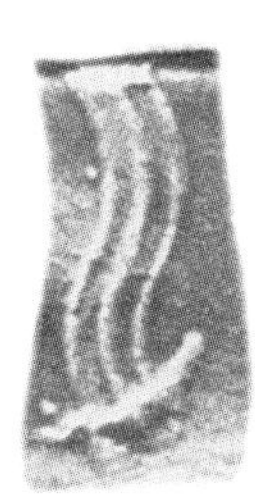

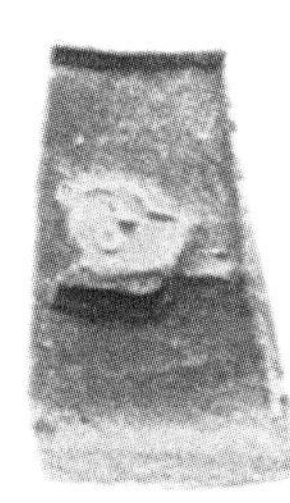

The symbols / Les symboles

Segment 61

FORCE COVERING AN AREA
Area covering both sides of the border represented by the stroke.

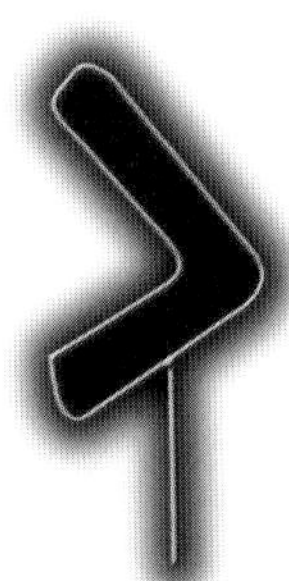

FORCE COUVRANT UNE ÉTENDUE
L'étendue couvre les deux côtés de la frontière représentée par le trait.

WORK
The man in action represents work. The hand points towards the top of the measure.

TRAVAIL
L'homme en activité représente le travail. La main pointe le haut de la mesure.

MEASURE
In this segment, measure represents the level of reserves. The raised arm of the man indicates the highest level of measure.

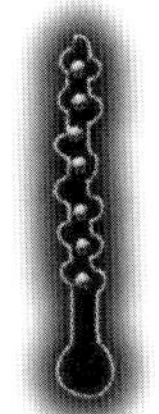

MESURE
Dans ce segment, la mesure représente le niveau des réserves. Le bras élevé de l'homme nous indique le plus haut niveau de la mesure.

VILLAGES
The distant points represent the dispersed sites on the Island of Crete. Ultimately, this symbol could refer to towns or villages of the island.

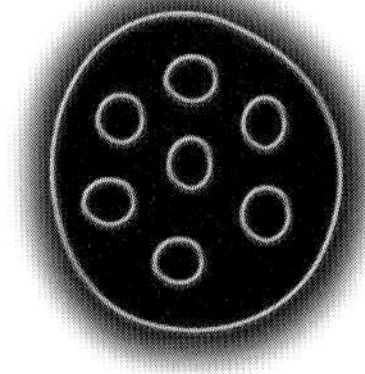

VILLAGES
Les points distants représentent des lieux dispersés sur l'île de Crète. Ultimement, ce symbole pourrait représenter les villes ou villages de l'île.

TIME (TIME LAPSE)
Time is represented by a young man becoming an adult and therefore his hair is spiked like the comb of a rooster. There exists no point of reference for the significance of this symbol. The translation is ours. This interpretation holds true for all other segments of the disk.

TEMPS (LAPS DE TEMPS)
Le temps est représenté par un jeune homme devenant un adulte et dont les cheveux sont hérissés comme la crête d'un coq. Il n'existe aucun point de référence pour la signification de ce symbole. La traduction est nôtre et cette interprétation s'avère exacte pour tous les autres segments du disque.

Segment 62

SCRIBE
In Egyptian hieroglyphic symbols, it represents a scribe.

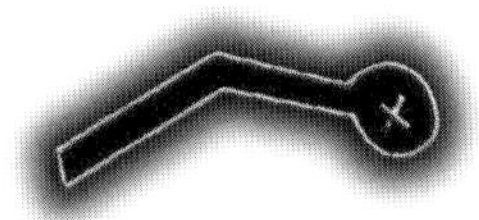

SCRIBE
Dans les symboles hiéroglyphiques égyptiens, celui-ci signifie le scribe.

THE SIGNATURE
We have translated it as 'Zepheon' the name of the scribe who engraved the Disk of Phaistos.

LA SIGNATURE
Nous l'avons traduit par « Zéphéon », le nom du scribe qui a gravé le disque de Phaistos.

SEGMENT 61
Over time, abundance reappeared everywhere on the Island of Crete as well as in our new colony.

SEGMENT 61
Avec le temps, l'abondance est réapparue sur tout le territoire de l'île de Crète, ainsi que dans notre nouvelle colonie.

SEGMENT 62
And, I have signed: Zepheon the scribe.

The cut chain indictes the end of the story.

SEGMENT 62
Et j'ai signé : Zéphéon, le scribe.

La chaîne coupée indique la fin de l'histoire.

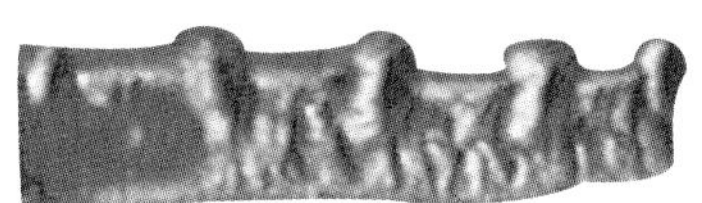

Summary

We hope this first course of Atlantean writing was not too harsh. As we said earlier, a derived form of this language is still alive and spoken by the Cree populations of Canada as seen in the alphabet below. There are also a few variations depending on the regions.

Conclusion

Nous espérons que ce premier cours d'écriture atlante n'a pas été trop ardu. Comme nous l'avons dit antérieurement, une forme dérivée de cette langue est toujours écrite et parlée par les populations Cries du Canada, dont voici l'alphabet. Il existe aussi quelques variantes selon les régions.

ᐁ ᐃ ᐅ ᐊ ᐯ ᐱ ᐳ ᐸ ᓭ ᓯ ᓱ ᓴ ᑌ ᑎ ᑐ ᑕ ᒉ ᒋ ᒍ ᒐ ᑫ ᑭ ᑯ ᑲ ᓓ ᓕ ᓗ ᓚ
ᒣ ᒥ ᒧ ᒪ ᓀ ᓂ ᓄ ᓇ ᕃ ᕆ ᕈ ᕋ ᔐ ᔑ ᔓ ᔕ ᔦ ᔨ ᔪ ᔭ ᕓ ᕕ ᕗ ᕙ
·ᐁ ·ᐄ ·ᐆ ·ᐋ ·ᐹ ·ᓵ ·ᑖ ·ᒑ ·ᑳ ·ᓛ ·ᒫ ·ᓈ ·ᕌ ·ᔖ ·ᔮ ·ᕚ
ᕐ ᐣ ᐤ ᑦ ᒡ ᒻ ᒃ ᒃ ᑉ ᓪ ᔥ ᔅ ᐦ ᔾ

Many will be surprised to find out that the Atlantis language was the first spoken and written language of Greece. It would be interesting to compare the phonetics of similar signs in order to retrace the modifications generated by time and distance, or try to find a common base for comparison's purpose.

For example, the word HUNTER, in the Cree language is written this way:

Plusieurs seront donc surpris de constater que la langue atlante a été la première langue parlée et écrite de la Grèce. Il pourrait être intéressant de comparer la phonétique des signes similaires pour tenter de retracer les modifications sonores engendrées par le temps et la distance, ou d'essayer de trouver une base commune à des fins de comparaisons.

A titre d'exemple, le mot CHASSEUR, en langue crie, s'écrit comme suit :

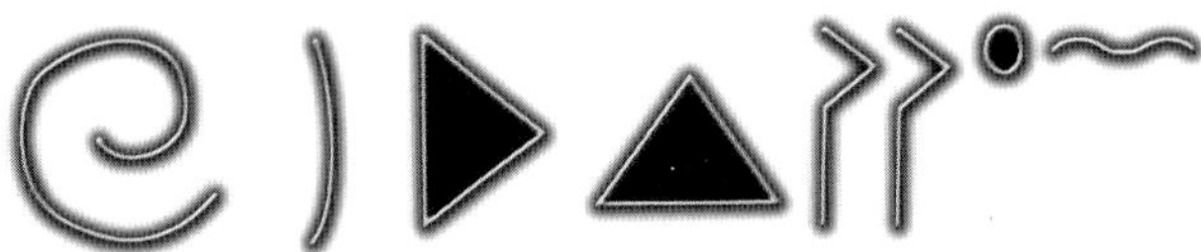

Using the knowledge acquired during the translation of the disk of Phaistos, we may be able to translate the word without knowing the significance beforehand.

En utilisant les connaissances acquises lors de la traduction du disque de Phaistos, nous sommes en mesure de traduire ce mot sans en connaître la signification au préalable.

ROLLED ANIMAL SKIN

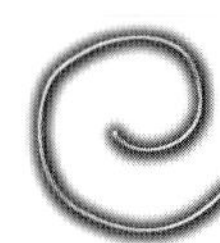

PEAU D'ANIMAL ENROULÉE

TERRITORY

TERRITOIRE

FORCE OF ACTION
In this context, horizontally positioned means to bring back, to bring.

FORCE DE L'ACTION
Orienté horizontalement dans ce contexte, signifie : rapporter, amener.

FORCE OF ACTION
In this context, perpendicularly positioned means a workbench or simply 'work.'

FORCE DE L'ACTION
Orienté perpendiculairement dans le contexte, signifie : un banc de travail ou simplement « le travail ».

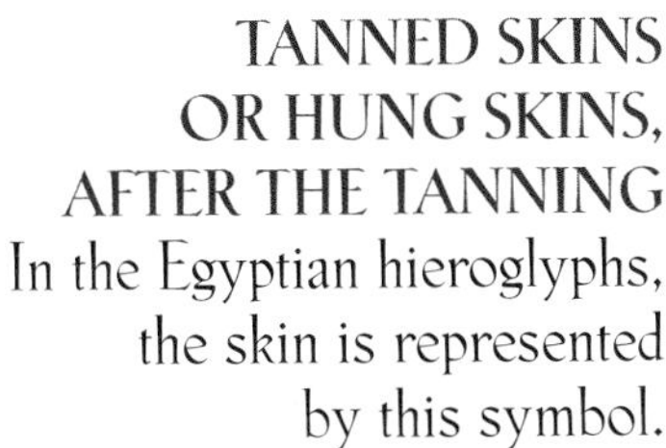

TANNED SKINS OR HUNG SKINS, AFTER THE TANNING
In the Egyptian hieroglyphs, the skin is represented by this symbol.

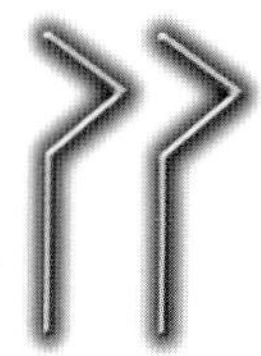

PEAUX TANNÉES OU PEAUX SUSPENDUES APRÈS LE TANNAGE
Dans les hiéroglyphes égyptiens, la peau est représentée par ce symbole.

VILLAGE (PLACE)

VILLAGE (LIEU)

CREATION (PAGE 7)
And so, a permanent village.

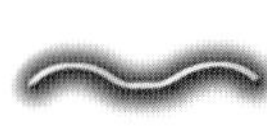

CRÉATION (PAGE 7)
Donc un village permanent.

As well, the symbols literally translated signify: 'He who brings back the skins of animals from the territory and tans them' i.e., a HUNTER. This hunter is sedentary, as opposed to nomad, because he is from a permanent village

And now we continue our journey back through time and space, and start the second chapter.
We must verify the hypothesis of a first civilization (Atlantis); the cradle of the greatest civilizations of distant antiquity...

Ainsi, ces symboles traduits littéralement signifient : « celui qui rapporte des peaux d'animaux du territoire et qui les tanne » c'est-à-dire, un CHASSEUR. Ce chasseur est sédentaire, par opposition au nomade, puisqu'il est issu d'un village permanent.

Nous devons poursuivre notre recul dans le temps et l'espace pour aborder le second chapitre. Nous devons vérifier l'hypothèse d'une civilisation première (Atlantide), berceau des plus grandes civilisations de l'antiquité la plus éloignée…

Summary of the segments

Face A

SEGMENT 1
Here is the tale of the northwest journey that brought us to this place (Crete). Or, in other words, this is the story relating how civilization was implented on the Island of Crete.

SEGMENT 2
On board an imperial boat, we brought seeds to establish the first grazing grounds on the island.

SEGMENT 3
Under the direction of our leader, we started to seed and transplant fruit tree cuttings on the island in order to nourish the families that will live here in the future.

SEGMENT 4
We travelled the island in search of wood for fire, water sources and caves for shelter.

SEGMENT 5
We brought donkeys, food provisions, various materials and tools on subsequent trips from Egypt to Crete.

SEGMENT 6
We constructed the first grain storehouses and barns for animals under the direction of our leader in several places on the island.

SEGMENT 7
We established commercial routes with other countries.

SEGMENT 8
We increased the cultivated areas and the number of plantations on the island.

SEGMENT 9
Many boats went down at sea. Much merchandise and many human lives were lost on these supply trips.

Sommaire des segments

Face A

SEGMENT 1
Voici le récit du voyage en direction du Nord-Ouest, qui nous a amené en ce lieu (Crète). Ou, en d'autres mots, ceci est l'histoire de l'implantation de la civilisation dans l'île de Crète.

SEGMENT 2
À bord d'un bateau impérial, nous avons transporté des semences pour établir les premiers pâturages dans l'île.

SEGMENT 3
Sous la direction de notre chef, nous avons débuté l'ensemencement et la transplantation de boutures d'arbres fruitiers dans l'île, afin de nourrir les familles qui viendront vivre ici dans le futur.

SEGMENT 4
Nous avons parcouru l'île à la recherche de bois de chauffage, de sources d'eau et de cavernes pour nous abriter.

SEGMENT 5
Nous avons ramené des ânes, des provisions alimentaires, divers matériaux et outils, lors de nos voyages subséquents entre l'Égypte et la Crète.

SEGMENT 6
Nous avons construit les premiers entrepôts de grains et bâtiments pour les animaux, sous la direction de notre chef, en plusieurs endroits dans l'île.

SEGMENT 7
Nous avons établi des routes commerciales avec d'autres pays.

SEGMENT 8
Nous avons accru la surface cultivable et le nombre de plantations dans l'île.

SEGMENT 9
Plusieurs bateaux ont sombré en mer. Beaucoup de marchandises et de vies humaines ont été perdues lors de ces expéditions de ravitaillement.

SEGMENT 10
We established links with other countries located northeast, to initiate the commerce of animals, fruits and merchandise.

SEGMENT 10
Nous avons établi des liens avec d'autres pays situés au Nord-Est, pour initier le commerce des animaux, des fruits et des marchandises.

SEGMENT 11
We multiplied the number of commercial routes in order to increase the commerce of domestic animals.

SEGMENT 11
Nous avons multiplié le nombre de routes commerciales pour accroître le commerce des animaux domestiques.

SEGMENT 12
The commerce of animals was continuously growing.

SEGMENT 12
Le commerce des animaux était toujours en croissance.

SEGMENT 13
Through our commercial activities, we imported new varieties of fruit trees and preserved meats.

SEGMENT 13
Suite à nos activités commerciales, nous avons importé de nouvelles variétés d'arbres fruitiers et de viandes préservées.

SEGMENT 14
Several generations passed since we have lived in the caves.

SEGMENT 14
Plusieurs générations ont passé depuis le temps où nous vivions dans les cavernes.

SEGMENT 15
Our families were nourished with fish, vegetables, cereals, fruits and fowl.

SEGMENT 15
Nos familles se nourrissaient de poissons, de légumes, de céréales, de fruits et de volailles.

SEGMENT 16
The work of the men was divided between fishing and animal breeding.

SEGMENT 16
Le travail des hommes a été réparti entre la pêche et l'élevage des animaux.

SEGMENT 17
Later, we increased the area of the cultivated surfaces by using ploughs pulled by oxen.

SEGMENT 17
Plus tard, nous avons accru l'étendue des surfaces cultivées en utilisant des charrues tirées par des boeufs.

SEGMENT 18
Considering the enlargement of horticultural surfaces, we constructed more storehouses for the harvests. We increased in number and surface, the livestock pens.

SEGMENT 18
Vu l'accroissement des surfaces de plantations, nous avons construit d'autres entrepôts pour les récoltes. Nous avons accru en nombre et en surface, les parcs d'élevage d'animaux.

SEGMENT 19
The brave workers prospered, while the others foundered.

SEGMENT 19
Les vaillants travailleurs ont prospéré, alors que les autres ont sombré.

SEGMENT 20
Through the years, the sharing of harvests was the subject of numerous disputes.

SEGMENT 21
The division of harvests between quantities to store, and quantities to export to other countries was the main cause of dispute.

SEGMENT 22
A great part of our crops was destroyed during the times of drought.

SEGMENT 23
By the sweat of our brows through manual labour, we increased the areas suitable for cultivation using a pickaxe.

SEGMENT 24
After the harvest, when the reserves of grains and fish were at their highest level.

SEGMENT 25
We regrouped under the direction of our leader to work the land and develop new fields.

SEGMENT 26
We erected new grain and fish storehouses on all corners of the island.

SEGMENT 27
Many crews and their cargoes disappeared beyond our borders.

SEGMENT 28
Over the course of the years, our leader equitably distributed the agricultural lands and plantations.

SEGMENT 29
Many men perished during the phases of road construction and in the development of lands suitable for cultivation.

SEGMENT 20
Au fil des années, le partage des récoltes fut l'objet de nombreuses disputes.

SEGMENT 21
Le partage des récoltes entre les quantités à conserver en entrepôt, et les quantités à exporter vers d'autres pays, a été la principale cause de disputes.

SEGMENT 22
Une grande partie de nos récoltes a été anéantie durant les périodes de sécheresse.

SEGMENT 23
À la sueur de notre front, nous avons agrandi l'étendue des surfaces cultivables par notre travail manuel à la pioche.

SEGMENT 24
Après la récolte, lorsque les réserves de semences et de poissons étaient à leur plus haut niveau.

SEGMENT 25
Nous nous sommes regroupés, sous la direction de notre chef, pour travailler la terre et développer de nouveaux champs.

SEGMENT 26
Nous avons érigé de nouveaux entrepôts de semences et de poissons dans tous les coins de l'île.

SEGMENT 27
Beaucoup d'équipages et leur cargaison ont disparu hors de nos frontières.

SEGMENT 28
Au fil des années, notre chef a réparti équitablement les terres agricoles et les plantations.

SEGMENT 29
Beaucoup d'hommes ont péri durant les phases de construction de routes et d'aménagement des terres cultivables.

SEGMENT 30

During this period, the material resources were shared equitably amongst all inhabitants of the entire island.

The chain or cord tells us that the disk is continued on the second face.

SEGMENT 30

Durant cette période, les ressources matérielles ont été réparties équitablement entre tous les habitants de l'île.

La chaîne ou corde nous indique que la suite est sur la seconde face.

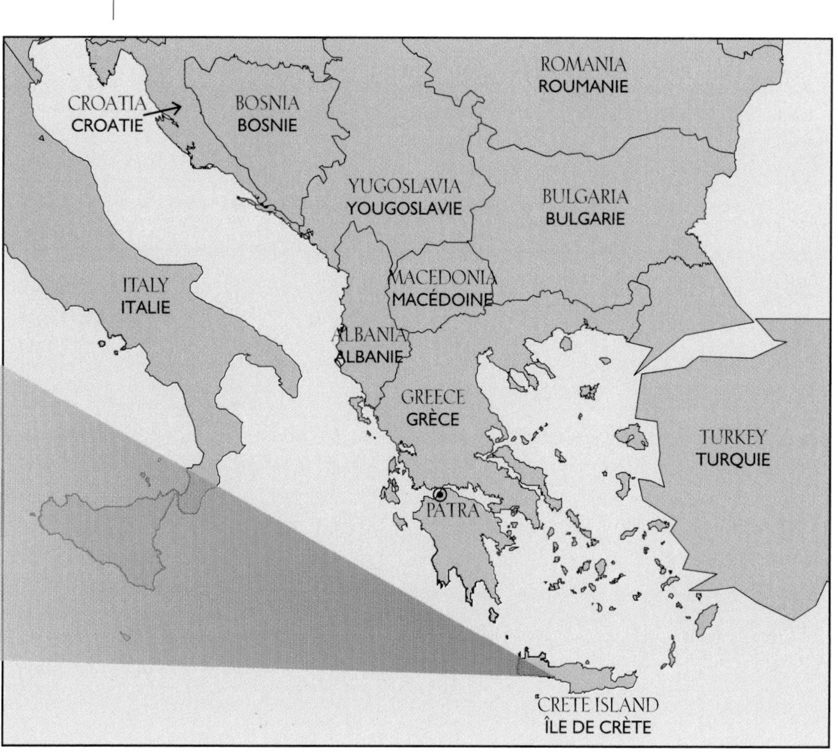

Summary of the segments

Face B

SEGMENT 31
Prosperity created demands as vocalized by group leaders.

SEGMENT 32
It was a period of great abundance.

SEGMENT 33
The preceding generations constructed villages, developed areas and plantations suitable for cultivation throughout the island.

SEGMENT 34
The claims by the village leaders intensified during this period of prosperity.

SEGMENT 35
Under the direction of our leader, we undertook the task of irrigating the fields and plantations.

SEGMENT 36
Over the years, irrigation brought great abundance to all parts of the Island of Crete.

SEGMENT 37
As anticipated, a civil war broke out in all the villages of the island, led by the popular leaders, against us (the ruling class). We fled taking minimal supplies.

SEGMENT 38
We had to travel great distances to find water and food for our families.

SEGMENT 39
During this period of upheaval, many men died all over the island in search of food.

Sommaire des segments

Face B

SEGMENT 31
La prospérité a engendré des revendications transmises par la voix des chefs de groupe.

SEGMENT 32
C'était une période de grande abondance.

SEGMENT 33
Les générations précédentes ont construit des villages, développé les étendues de cultures et de plantations dans tous les coins de l'île.

SEGMENT 34
Les revendications des chefs de village se sont intensifiées durant cette période de prospérité.

SEGMENT 35
Sous la direction de notre chef, nous avons entrepris des travaux d'irrigation des champs et des plantations.

SEGMENT 36
Au fil des années, l'irrigation a amené une très grande abondance dans toutes les parties de l'île de Crète.

SEGMENT 37
Tel que prévu, une guerre civile a éclaté dans tous les villages de l'île, menée par les chefs populaires, contre nous (classe dirigeante). Nous avons fui en emportant le minimum de provisions.

SEGMENT 38
Nous avons dû parcourir de grandes distances pour trouver de l'eau et de la nourriture pour nos familles.

SEGMENT 39
Durant cette période de tourments, beaucoup d'hommes sont morts à la recherche de nourriture, dans toutes les parties de l'île.

SEGMENT 40
War, having intensified in all parts of the island, reached our refuge. We were forced to flee again.

SEGMENT 41
A border was negotiated between the two warring groups.

SEGMENT 42
During this civil war, a great number of men died on both sides.

SEGMENT 43
Once again, the popular army attacked our border and we fled again.

SEGMENT 44
Our group (or army) was pushed to the sea.

SEGMENT 45
In the months following the defeat, we negotiated the sharing of villages, cultivation fields and plantations on the island.

SEGMENT 46
Shortly after this agreement, civil war broke out again and we had to escape once more to our refuge at the extremity of the island.

SEGMENT 47
Once again, the people's army crossed the border to our refuge, and the war started again.

SEGMENT 48
There were once again numerous deaths during the confrontations between the two groups.

SEGMENT 49
We surrendered and dropped our weapons.

SEGMENT 50
At the end of the war, the food supplies were very low for our partisans in all parts of the island.

SEGMENT 40
La guerre, s'étant intensifiée dans toutes les parties de l'île, a fini par atteindre l'endroit où nous étions réfugiés. Nous avons été contraints de fuir à nouveau.

SEGMENT 41
Une frontière a été négociée entre les deux groupes belligérants.

SEGMENT 42
Durant cette guerre civile, un très grand nombre d'hommes sont morts dans les deux camps.

SEGMENT 43
Une fois de plus, l'armée populaire a traversé notre frontière et nous avons fui à nouveau.

SEGMENT 44
Notre groupe (ou armée) a été repoussé à la mer.

SEGMENT 45
Dans les mois qui ont suivi la défaite, nous avons négocié le partage des villages, des champs de culture et des plantations sur l'île.

SEGMENT 46
Peu de temps après cette entente, la guerre civile a repris et nous avons fui à nouveau, vers notre refuge à l'extrémité de l'île.

SEGMENT 47
Une fois de plus, l'armée populaire a traversé la frontière jusqu'à notre refuge et la guerre a repris son cours.

SEGMENT 48
Il y a encore eu de nombreux morts lors des affrontements entre les deux groupes.

SEGMENT 49
Nous nous sommes rendus et avons déposé les armes.

SEGMENT 50
À la fin de la guerre, la nourriture a été rare pour nos partisans dans tous les coins de l'île.

SEGMENT 51
Following the war, the distribution of food was rationed and accounted for on clay tablets throughout the island.

SEGMENT 52
Throughout a very long period, food and water were rationed and accounted for on clay tablets.

SEGMENT 53
Again, trouble began over the distribution of food and we were forced to flee once again.

SEGMENT 54
The time came when all the food storehouses that fed our families, were burned in all the villages of the island.

SEGMENT 55
Forced by events, we left Crete to establish a new colony in an inhabited place. Many men died during this period. (The current name of the place is the town of Patra.) NOTE: This military defeat is surely the origin of a warrior cult for which Sparta was famous in Antiquity, imposing the equivalent of compulsory military service.

SEGMENT 56
There were many supply trips between the ports of Crete and our colony. Many died during these expeditions.

SEGMENT 57
It was a period of constant fighting over the sharing of food in every village.

SEGMENT 58
The reserves of food constantly diminished as well as the number of animals in the herds.

SEGMENT 59
Commercial exchanges between our adopted country and Crete allowed us to reconstitute the herds.

SEGMENT 51
Suite à la guerre, la distribution de la nourriture a été rationnée et comptabilisée sur des tablettes d'argile, dans toute l'île.

SEGMENT 52
Pendant une très longue période, la nourriture et l'eau ont été rationnées et comptabilisées sur des tablettes d'argile.

SEGMENT 53
Les hostilités ont recommencé à cause de la distribution de la nourriture et nous avons dû fuir à nouveau.

SEGMENT 54
Vint un temps où tous les entrepôts de nourriture, pour nourrir nos familles, furent incendiés dans tous les villages de l'île.

SEGMENT 55
Par la force des événements, nous avons quitté la Crète pour fonder une nouvelle colonie dans un endroit inhabité. Beaucoup d'hommes sont morts durant cette période. (Le nom actuel de cet endroit est la ville de Patra.) NOTE : Cette défaite militaire est sûrement à l'origine du culte guerrier pour lequel Sparte était reconnue dans l'Antiquité, en imposant l'équivalent du service militaire obligatoire.

SEGMENT 56
Il y a eu beaucoup de voyages de ravitaillement entre les ports de Crète et notre colonie. Beaucoup périrent durant ces expéditions.

SEGMENT 57
C'était une période de dispute constante sur le partage de la nourriture dans tous les villages.

SEGMENT 58
Les réserves de nourriture ont constamment diminué ainsi que le nombre de bêtes dans les troupeaux.

SEGMENT 59
Les échanges commerciaux entre notre patrie d'adoption et la Crète, nous ont permis de reconstituer les troupeaux.

SEGMENT 60
In all the villages on the Island of Crete, the quantity of food available for sharing had increased.

SEGMENT 61
Over time, abundance reappeared everywhere on the Island of Crete as well as in our new colony.

SEGMENT 62
And, I have signed: Zepheon the scribe.

The cut chain indicates the end of the story.

SEGMENT 60
Dans tous les villages de l'île de Crète, la quantité de nourriture disponible pour le partage a augmenté.

SEGMENT 61
Avec le temps, l'abondance est réapparue sur tout le territoire de l'île de Crète, ainsi que dans notre nouvelle colonie.

SEGMENT 62
Et, j'ai signé : Zéphéon, le scribe.

La chaîne coupée indique la fin de l'histoire.

Chapter 2

The Aztec Disk

Chapitre 2

Le disque aztèque

Introduction

I have carried out research on the Aztecs, Mayas, Incas and other primary civilizations, and I had found nothing. Books, the internet and museum catalogues were not helpful. The year 1998 was ending as it had begun; in disaster. I had searched relentlessly for a trace of Atlantis writing from South Americans civilizations. Millions of words and thousands of images useless for my research! The Aztec calendar was everywhere in the books, I was looking without seeing it! Dead end for the brains at this point. I left on holidays at the end of December, 1998.

Inattentively, I purchased a copper fruit bowl to give as a gift. The bait was set, for the next day I realized that the bottom of the plate was a replica of the Aztec calendar kept at the Museum of Mexico. A few terrestrial revolutions passed, and then a question awoke me in the middle of the night. Was it possible to decode the Aztec calendar with knowledge of the Atlantis writings? Was the deciphering of the disk of Phaistos linked to the understanding of the Aztec disk?

The answer was a definitive YES!!! Second question: will I make the readers wait for a second book? However good this strategy might be on a financial level, the momentum is too strong to stop... and... it sets forth again!

Other non-negligible factors must be taken into consideration. On one hand, the synergy issued from two translations materializes the existence of an original civilization. On the other hand, it waterproofs the work against the eventual waves of my detractors, making it incontestable.

You will find in the following pages a translation of the Aztec 'calendar' which is in reality the business card of an extraordinary traveller. We will see the pictograms of the writing of Atlantis. The message might surprise some readers, as it did the author of this book, above all.

However, it answers eternal questions, and opens the doors of fantasy.

Introduction

J'ai effectué plusieurs recherches sur les civilisations primaires aztèques, mayas, incas et autres, et je n'ai rien trouvé. Les livres, l'internet, les catalogues des musées, rien n'y fit. L'année 1998 s'achevait comme elle avait commencé : en désastre. J'avais cherché désespérément une trace de l'écriture atlante parmi les civilisations sud-américaines. Des millions de mots et milliers d'images inutiles pour ma recherche !
Le calendrier aztèque était omniprésent dans toute la documentation, mais je le regardais sans le voir ! Cerveau au point mort. Je pars en vacances fin décembre 1998.

J'achète distraitement un bol à fruits en cuivre pour donner en cadeau. Le sort s'acharne, car je réalise le lendemain que le fond du plat est une réplique du calendrier aztèque, conservé au Musée de Mexico. Quelques révolutions terrestres passées, la question me réveille en pleine nuit. Si l'écriture atlante est la première écriture du monde, est-ce qu'elle permet de déchiffrer le « calendrier » aztèque ? Est-ce que les connaissances acquises par le déchiffrement du disque de Phaistos peuvent servir pour le disque aztèque ?

La réponse est OUI ! ! ! Deuxième question, est-ce que je fais languir mes lecteurs dans l'attente d'un deuxième livre ? Bonne stratégie financière, mais l'élan est trop puissant pour arrêter… et… c'est reparti !

Un autre facteur non négligeable doit être pris en considération. D'une part, la synergie, issue des deux traductions, matérialise l'existence d'une civilisation originelle. D'autre part, elle imperméabilise l'ouvrage contre le flot de mes détracteurs éventuels, en le rendant incontournable.

Vous trouverez dans les prochaines pages, une traduction du « calendrier » aztèque qui est en réalité la carte d'affaires d'un voyageur extraordinaire. Nous y retrouvons les pictogrammes de l'écriture atlante. Le message peut surprendre plusieurs lecteurs, comme il a surpris l'auteur de ce livre, au premier abord.

Cependant, il répond à des questions éternelles et ouvre les portes de l'imaginaire.

NOTE

We have used a replica of the Aztec calendar to facilitate the deciphering work. We have also reproduced the original for comparison purposes. The author of the replica was confronted with the same problem we have encountered: the original shows a 10 planet solar system where two have been reduced to dust by comets. But there are still nine planets orbiting the sun. Therefore, he has compensated by showing 11 planets on the circle representing our universe. We formulated a different hypothesis. We believe that one planet was the satellite of the other one. This solution seems more realistic or with a greater probability of occurence.

Another problem remains: does the modification on the replica imply an understanding of the message or simply a lucky move? In my opinion, the author of this replica knew the meaning of the disk. Then, why was it not revealed?

Although the final meaning of the messages remains identical on both disks, there are other variants. We will present them to you at the end of the chapter since they can slightly modify our first translation.

NOTE

Nous avons utilisé une reproduction du calendrier aztèque pour faciliter le travail de déchiffrement. Nous avons cependant reproduit l'original aux fins de comparaison. L'auteur de la reproduction a été confronté au même problème que nous : l'original montre un système solaire originel de 10 planètes dont deux ont été réduites en poussières par des comètes. Mais il y a toujours neuf planètes en orbite autour du soleil. Il a donc compensé en montrant 11 planètes sur la circonférence du cercle représentant notre univers. Nous sommes d'avis que l'une des deux planètes détruites était le satellite de l'autre. Cette solution nous semble plus réaliste ou d'une plus grande probabilité.

Un autre problème demeure : est-ce que l'altération effectuée sur la reproduction implique une compréhension du message ou simplement un coup de chance ? À mon avis, l'auteur de la reproduction comprenait la signification du disque. Alors, pourquoi n'a-t-elle jamais été révélée ?

Bien que la signification ultime du message soit identique sur les deux disques, il existe d'autres variantes qui sont présentées à la fin du chapitre, elles sont susceptibles de modifier légèrement notre première traduction.

THE AZTEC CALENDAR (ORIGINAL)
© Instituto Nacional de Antropologia e Historia, Mexico
Photo by Javier Hinojosa

LE CALENDRIER AZTÈQUE (ORIGINAL)
© Instituto Nacional de Antropologia e Historia, Mexico
Photographie de Javier Hinojosa

THE AZTEC CALENDAR (REPLICA)
© Les Éditions ZEPHEON Press inc.
Photo by Glenn Moores

LE CALENDRIER AZTÈQUE (REPRODUCTION)
© Les Éditions ZEPHEON Press inc.
Photographie de Glenn Moores

The symbols / Les symboles

Group 1 / Groupe 1

MOUTH
The pictogram of the mouth represents the expression of an idea, the transmission of a message, or, simply, the speech in Egyptian hieroglyphics.
We translated it as: 'We wish to speak of...'

BOUCHE
Le pictogramme de la bouche représente l'expression d'une idée, la transmission d'un message ou simplement la parole, dans les hiéroglyphes égyptiens. Nous l'avons traduit par : « Nous voulons vous parler de… »

TRIANGLE
As seen earlier, the triangle represents: direction of force, direction of movement or simply, direction. In this context, it refers to a geographical direction, or...

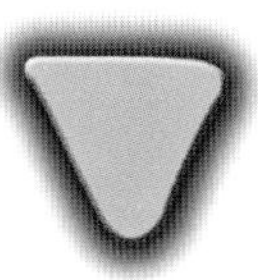

TRIANGLE
Comme nous l'avons vu précédemment, le triangle représente la direction de la force, l'action ou la direction du mouvement. Dans le contexte, il réfère à une direction géographique ou…

COMPASS (LARGE)
The four large compasses are at a right angle (90°). The triangular tip indicates that they refer to a direction, or a precise point. Four points at a right angle form an horizontal plan.

COMPAS (GRANDS)
Les quatre grands compas sont à angle droit (90°). La pointe triangulaire indique qu'ils réfèrent à une direction ou à un point précis. Quatre points à angle droit forment un plan horizontal.

COMPASS (SMALL)
The four small compasses are also at a right angle. The triangular tip refers to a precise point. In relation to the preceding compass, we obtain a cube, or, by extrapolation, a direction in space.

COMPAS (PETITS)
Les quatre petits compas sont également à angle droit. La pointe triangulaire réfère à un point précis. Combinés aux quatres compas précédents, nous obtenons un cube, ou, en extrapolant, une direction dans l'espace.

GROUP 1

We wish to give you a spatial direction (about our origin and the purpose of our visit).

GROUPE 1

Nous désirons vous donner une direction spatiale (sur notre origine et le but de notre visite).

The symbols / Les symboles

Group 2 / Groupe 2

STAR

The pictogram represents a sphere inside a circle like a star with a halo. We have determined that the symbol represents a star in the present context.

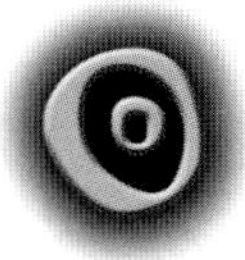

ÉTOILE

Le pictogramme représente une sphère à l'intérieur d'un cercle telle une étoile et son cercle lumineux. Nous avons déterminé que ce symbole représente une étoile dans le présent contexte.

PLANET OR COMET

The pictogram represents a celestial object in movement. Linked with this group, it becomes a planet orbiting around a star. An astronomical analysis, measured on the original disk from the Museum of Mexico, could possibly reveal the exact impact date, according to the disposition of the planets.

PLANÈTE OU COMÈTE

Le pictogramme représente un objet céleste en mouvement. Allié à ce groupe, il devient une planète en orbite autour de l'étoile. Une analyse astronomique, mesurée à partir du disque original au Musée de Mexico, pourrait possiblement révéler la date exacte de l'impact, selon la disposition des planètes.

NUMBER

With this symbol, the author indicates that he refers to a number in the next pictogram. He also indicates that the complete circle is 260 degrees instead of the 360 degrees in our method. The latter result is obtained simply by mathematical addition of the second inner circle

NOMBRE

Par ce symbole, l'auteur indique qu'il réfère à un nombre, dans le pictogramme connexe. Également, nous devons noter que le cercle complet est de 260° au lieu de 360°, selon notre méthode. Ce dernier résultat est obtenu simplement par l'addition mathématique du second cercle interne.

SOLAR SYSTEM

A star and a group of orbiting planets form a solar system. The pictogram on the reproduction indicates the 7th planet as the landing point and on the original disk it is identified as the 3rd planet. Starting from the sun the 3rd planet and from Pluto the 7th planet will lead us to Earth in both cases. Our solar system has 9 planets, not 11 as shown at the origin! The 11th planet is a variation from the original disk, made by the author of the replica.

SYSTÈME SOLAIRE

Une étoile et un groupe de planètes en orbite consituent un système solaire. Le symbole de la reproduction identifie la 7e planète comme lieu d'atterrissage et l'original indique la 3e planète. La 3e planète à partir du soleil et la 7e à partir de Pluton nous mènent dans les 2 cas à la Terre. Notons que notre système solaire compte maintenant 9 planètes, et non 11, tel qu'illustré à l'origine. La 11e planète est une variante apportée au disque original par l'auteur de la reproduction.

GROUP 2

We have landed on the 7th planet (the Earth) of a solar system originally made up of 10 planets.

GROUPE 2

Nous avons atterri sur la 7e planète (Terre) d'un système solaire composé de 10 planètes à l'origine.

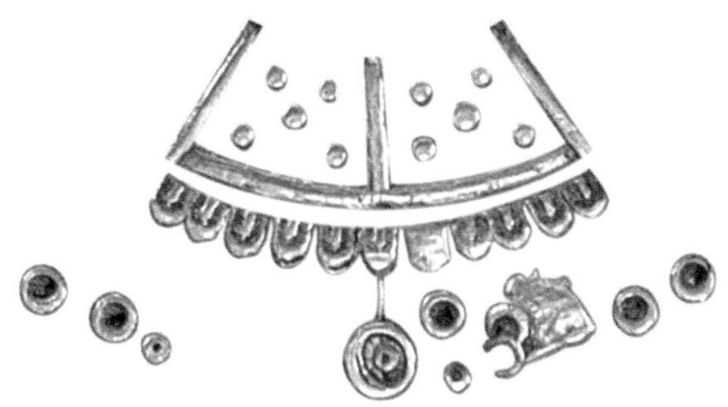

The symbols / Les symboles

Group 3 / Groupe 3

CIRCLE

The circle, as we have seen, represents a specific place. When surrounded by 11 planets on the outer ring, between each compass, this place is our solar system. (You must note that the bottom part has two 8 planet segments, which frames a strange specimen.) See page 156.

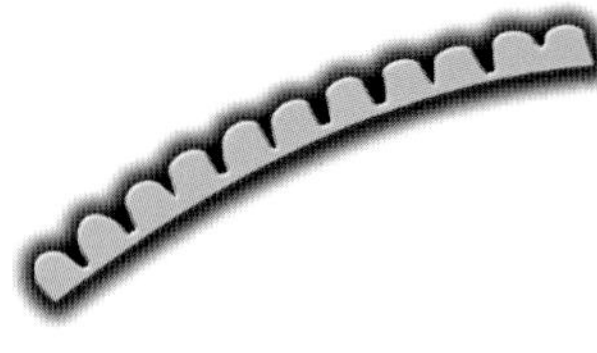

CERCLE

Le cercle, comme nous le savons, représente un lieu. Lorsque bordé par 11 planètes entre chaque compas, ce lieu est notre système solaire. (Il est à noter que la partie du bas comporte deux segments de 8 planètes qui encadrent un étrange spécimen.) Voir à la page 156.

URN

The urn is the Egyptian hieroglyphic symbol meaning the soul. By extrapolation, it represents life.

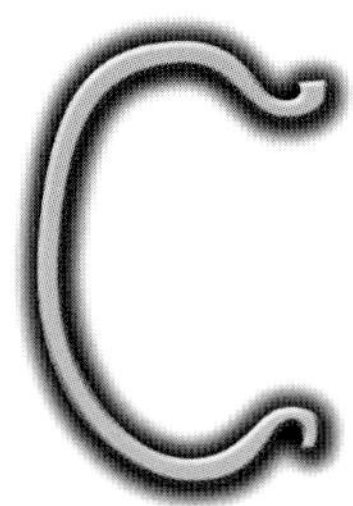

URNE

L'urne est le symbole hiéroglyphique égyptien pour l'âme. Par extension, ce symbole représente la vie.

ANIMAL SKULL

In association with the preceding symbol, the animal skull takes the meaning of the extinction of life.

CRÂNE D'ANIMAL

En association avec le symbole précédent, le crâne d'animal prend la signification de l'extinction de la vie.

COMETS

This symbol, at the opening of the urn, indicates the cause of the extinction of life on earth. A shower of comets was the principal cause.

COMÈTES

Ce symbole, à l'ouverture de l'urne, nous indique la cause de la destruction de la vie sur Terre. Une pluie de comètes en serait le raison principale.

GROUP 3
The impact of comets had destroyed all life on the 7th planet (the Earth).

GROUPE 3
L'impact de comètes avait détruit toute vie sur la 7e planète (la Terre).

The symbols / Les symboles

Group 4 / Groupe 4

STAR EXPLOSION
Following a star explosion, comets impacted on 4 planets of your solar system.

EXPLOSION D'ÉTOILE
Suite à l'explosion d'une étoile, des comètes ont touché 4 planètes de votre système solaire.

ANIMAL LIFE
We have translated this symbol as: animal life, primitive or developed, existed on two planets before the impact.

VIE ANIMALE
Nous avons traduit ce symbole par : « la vie animale, primitive ou évoluée, existait sur deux planètes avant l'impact ».

IMPACT
Four planets were hit. Earth, Mars and one other was reduced to dust with its satellite. Since Earth is the seventh planet from Pluto, hypothetically, the destroyed planet was located between Mars and Jupiter. We formulated the hypothesis that Jupiter was the fourth planet with its red spot being the result of this event. The second planet where life has ceased to exist, could be Mars instead of the planet reduced to dust.

IMPACT
Quatre planètes furent touchées. La Terre, Mars, et une a été réduite en poussières avec son satellite. La planète détruite était hypothétiquement située entre Mars et Jupiter. Nous formulons l'hypothèse que la quatrième planète soit Jupiter, dont le point rouge serait le résultat de cet événement. La seconde planète où la vie a disparu pourrait être Mars plutôt que la planète réduite en poussières.

NOTES

MILKY WAY
The milky way is named 'Hapy' in egyptian hieroglyphic language. Hapy is defined as 'The road of the ancients asleep.' So, mythology meets science. The German astrophysicist Johannes Kepler had made the hypothesis that, given the wide distance between Mars and Jupiter, a planet should have been there normally. He was right!

NOTES

VOIE LACTÉE
La Voie Lactée se nomme « Hapy » en langage hiéroglyphique égyptien. Hapy signifie : « Le chemin des anciens endormis ». Ainsi la mythologie rejoint la science. L'astrophysicien allemand Johannes Kepler avait formulé l'hypothèse que vu la grande distance entre Mars et Jupiter, une planète aurait dû se trouver là normalement. Il avait raison !

NOTES

POLES
The terrestial impact of the comet catalysed a shift in the polar axis. The North Pole went from Alaska to Norway. According to Edgar Cayce, the year of this event is 50722 B.C. (reading 262-39). This date corresponds to our approximate calculation using the Egyptian information. Also, in the December 1985 issue of 'Scientific American', Peter H. Schultz has identified two former opposite poles at the equator of Mars.

NOTES

PÔLES
L'impact terrestre de la comète a engendré un déplacement de l'axe polaire. Le pôle Nord est parti de l'Alaska et s'est retrouvé près de la Norvège. Selon Edgar Cayce, l'année de cet événement est 50722 avant J.C. (lecture 262-39). Cette date correspond à notre calcul approximatif selon les informations égytiennes. De plus, dans la revue « Scientific American » de décembre 1985, Peter H. Schultz a identifié deux anciens pôles opposés se retrouvant à l'équateur de Mars.

GROUP 4

Four planets of your solar system were affected by the impact at that time. One was reduced to dust, and life completely vanished on two others.

GROUPE 4

Quatre planètes de votre système solaire ont subi un impact à ce moment. Une a été réduite en poussière, et la vie a complètement disparu sur deux autres.

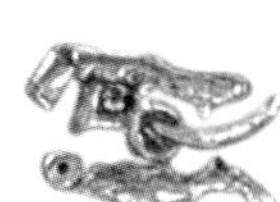

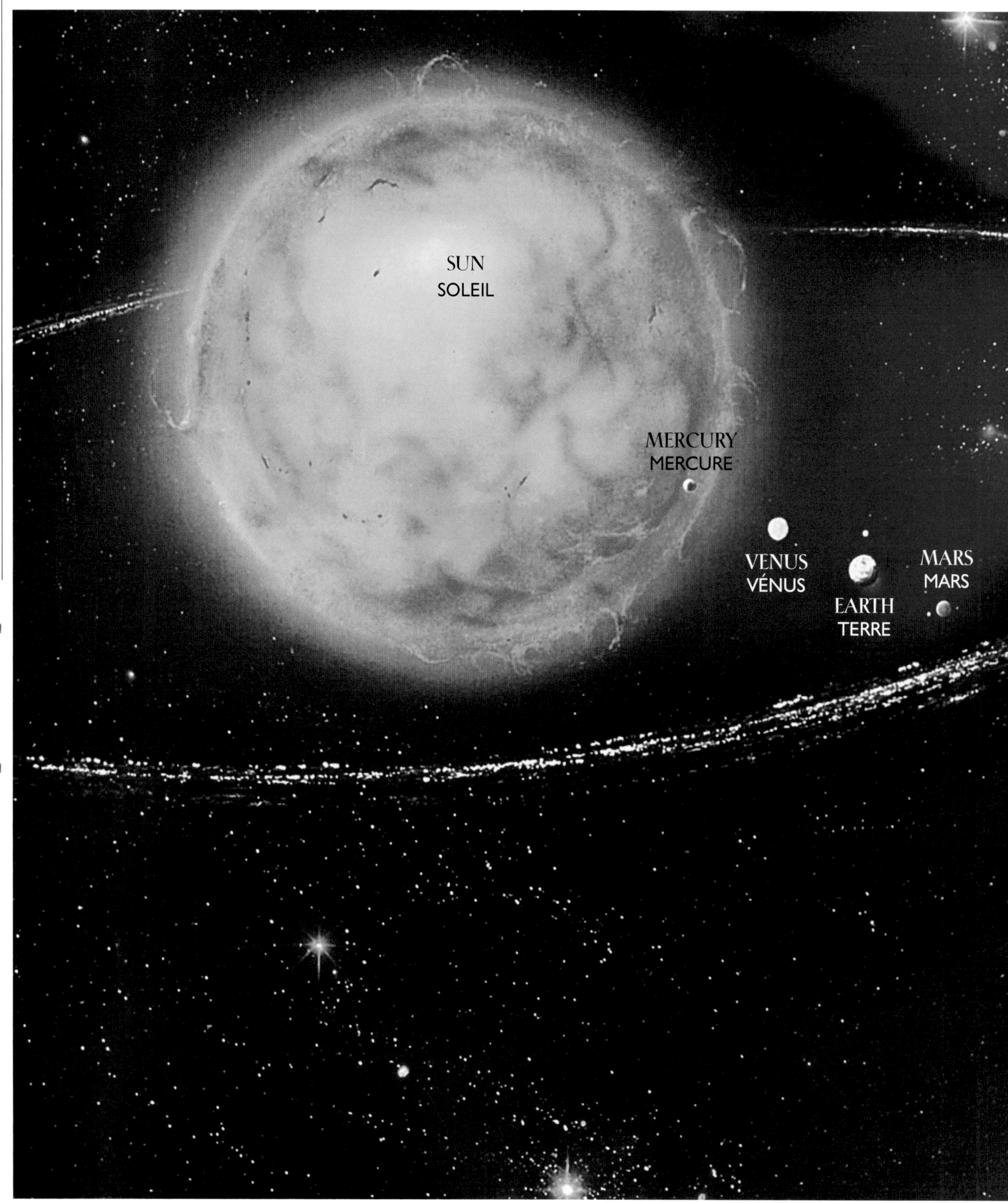
SUN
SOLEIL
MERCURY
MERCURE
VENUS
VÉNUS
EARTH
TERRE
MARS
MARS

OUR SOLAR SYSTEM
© Atelier Röhrig 1990 Wizard & Genius Idealdecor AG
Photo by Glenn Moores

NOTRE SYSTÈME SOLAIRE
© Atelier Röhrig 1990 Wizard & Genius Idealdecor AG
Photographie de Glenn Moores

The symbols / Les symboles

Group 5 / Groupe 5

HUMANS
The pictogram shows two humans face to face. The hair takes the form by which we represent human DNA: like a spiral ladder. We translate it as the introduction of human genetic material on Earth.

HUMAINS
Nous voyons deux humains face à face. La chevelure prend la forme qui représente l'ADN humain, soit en échelle spiralée. Nous l'avons traduit par l'introduction du matériel génétique humain sur la Terre.

BEE
The bees are responsible for 80% of pollinization on Earth.

ABEILLE
Les abeilles sont responsables de 80 % de la pollinisation sur Terre.

LLAMA
The pictogram illustrates the head of a llama. The open square means 'in the house' or in the context 'on earth.' The 4 stars refer to the words of the people from the 4th solar system. Therefore the meaning is that the llamas survived the cataclysm and were on Earth when they came. Their high altitude habitat in the Cordillera de Los Andes and their wool permitted them to survive.

LAMA
Ce pictogramme illustre la tête d'un lama. Le carré ouvert sur un côté se traduit par « dans la maison » ou selon le contexte « sur la Terre ». Les 4 étoiles réfèrent aux paroles des gens du 4e système solaire. Ainsi la signification est que les lamas ont survécu au cataclysme et étaient sur Terre lorsqu'ils sont venus. Leur habitat en haute altitude dans la Cordillère des Andes et leur laine leur a permis de survivre.

SPECIES
The species are idenified by a four legged animal, the wing of a bird, a fish and an insect. This genetic material included terrestial, aquatic and aerial species, as well as insects for pollination.

ESPÈCES
Les espèces représentées sont un quadrupède, l'aile d'un oiseau, un poisson et un insecte. Ce matériel génétique se compose d'animaux terrestres, aquatiques et aériens, ainsi que d'insectes pour la pollinisation.

SURVIVORS
The pictogram shows a small rodent on top of a large dead animal. With the open square previously described, it means that small animals like rodents also survived the cataclysm.

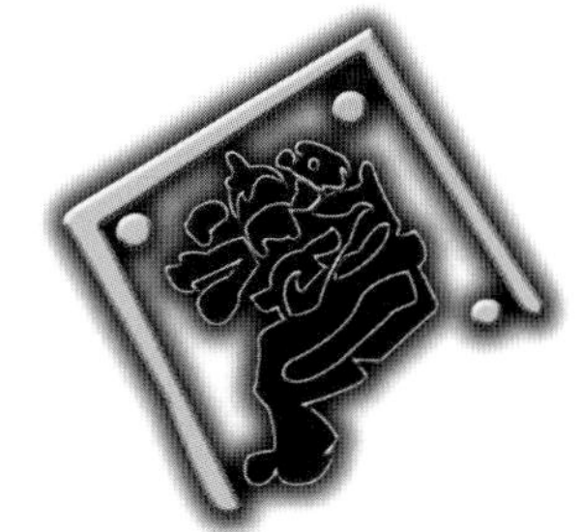

SURVIVANTS
Ce pictogramme représente un petit rongeur monté sur le cadavre d'un gros animal. Avec la définition précédente du carré ouvert, la signification est que de petits animaux tels des rongeurs ont survécu au cataclysme.

WHEAT
The pictogram shows a wheatear. Since there is no wild variety of wheat on the planet, we will presume that they are saying the truth by representing it as a plant they introduced on Earth.

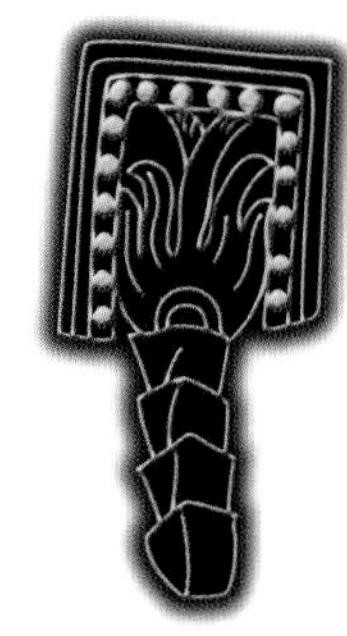

BLÉ
Le pictogramme représente la partie supérieure d'un épi de blé. Comme il n'existe aucune variété sauvage de blé sur la planète, nous présumons qu'ils disent la vérité en le représentant comme une plante introduite par eux sur la Terre.

GROUP 5

We are at the origin of the appearance of the human species on Earth. This genetical implant was not limited to the human race, but also to a very large number of animal species, insects and plants brought from many galaxies.

GROUPE 5

Nous sommes à l'origine de l'apparition de l'espèce humaine sur Terre. Cet apport génétique ne s'est pas limité à la race humaine, mais aussi à un très grand nombre d'espèces animales, d'insectes et de plantes provenant de nombreuses galaxies.

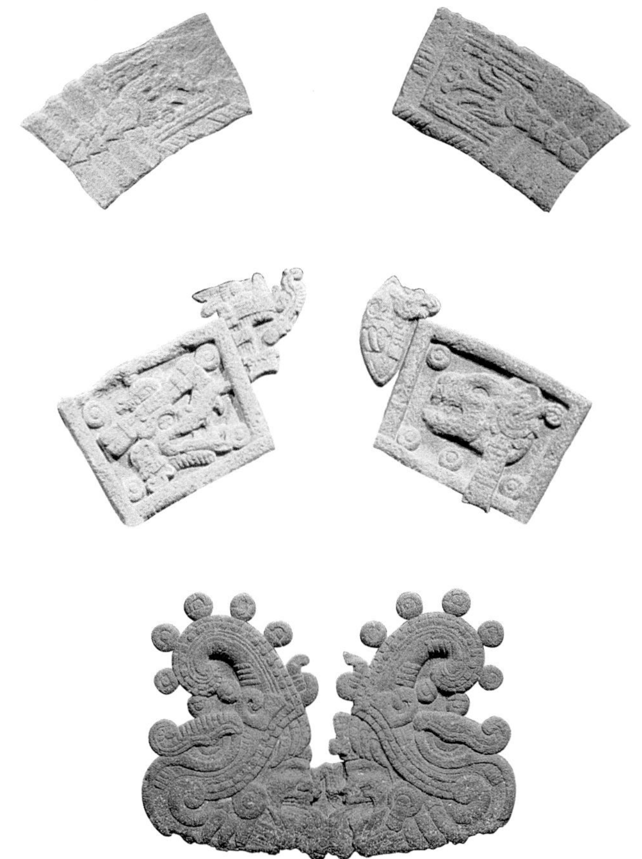

The symbols / Les symboles

Group 6 / Groupe 6

DOMICILE
We see a square opened on one side. This symbol refers to the domicile or house. Here, it becomes the establishment of the colonies on Earth.

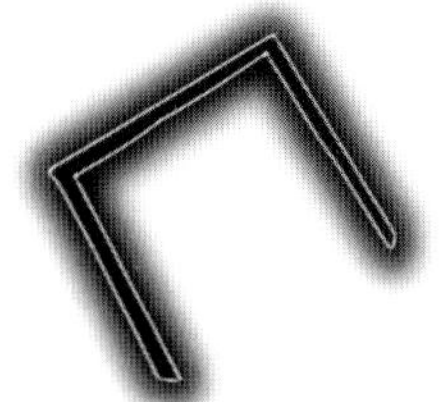

DOMICILE
Nous voyons un carré ouvert sur un côté. Ce symbole signifie le domicile ou maison. Ici, il prend le sens de lieu d'établissement des colonies sur Terre.

ANIMAL (DEAD)
The pictogram represents a suspended animal. In the context, it becomes: teaching hunting and fishing techniques.

ANIMAL (MORT)
Le pictogramme représente un animal suspendu. Dans le contexte, il devient : l'enseignement de la chasse et de la pêche.

TEACHING
The pictogram represents an arm and a square. The square is the symbol of worked material and by extension work. Related to the arm, it means the teaching of work.

ENSEIGNEMENT
Le pictogramme représente un bras et un carré, Le carré représente la matière façonnée, et, par extension, le travail. En relation avec le bras, il devient : l'enseignement du travail.

WEAVING
The pictogram refers to weaved materials. Consequently, it becomes: teaching how to make nets and weaved clothes.

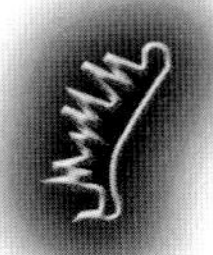

TISSAGE
Le pictogramme représente du matériel tissé, par conséquent, il devient : l'enseignement de la fabrication de filets et de vêtements tissés.

PLANT GROWING / ANIMAL RAISING
The pictogram represents a sprout or fruit harvest. So it becomes teaching how to grow plants or harvest fruits. The shepherd stick refers to animal breeding.

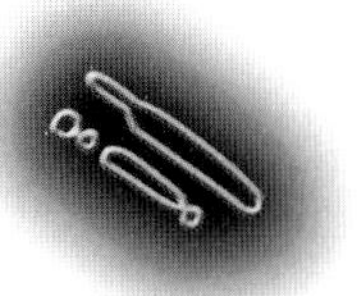

CULTURE / ÉLEVAGE
Le pictogramme représente un germe, la culture ou cueillette de fruits. Il devient donc : enseigner la cueillette ou la culture de plantes comestibles. Un bâton de berger représente l'élevage des animaux.

CAVE
The pictogram represents a cavern. In the context, it means teaching shelter construction.

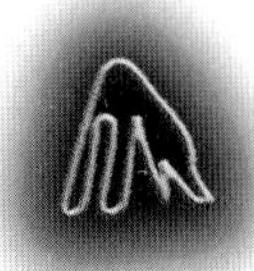

CAVERNE
Le pictogramme représente une caverne. Ici, il signifie : enseigner la fabrication d'abris.

BOAT
The pictogram shows a boat and a square. The square represents a finished manmade product. In relation to the boat, it means teaching boat construction.

BATEAU
Le pictogramme montre un bateau et un carré. Le carré signifie le façonnement de la matière. En relation avec le bateau, la signification devient l'enseignement de la construction de bateaux.

FIRE
The pictogram represents a fireplace and a flame. With the preceding symbol, it becomes teaching how to use fire.

FEU
Le pictogramme représente un foyer et une flamme. avec le symbole précédent, il devient : enseigner à utiliser le feu.

GROUP 6

We have taught humans all the necessary skills for their survival. Namely, shelter and boat construction, seeding and harvesting fruits and vegetables, breeding animals, the use of fire, weaving for clothes and nets, as well as hunting and fishing techniques.

GROUPE 6

Nous avons enseigné aux humains toutes les activités nécessaires à leur survie. Soit la construction d'abris et de bateaux, la culture des plantes comestibles, l'utilisation du feu, l'élevage de troupeaux d'animaux, le tissage pour les vêtements et les filets, ainsi que les techniques de chasse et de pêche.

The symbols / Les symboles

Group 7 / Groupe 7

DOMICILE
We see a square opened on one side. This symbol refers to the domicile or house. Here, it becomes the establishment of the colonies on Earth.

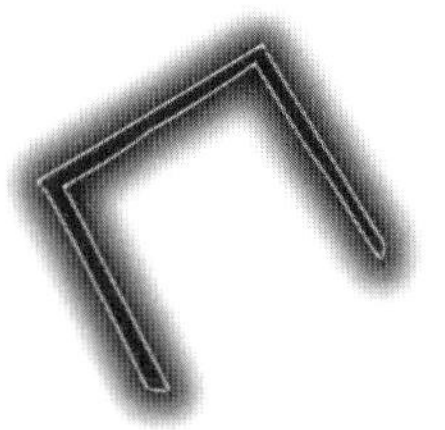

DOMICILE
Nous voyons un carré ouvert sur un côté. Ce symbole signifie le domicile ou maison. Ici, il prend le sens de lieu d'établissement des colonies sur Terre.

BOAT
The pictogram represents a boat. In the context it means the use of boats. When linked to the following symbols, it refers to teaching the use of boats for fishing.

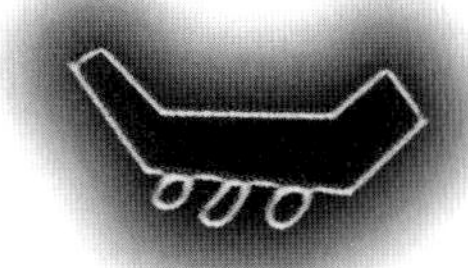

BATEAU
Le pictogramme illustre un bateau. Dans le contexte, il signifie l'utilisation d'un bateau. Joint aux symboles suivants, nous reconnaissons qu'il réfère à l'enseignement de l'utilisation d'un bateau pour la pêche.

NETS
The pictogram represents a fishing net when related with the other symbols.

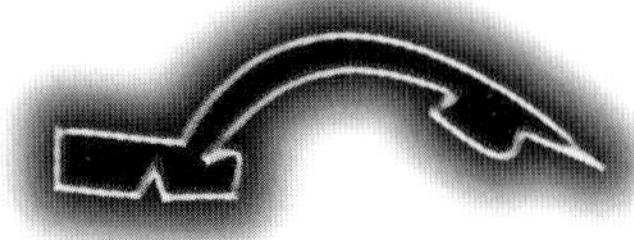

FILETS
Le pictogramme représente un filet de pêche lorsque placé dans le contexte avec les autres symboles.

FISH
The pictogram represents fishes caught in a net. It refers to the teaching of large scale fishing to insure the survival of the groups.

POISSON
Le pictogramme représente des poissons pris dans un filet. Il réfère donc à l'enseignement de la pêche à grande échelle, pour assurer la survie des groupes.

GROUP 7

We also taught the first inhabitants, large scale fishing techniques with boats and nets. That activity was equally essential to insure their survival.

GROUPE 7

Nous avons également enseigné aux premiers habitants, la technique de la pêche à grande échelle, à l'aide d'embarcations et de filets. Cette activité était également nécessaire pour assurer leur survie.

The symbols / Les symboles

Group 8 / Groupe 8

SPACESHIP

This pictogram represents a triangle with propulsion vortex. The triangle still indicates the direction of the force. Consequently, the propulsed force means a spaceship.

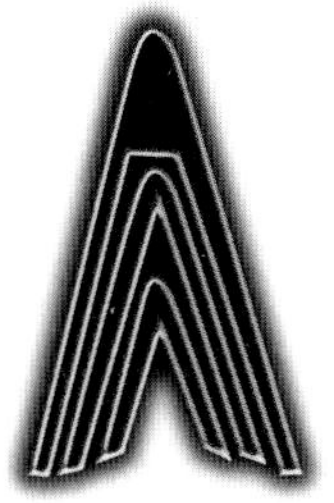

VAISSEAU SPATIAL

Ce pictogramme représente un triangle et des vortex de propulsion. Le triangle représente toujours la direction de la force. Conséquemment, la force propulsée signifie un vaisseau spatial.

STARS

The tristar group is typical of the Orion constellation. At this stage, it becomes a first hypothesis that we must verify.

ÉTOILES

Les 3 étoiles groupées sont typiques de la constellation d'Orion. À ce stade, ceci devient une première hypothèse que nous devons vérifier.

NECKLACE

The pictogram represents a group of stars, displaced like a necklace with 2 stars at the ends. The Orion constellation has a group of stars forming a necklace shape. The triangle of the mouth points to the fourth star.

COLLIER

Le pictogramme représente un groupement d'étoiles en forme de collier terminé de 2 étoiles aux extrémités. Or, la constellation d'Orion a un groupement d'étoiles en forme de collier. Le triangle de la bouche pointe vers le quatrième système solaire du groupe.

TRIANGLES WITH A RIGHT ANGLE (90°)

This pictogram indicates that the position of the 4th star forms a right angle triangle with the 3 aligned stars from the Orion belt which could be in our opinion the base. Also, a smaller right angle triangle points to another star using the same tristar base.

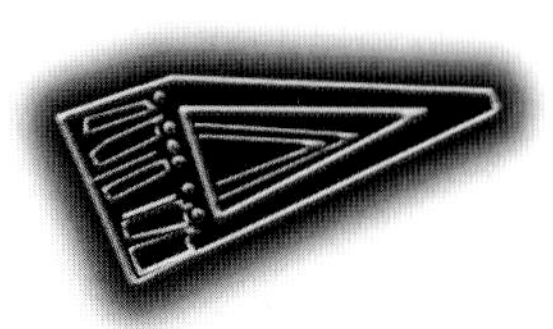

TRIANGLES À ANGLE DROIT (90°)

Le pictogramme indique que la 4e étoile forme un triangle à angle droit dont les 3 étoiles alignées de la ceinture d'Orion seraient à notre avis la base. De plus, un plus petit triangle intérieur formé à partir de la même base de 3 étoiles, pointe vers une autre étoile.

GROUP 8

We came from the constellation of Orion. The star of our solar system is the 4th of the group dispersed like a necklace. Our star is at the tip of a rectangle triangle with the three aligned stars at the base.

GROUPE 8

Nous sommes originaires de la constellation d'Orion. L'étoile de notre système solaire est la 4e du groupe, agencé en forme de collier. Notre étoile est à la pointe supérieure d'un triangle rectangle, dont les trois étoiles alignées forment la base.

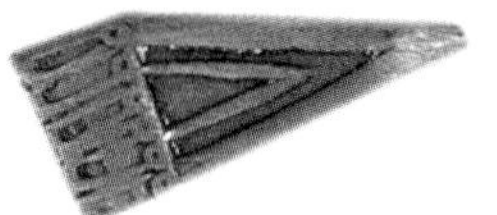

The symbols / Les symboles

Group 9 / Groupe 9

FLOWER
The flower is the symbol of life. The stars that surround the flower indicate that intelligent life exists in many solar systems. The pictogram is placed at the highest point of the disk. We translated it as: 'Our superior objective is to disperse life throughout the universe.' The flower symbol appears everywhere on the exterior circle of the disk representing the universe.

FLEUR
La fleur est le symbole de la vie, les étoiles entourant la fleur nous indiquent que la vie intelligente existe dans plusieurs systèmes solaires. Le pictogramme occupe la position supérieure sur le disque. Nous l'avons traduit par : « Notre objectif supérieur est de propager la vie dans tout l'univers. Ce symbole de la fleur apparaît sur tout le cercle extérieur du disque représentant l'univers.

RECTANGLE TRIANGLES
Linked with the preceding symbol, they indicate that intelligent life exists in two solar systems of the Orion constellation. The top part of the replica is partially erased and may be subject to various interpretations. We will compare it to the original disk in the last pages of the chapter.

TRIANGLES RECTANGLES
Joint au symbole précédent, ils nous indiquent que la vie intelligente existe en deux endroits dans la constellation d'Orion. La partie supérieure de notre reproduction est partiellement effacée et peut être sujette à diverses interprétations. Nous le comparerons à l'original dans les dernières pages de ce chapitre.

RESIDENCE
The pictogram represents an open square and the number 5. So it becomes: 'We lived on the 5th planet of our solar system.'

RÉSIDENCE
Le pictogramme symbolise le lieu de résidence par le carré ouvert et le nombre 5. Donc, nous traduisons par : « nous habitons la 5e planète de notre système solaire ».

PLANET WITH 3 SATELLITES
The pictogram represents a planet with 3 satellites. We translated it as: 'Our planet has three orbiting satellites.'

PLANÈTE AVEC 3 SATELLITES
Le pictogramme montre une planète et 3 satellites. Nous l'avons traduit par : « notre planète a 3 lunes ou satellites naturels en orbite ».

GROUP 9

We live on the 5th planet of the 4th solar system. Our planet has three natural satellites (moons). Our superior objective is to disperse life throughout the universe. Intelligent life also exists in another solar system of our constellation.

GROUPE 9

Nous habitons la 5e planète du 4e système solaire. Notre planète a trois satellites naturels (lunes). Notre objectif supérieur est de propager la vie dans tout l'univers. La vie intelligente existe également dans un autre système solaire de notre constellation.

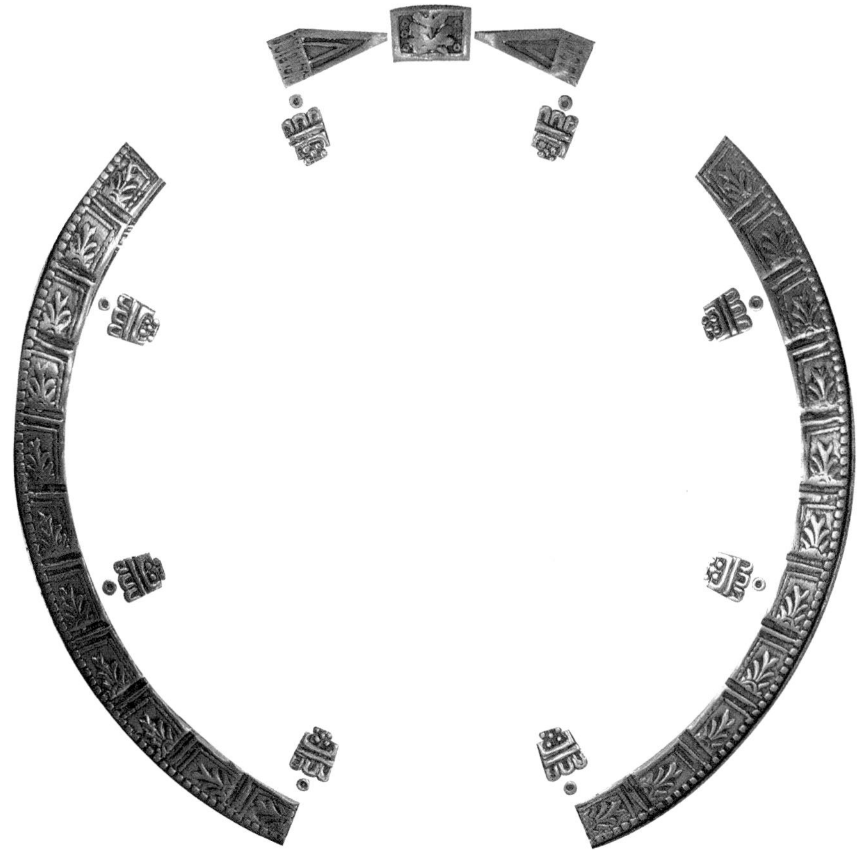

The symbols / Les symboles

Variants / Variantes

CIRCLE

On the replica we see 11 planets on the outer ring between each compass. The original disk has 10 planets, 9 of which are known to this day. Our final interpretation is: between Mars and Jupiter, one planet was reduced to dust, and there is a 10th unidentified planet in our solar system.

CERCLE

Sur la reproduction, nous voyons 11 planètes sur chaque segment de cercle entre les compas. Le disque original nous indique 10 planètes dont 9 sont connues à ce jour. Notre interprétation finale est : entre Mars et Jupiter, une planète a été réduite en poussière et notre système solaire compte une 10e planète inconnue à ce jour.

COLONY

This pictogram appears twice at the top of the disks. It is erased on the replica but visible on the original disk. It refers to organized life or intelligent life on other planets.

COLONIE

Ce pictogramme apparaît à deux endroits sur la partie supérieure des disques. Il est effacé sur la reproduction mais bien visible sur le disque original. Il réfère à la vie organisée ou vie intelligente sur d'autres planètes.

MULTIPLICITY

The pictograms show 12 planets in association with the symbol of life. We translate it as: 'We have implanted human life on 12 planets to this day.'

MULTIPLICITÉ

Ces pictogrammes montrent 12 planètes associées au symbole de la vie. Nous traduisons maintenant par : nous avons implanté la vie humaine sur 12 planètes à ce jour.

TIME

The pictogram shows an old man with the sun behind him and a younger one with the sun in front of him. Respectively meaning ancient time and recent time. From left to right the meaning becomes : in ancient time some comets which were the result of a star explosion have hit 4 planets of your solar system. This resulted in the disappearance of one planet, leaving 10 planets in orbit, 9 of which are known to this day.

TEMPS

Ce pictogramme montre un vieil homme et le soleil derrière lui, et un plus jeune homme et le soleil devant lui. Ceux-ci représentent respectivement les temps anciens et plus récents. De gauche à droite la traduction devient : dans les temps anciens, des comètes en provenance d'une étoile explosée ont frappé 4 planètes de votre système solaire. Ceci causa la disparition d'une planète, laissant 10 planètes en orbite dont 9 sont connues à ce jour.

VARIANT (GROUP 9)

We live on the 5th planet of the 4th solar system. Our superior objective is to disperse life throughout the universe. We have implanted intelligent life on 12 planets to this day.

VARIANTE (GROUPE 9)

Nous habitons la 5e planète du 4e système solaire. Notre objectif supérieur est de propager la vie dans tout l'univers. Nous avons implanté la vie intelligente sur 12 planètes à ce jour.

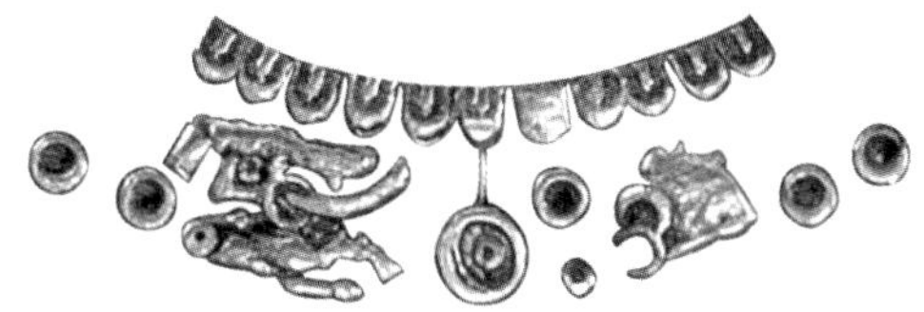

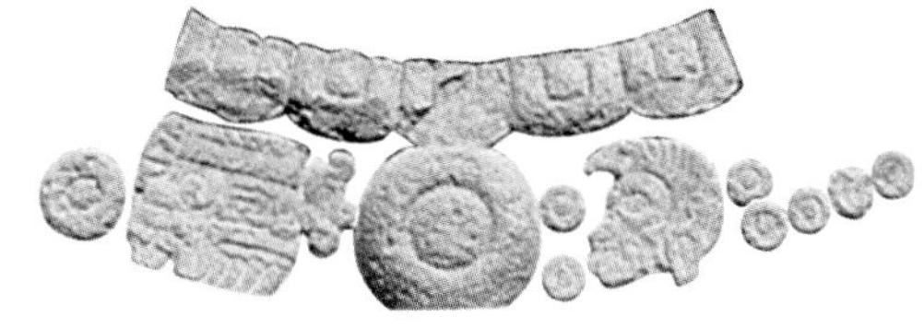

Summary of the groups

GROUP 1
We wish to give you a spatial direction (about our origin and the purpose of our visit).

GROUP 2
We have landed on the 7th planet (the Earth) of a solar system originally made up of 10 planets.

GROUP 3
The impact of comets had destroyed all life on the 7th planet (the Earth).

GROUP 4
Four planets of your solar system were affected by the impact at that time. One was reduced to dust, and life completely vanished on two others.

GROUP 5
We are at the origin of the appearance of the human species on Earth. This genetical implant was not limited to human race, but also to a very large number of animals species, insects and plants brought from many galaxies.

GROUP 6
We have taught humans all the necessary skills for their survival. Namely, shelter and boat construction, seeding and harvesting fruits and vegetables, breeding animals, the use of fire, weaving for clothes and nets, as well as hunting and fishing techniques.

GROUP 7
We also taught the first inhabitants, large scale fishing techniques with boats and nets. That activity was equally essential to insure their survival.

GROUP 8
We came from the constellation of Orion. The star of our solar system is the 4th of the group dispersed like a necklace.
Our star is at the tip of a rectangle triangle with the three aligned stars at the base.

Sommaire des groupes

GROUPE 1
Nous désirons vous donner une direction spatiale (sur notre origine et le but de notre visite).

GROUPE 2
Nous avons atterri sur la 7e planète (Terre) d'un système solaire composé de 10 planètes à l'origine.

GROUPE 3
L'impact de comètes avait détruit toute vie sur la 7e planète (la Terre).

GROUPE 4
Quatre planètes de votre système solaire ont subi un impact à ce moment. Une a été réduite en poussière, et la vie a complètement disparu sur deux autres.

GROUPE 5
Nous sommes à l'origine de l'apparition de l'espèce humaine sur Terre. Cet apport génétique ne s'est pas limité à la race humaine, mais aussi à un très grand nombre d'espèces animales, d'insectes et de plantes provenant de nombreuses galaxies.

GROUPE 6
Nous avons enseigné aux humains toutes les activités nécessaires à leur survie. Soit la construction d'abris et de bateaux, la culture des plantes comestibles, l'utilisation du feu, l'élevage de troupeaux d'animaux, le tissage pour les vêtements et les filets, ainsi que les techniques de chasse et de pêche.

GROUPE 7
Nous avons également enseigné aux premiers habitants, la technique de la pêche à grande échelle, à l'aide d'embarcations et de filets. Cette activité était également nécessaire pour assurer leur survie.

GROUPE 8
Nous sommes originaires de la constellation d'Orion. L'étoile de notre système solaire est la 4e du groupe, agencé en forme de collier. Notre étoile est à la pointe supérieure d'un triangle rectangle, dont trois étoiles alignées forment la base.

GROUP 9

We live on the 5th planet of the 4th solar system. Our planet has three natural satellites (moons). Our superior objective is to disperse life throughout the universe. Intelligent life also exists in another solar system of our constellation.

VARIANT (GROUP 9)

We live on the 5th planet of the 4th solar system. Our superior objective is to disperse life throughout the universe. We have implanted intelligent life on 12 planets to this day.

FINAL OBSERVATION

The replica may be issued from an original far older than the original presented in this book. The far older original of the replica comes from the observations of a spacial explorer while the actual original had been engraved later by a terrestrial observer.

GROUPE 9

Nous habitons la 5e planète du 4e système solaire. Notre planète a trois satellites naturels (lunes). Notre objectif supérieur est de propager la vie dans tout l'univers. La vie intelligente existe également dans un autre système solaire de notre constellation.

VARIANTE GROUPE 9

Nous habitons la 5e planète du 4e système solaire. Notre objectif supérieur est de propager la vie dans tout l'univers. Nous avons implanté la vie intelligente sur 12 planètes à ce jour.

OBSERVATION FINALE

La reproduction peut être issue d'un original antérieur de beaucoup à l'original présenté dans ce livre. L'original antérieur de la reproduction provient des observations d'un explorateur spatial alors que l'original actuel a été gravé ultérieurement par un observateur terrestre.

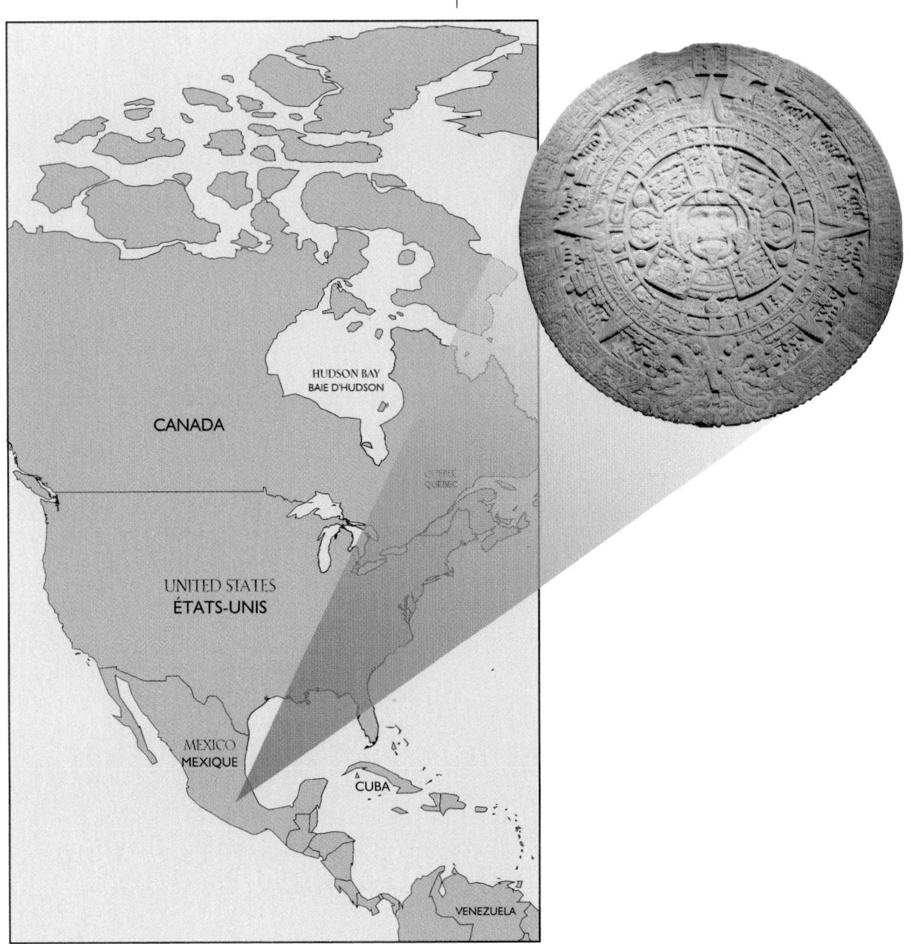

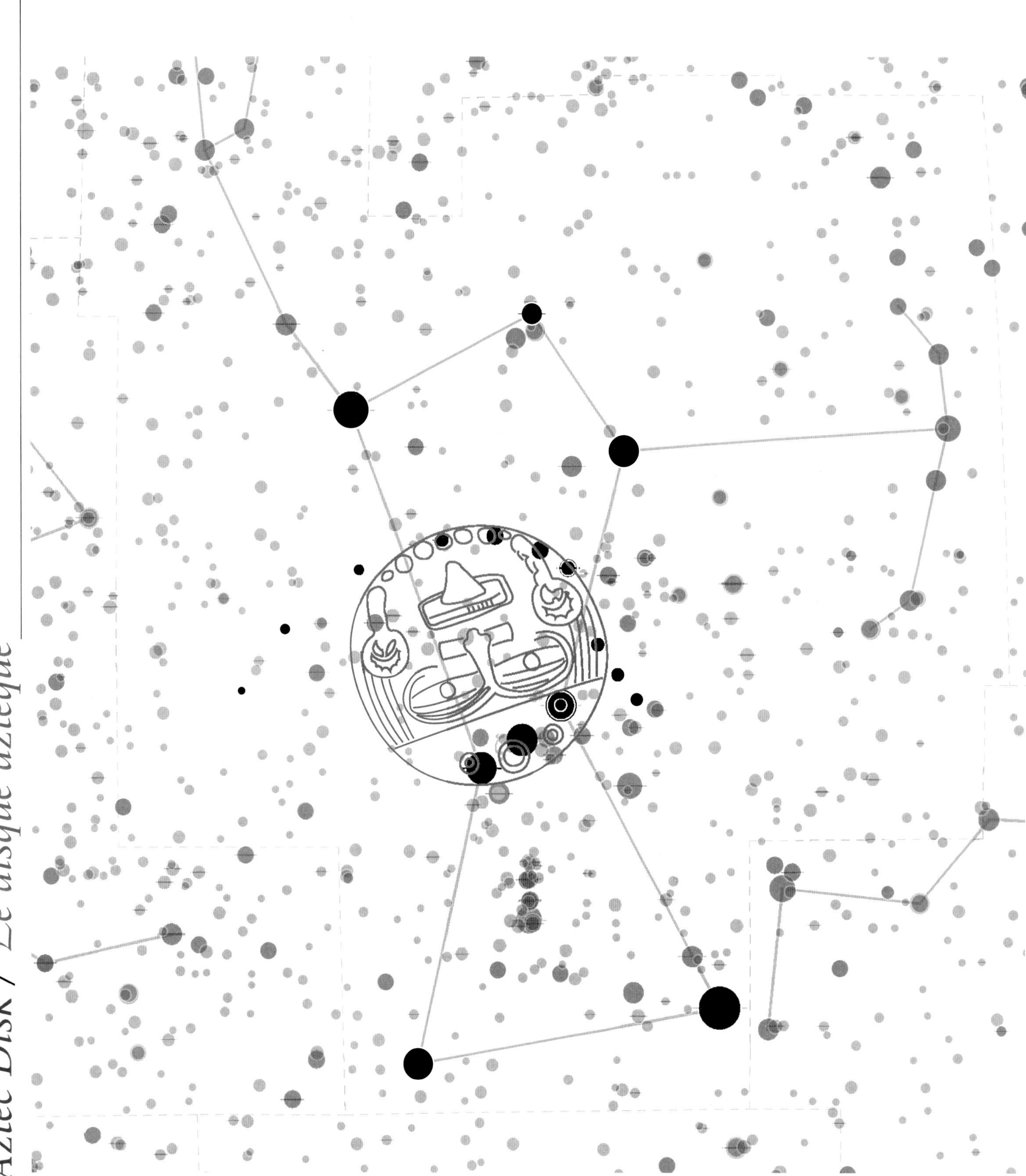

The central figure of the Aztec Disk is combined with the map of the constellation of Orion, see pages 136 and 152.

L'image centrale du disque aztèque est superposée sur la carte de la constellation d'Orion, voir pages 136 et 152.

Chapter 3
The Giza secret

Chapitre 3
Le secret de Gizeh

The Giza's plateau is still today the major attraction of Egypt. For more than 9 000 years this sanctuary has facinated humanity . Many hypotheses and theories have been set forth by many researchers looking for an answer. Furthermore, to stir the minds, Enoch's book stipulates that within the pyramids lies a great secret. We will not wait any longer to reveal it.

Here is the secret:
The whole Giza plateau is an exact reproduction of the Orion constellation. The large pyramids represent the bigger stars while the smaller pyramids are in corresponding positions of the little stars. The stellar position of the Sphinx corresponds to the exact star of the solar system where the civilization at the origin of mankind came from. So, the Egyptian and Aztec messages are blended into a single one now.

Although the enigma has been brought to daylight, we still have to establish the link with the primary civilization of Atlantis.

Albert Solsman demonstrated, beyond any doubt, that the survivors of Atlantis had washed up in Morocco where the names of several towns reflect this passage. The city of TA OUZ signifies: the place of Horus. Horus is one of the principal divinities of pharaonic Egypt.

Atlantis, in the Egyptian language, is pronounced
AHA-MEN-PTAH,
signifying in our language: 'first heart of God.'

Egypt, in hieroglyph, is:
ATH-KÂ-PTAH,
translated as: 'second heart of God.'

Approximately 3 000 years passed between Morocco and the arrival of the Atlanteans in Egypt. The destruction of Atlantis occurred on July 9th 9792 B.C. We owe this knowledge to the solar date astronomically inscribed in the Zodiac of Denderah which can be seen at the Musée du Louvre in Paris. It was brought back from Egypt by French archaeologists in the 19th century. Egypt's birth would therefore be in the neighborhood of 7000 B.C.

Le plateau de Gizeh est encore aujourd'hui la plus grande attraction de l'Égypte. Ce sanctuaire émerveille l'humanité depuis plus de 9 000 ans. Beaucoup de théories et d'hypothèses ont été énoncées par de nombreux chercheurs en quête d'une réponse. De plus, pour agiter les esprits, le livre d'Enoch indique que les pyramides abritent un grand secret. Nous n'attendrons pas plus longtemps pour le révéler.

Ce secret, le voici :
Tout le plateau de Gizeh est une reproduction exacte de la constellation d'Orion. Les grandes pyramides représentent les étoiles de grande taille alors que les pyramides plus petites s'associent aux étoiles de plus petite taille. la position stellaire du Sphinx correspond exactement à l'étoile du système solaire d'où est venu le peuple qui est à l'origine de l'apparition de la race humaine sur Terre. Il représente, à notre avis, la divinité suprême de ce peuple. Ainsi, les messages égyptiens et aztèques ne font qu'un maintenant.

Bien que l'énigme soit dévoilée, il nous reste à établir le lien avec la civilisation originelle de l'Atlantide.

Albert Slosman a démontré, hors de tout doute, que les survivants de l'Atlantide avaient échoué au Maroc où le nom de plusieurs villes reflète ce passage. La ville de TA OUZ signifie : le lieu d'Horus. Horus est une des divinités principales de l'Égypte pharaonique.

L'Atlantide, en langue égyptienne, se prononce :
AHA-MEN-PTAH,
signifiant dans notre langage : premier coeur de Dieu.

L'Égypte, en hiéroglyphe, est :
ATH-KÂ-PTAH,
traduit par : second coeur de Dieu.

Environ 3 000 années se sont écoulées entre le Maroc et l'arrivée des Atlantes en Égypte. La destruction de l'Atlantide se situe au 9 juillet 9792 avant J.C. Nous devons cette connaissance à la date solaire gravée dans le Zodiaque de Dendérah qui est au Musée du Louvre à Paris. Il a été ramené d'Égypte au XIXe siècle par des archéologues français. La naissance de l'Égypte se situerait donc aux environs de l'an 7000 avant J.C.

'THE PYRAMIDS OF GIZA DURING THE ANNUAL FLOODING'
Photo by Lehnert/Landrock
Musée de l'Élysée in Lausanne
©Édouard Lambelet, Cairo

« LES PYRAMIDES DE GIZEH PENDANT LA CRUE ANNUELLE »
Photographie de Lehnert/Landrock
Musée de l'Élysée de Lausanne
©Édouard Lambelet, Le Caire

THE PYRAMIDS' PLATEAU
© Jean-Claude Golvin, architect.
Drawing inspired by Rainer Stadelman and M. Lehner
(Die grossen pyramiden von Gizah)
Photo by Glenn Moores

LE PLATEAU DES PYRAMIDES
© Jean-Claude Golvin, architecte.
Dessin inspiré de Rainer Stadelman et M. Lehner
(Die grossen pyramiden von Gizah)
Photographie de Glenn Moores

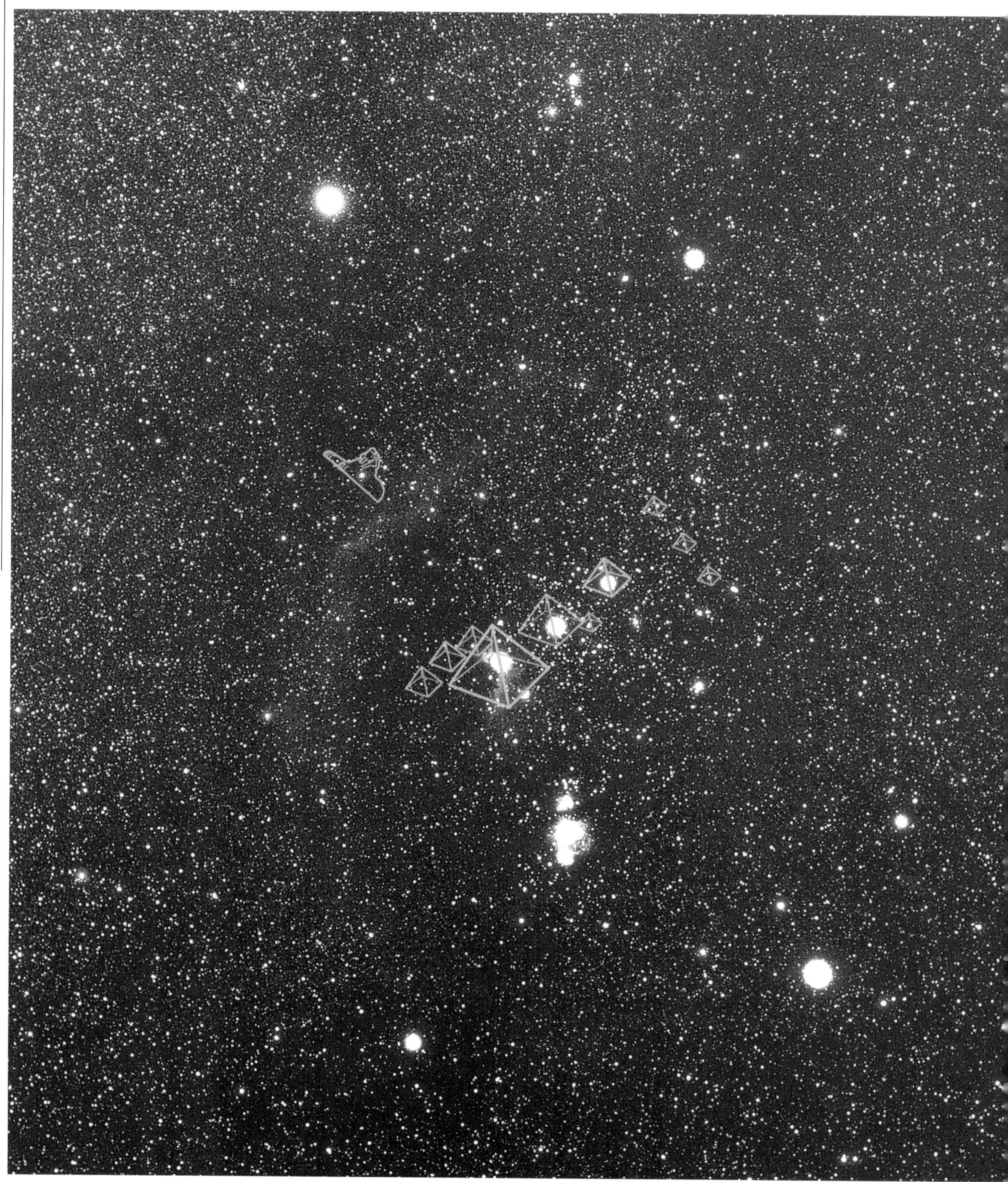

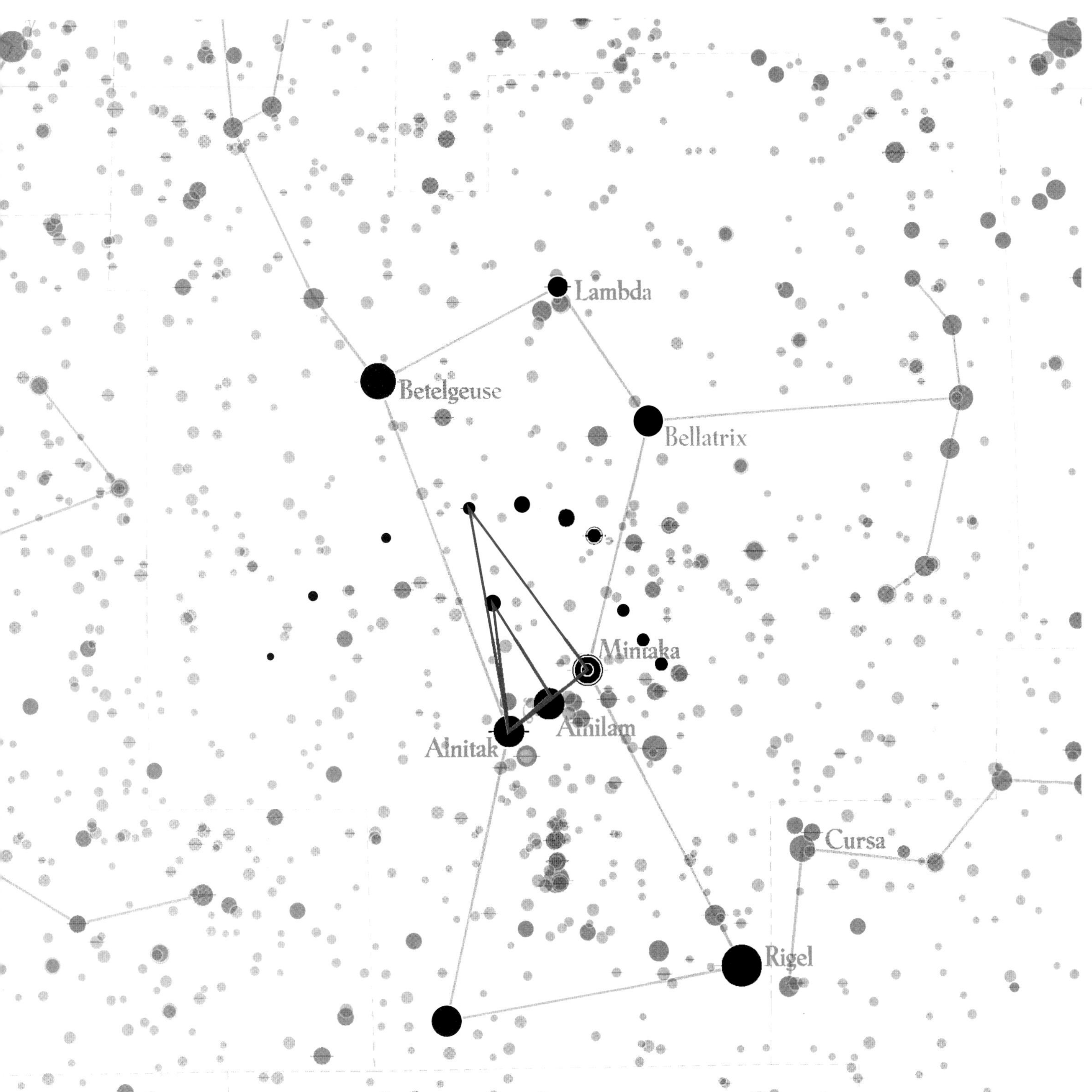

CONSTELLATION OF ORION

Pages 164 and 165 show us an aerial vue of the Giza Plateau pyramids. The positions of the pyramids and the Sphinx are the same as the stars forming the constellation of Orion. The tip of one of the right angle triangles as seen on the Aztec Disk corresponds to the Sphynx, see pages 152 to 155.

CONSTELLATION D'ORION

Les pages 164 et 165 nous montrent une vue en plongée des pyramides du plateau de Gizeh. La disposition des pyramides et du Sphinx correspond à la position des étoiles formant la constellation d'Orion. La pointe d'un des triangles rectangles du calendrier aztèque nous mène au Sphinx, voir les pages 152 à 155.

History states that a number of survivors of Atlantis reached the Moroccan coast aboard 43 metres vessels called 'mandjit.' These ships were identical, in their form, to those of the Egyptian pharaonic fleet. Their place of provenance was, until today, unknown. The sea leaves no trace.

The gold disks of Egypt and Morocco were never, to my knowledge, found. The diverse reconstructions of temples above the ancient ones, by successive phraohs, is a probable cause. Therefore the value of the disk of PHAISTOS is inestimable in the Egyptian context.

This discovery in 1908, by Italian archeologist Frederico Halbherr, is in part attributable to the earlier destruction of the Phaistos palace. The last phrase is in no way meant to minimize the colossal research accomplished with perspicacity, tenacity and an iron will, characteristic of the Italian archeological mission in Crete.

Concerning the Egyptian gold disk, Albert Slosman and his predecessors, such as August Mariette undertook considerable research to find it. Conscious of its importance, they were unable to locate it. One senses his frustration, when he remarks, 'And so, what can we say about the disk of gold buried ashore under 80 metres of sand!', published in his book 'La Grande Hypothèse', (The Great Hypothesis). Dear Albert, I wish we could have made a trip to Crete!

The hieroglyph of the Golden Circle

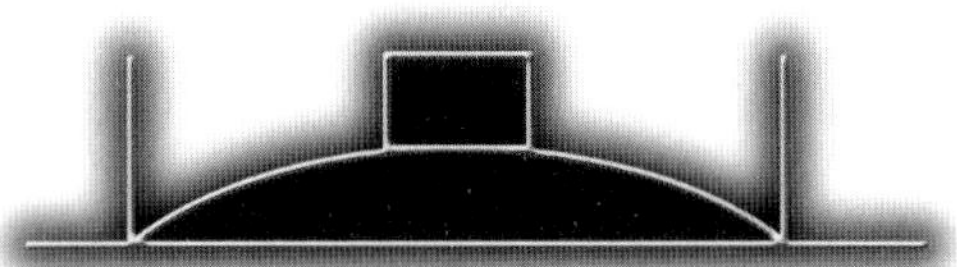

represents the displacement of the divine monarchy between two places of residence.

The 'divine' is the one whose name is not represented in hieroglyphics, but only as an empty square, which we are now familiar with.

L'histoire raconte qu'une partie des rescapés de l'Atlantide ont atteint la côte marocaine à bord de vaisseaux de 43 mètres appelés : « mandjit ». Ils étaient identiques, par leur forme, à ceux de la flotte pharaonique égyptienne. Leur lieu de provenance était, jusqu'à aujourd'hui, inconnu. La mer ne laisse aucune trace.

Les disques d'or d'Égypte et du Maroc n'ont jamais, à ma connaissance, été retrouvés. Les diverses reconstructions au-dessus des anciens temples, par les pharaons successifs, en sont la cause probable. D'où la valeur inestimable du disque de PHAISTOS dans le contexte égyptien.

Cette découverte, en 1908, par l'archéologue italien Frederico Halbherr, est en partie attribuable à la destruction antérieure du palais de Phaistos. Cette dernière phrase ne vient en rien minimiser le travail colossal de recherche accompli avec perspicacité, ténacité et une volonté de fer propre à la mission archéologique italienne en Crète.

En ce qui a trait au disque d'or égyptien, Albert Slosman et ses prédécesseurs, tel Auguste Mariette, ont effectué des recherches considérables pour le retrouver. Conscients de son importance, ils furent incapables de le localiser. Il exprime sa frustration par la boutade suivante : « Alors que dire du cercle d'or qui gît sous 80 mètres de sable ! » publié dans son livre *La Grande Hypothèse*. Cher Albert, comme j'aurais aimé que nous fassions un voyage en Crète !

Le hiéroglyphe du Cercle d'Or

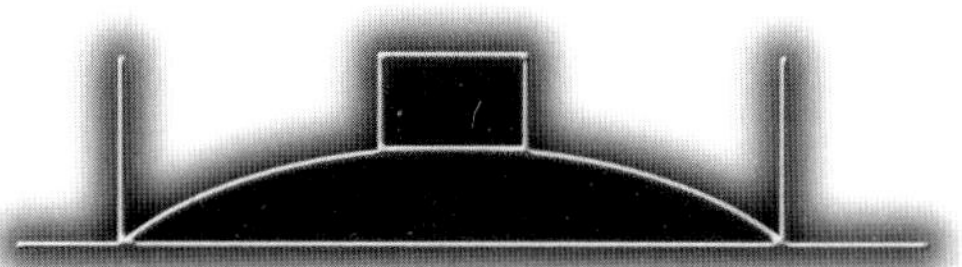

représente le déplacement de la royauté divine entre deux lieux de résidence.

Le « divin » est celui dont le nom ne s'écrit pas en hiéroglyphe, d'où le carré vide au centre, que nous connaissons bien maintenant.

I will conclude this chapter with a complete citing of a prophetic text on the golden disk as translated by Albert Slosman in his book *'La Grand Hypothèse'* (The Great Hypothesis). The scribe Rabsenir tells us that it is the heart of Egypt.

This prophecy refers us to the United Kingdom, non-existant at the time of Kheops. It is surely at the origin of the intuitive magnetism of the Englishmen for this part of the world. It must, however, be put in its context. Horus, first pharaoh of Egypt, had lost the chronological annals for a period of 6 000 years. The circumstances are described in the following chapter. In order for a pharaoh to access the kingdom of the 'Afterlife' (Egyptian paradise), the chronological annals of the Elders must be completed and exact according to the divine mathematics. If there was an error, the spirit of the pharaoh would remain at the surface of the Earth until the end of time.

Horus's worry about this matter was palpable and the word 'FORGET' appeard in the Egyptian hieroglyphic. But the pharaoh Khufu (the Kheops of the Greeks) invincible warrior emperor and master of the two earths, did not hear it in this way. Khufu, whose will rivaled the size of the pyramids he erected, ordered three Rakaoui princes to reestablish the chronological annals. Failing this, they faced the threat of a slow and very painful death.

The writing of this book allows a great secret to be revealed from Egypt: the souls of all the Egyptian pharaohs wander the surface of the earth. None of them have yet reached the kingdom of the 'Afterlife' to join the elders. From where this prophetic message was left to a 5 000 year old junior.

This unique text outlines an Egyptian reincarnation of the American prophet Edgar Cayce under the name Senenpthah. As you will see, the life of a prophet was a lot more hazardous in Kheops times. I recommend the reader to move on to the next chapters before reading the text of the prophecy, since some background is required to understand it more easily.

Je terminerai ce chapitre en citant intégralement un texte prophétique sur le cercle d'or, traduit par Albert Slosman, dans son livre *La Grande Hypothèse*. Le scribe Rabsenir nous dit que c'est le coeur de l'Égypte.

Cette prophétie nous réfère au Royaume-Uni inexistant au temps de Khéops. Elle est sûrement à l'origine du magnétisme intuitif des Anglais pour cette partie du monde. Elle doit cependant être remise dans son contexte. Horus, premier pharaon d'Égypte, a perdu les annales chronologiques sur une période de 6 000 ans. Les circonstances sont décrites dans le chapitre suivant. Pour qu'un pharaon puisse accéder au royaume de « l'au-delà de la vie » (paradis égyptien), les annales chronologiques des Aînés doivent être complètes et exactes selon les mathématiques divines, à défaut, l'âme du pharaon restera à la surface de la terre jusqu'à la fin des temps.

L'inquiétude de Horus en cette matière est palpable et le mot « OUBLIEZ » apparaît dans les fresques égyptiennes. Mais le pharaon Khoufou (le Khéops des Grecs), empereur guerrier invaincu et maître des deux terres, ne l'entend pas ainsi. Khoufou, dont la volonté rivalise la taille des pyramides qu'il a érigées, ordonne aux trois princes Râkaoui de rétablir les annales chronologiques. A défaut, il les menace d'une mort lente dans les plus grandes souffrances.

La rédaction de ce livre a permis de révéler un grand secret de l'Égypte : les âmes de tous les pharaons égyptiens errent à la surface de la terre. Depuis ce temps, aucun n'a accédé au royaume de « l'au-delà de la vie » pour y joindre les Aînés. D'où ce message prophétique laissé à un successeur de 5 000 ans son cadet.

Ce texte unique évoque une réincarnation égyptienne du prophète américain Edgar Cayce sous le nom de Senenpthah. Comme vous le constaterez, la vie d'un prophète était plus hasardeuse au temps de Khoufou. Je recommande au lecteur de poursuivre la lecture des chapitres suivants avant de lire ce texte dont la compréhension nécessite un certain recul.

EXCERPT FROM ALBERT SLOSMAN'S BOOK: *'LA GRANDE HYPOTHÈSE'*[1] (THE GREAT HYPOTHESIS)

ETERNITY BELONGS ONLY TO GOD

Great things occurred during the reign of His Majesty Khufu in the Two-Countries. Learn of this, oh you who read the words of Scribe Rabsenir, but keep them well to yourself, for there would be a curse on all of your family and great unhappiness for you, if you spread this to strangers! As well, you will learn of the Wisdom of Pharaoh, to Him Long Life, Strength and Health! Khufu was the benefactor of the entire earth, spreading from Sunset where rest the Blessed Asleep, to his capital of Men-Nefer, from where I prepare my reeds to darken the papyrus rolls spread on my palette. Since here is the Heart of Ath-Ka-Ptah.

So, one morning when the Close Counselors of Pharaoh, to Him very Long Life, Strength and great Health, had ended their daily deliberation and had disbanded as usual to attend to their numerous and important occupations, Khufu, taken with a sudden inspiration, gave an order to his Great Chamberlain, who never left the throne while Khufu was sitting: 'Run after my Close Counselors, even if they have already left the palace, since I desire to reconvene with them immediately! Go and get them! I am finished.' The Great Chamberlain left immediately, running outside of the walls, hurried to the Counselors, bringing them back trembling, asking what they had done to incur the wrath of the Pharaoh, to Him L.L.S.H., and what awaited them! Before the throne of His Majesty, everyone fell to the ground in terror, awaiting from him a terrible sentence, in a complete silence.

But the silence lasts, since the Pharaoh, to Him be L.L.S.H. was surprised by the fear that escaped the skin of all of the Close Counselors. Khufu could only speak in a serene voice, neutral and imperative, since his request is the conclusion of a dream that Ousir, to Him eternal Life eternally, in him inspired: ask a Magus the revelation of the Great Secret!

EXTRAIT DU LIVRE D'ALBERT SLOSMAN : *LA GRANDE HYPOTHÈSE*[1]

L'ÉTERNITÉ N'APPARTIENT QU'À DIEU

Il arriva de grandes choses au temps où Sa Majesté Khoufou (Khéops) régnait sur les Deux-Pays. Apprend cela, ô toi qui lis les paroles que trace le Scribe Râbsenir, mais conserve-les par-devers toi, car ce serait une malédiction pour toute ta famille et un très grand malheur pour toi, si tu les propageais auprès d'étrangers ! Ainsi tu apprendras la Sagesse du Pharaon, à Lui Longue Vie, Force et Santé ! Khoufou fut le bienfaiteur de la terre entière qui s'étend de celle du Couchant, où reposent les Bienheureux Endormis, à sa capitale Men-Nefer, d'où je prépare mes calames pour noircir ces rouleaux de papyrus étalés sur ma palette. Car ici est le Coeur d'Ath-Kâ-Ptah.

Or, un matin que les Conseillers Intimes de Pharaon, à Lui très Longue Vie, Force et une grande Santé, en avaient terminé avec leur délibération quotidienne et s'étaient retirés comme à l'accoutumée pour vaquer à leurs nombreuses et importantes occupations, Khoufou, pris d'une inspiration subite, ordonna à son Grand Chambellan qui ne quittait jamais le trône tant que Sa Majesté s'y tenait séant : « Cours après mes Conseillers Intimes, même s'ils ont déjà quitté le Palais, car je désire les entretenir de nouveau, sur-le-champ ! Va et ramène-les ! J'en ai terminé. » Le Grand Chambellan n'en attend pas plus, court hors les murs, vole jusqu'aux Conseillers, les ramène tremblants, se demandant en quoi ils s'étaient attiré le courroux de Pharaon, à Lui L.V.F.S., et ce qui les attendait ! À peine devant le trône de Sa Majesté, tout le monde se jette à terre, plein d'effroi, s'attendant à une terrible sentence, dans un silence complet.

Mais le silence dure, car le Pharaon, à Lui L.V.F.S., s'étonne de cette peur qu'il sent s'échapper par toute la peau de ses Conseillers Intimes ! Khoufou ne peut parler que d'une voix sereine, neutre et impérative, car sa requête est la conclusion d'un rêve qu'Ousir, à Lui la Vie éternelle éternellement, lui a inspiré : demander à un Mage la révélation du Grand Secret !

His Majesty, having regained control of his voice, arose with a note of irritation: 'What's this? My faithful Counselors bowing as slaves? What have they done to merit my wrath?

The four Close Counselors and the Great Chamberlain arose with difficulty, and asked by what good fortune he had nothing to blame them for. This was Khafrire, the royal son, who spoke on behalf of them, to his father the Pharaoh, to Him L.L.S.H., 'It is unusual that Your Majesty recalls his Counselors to deliberate a second time. We thought that we had offended in some way your noble divine Person, Oh Khufu, to You Long Life, Great Vigour and eternal Health.

So His Majesty, exasperated, spoke also to Khafrire his son: 'What's this? Your state resembles that of an aged one, that you cannot distinguish between disgrace and an urgent request for advice. Do you have such a troubled conscience, Khafrire? Are my Counselors lying to me about something that they are so concerned to this point of my wrath...?'

Khufu, to Him L.L.S.H., was not aware that he held the power of life and death over his subjects, each one being worried about offending him in some way, and this included his son, Prince Khafrire. He responded as well, 'May Your Majesty forgive me of this error in your divine judgement. Nothing should disturb our Divine Particles, since no susceptible subject of irritation can mar you.'

Holding his two arms in front of him as a sign of allegiance, followed in turn by the three other Close Counselors, and the Great Chamberlain who made the same secular gesture, Prince Khafrire concluded his statement thus, 'We listen attentively to the urgency that Your Majesty wishes we hear. Our carnal bodies are thirsty for good words, our ears are alert to Your Fair Voice. Speak...'

The Pharaoh, to Him L.L.S.H., spoke, 'This night, the Divine Voice made itself heard to me, in a series of colours and obscurities. All was alight, golden, dazzling, then suddenly there was total darkness, absolute, and I thought I had become blind, even as I knew it was impossible. This reproduced itself eight times in a row,

Sa Majesté, ayant repris l'entier contrôle de sa voix, l'éleva avec une nuance d'irritation : « Eh quoi ? Mes fidèles Conseillers se prosternent comme des esclaves ? Qu'ont-ils fait pour mériter mon courroux ? »

Les quatre Conseillers Intimes et le Grand Chambellan se redressent péniblement, se demandant par quel heureux hasard il ne leur est rien reproché. Ce fut Khafriré, le fils royal, qui répondit au nom de tous, à son père le Pharaon, à Lui L.V.F.S. : « Il est inhabituel que Ta Majesté rappelle ainsi ses Conseillers pour délibérer une seconde fois. Nous craignions avoir offensé en quelque manière Ton Auguste Personne Divine, Ô Khoufou, à Toi Longue Vie, Grande Vigueur et Santé éternelle. »

Alors, Sa Majesté, excédée, parla ainsi à Khafriré, son fils : « Eh quoi ? Ton état est-il semblable à celui de la pleine vieillesse, que tu ne saches discerner l'opprobre d'une demande urgente d'un conseil ? Aurais-tu si mauvaise conscience, Khafriré ? Mes Conseillers me mentent-ils en quelque chose pour craindre à ce point mon courroux ? »

Khoufou, à Lui L.V.F.S., ne se rendait pas compte qu'ayant droit de vie et de mort sur tous ses sujets, chacun d'eux craignait de l'offenser en quoi que ce soit, y compris son fils, le Prince Khafriré. Aussi celui-ci répondit-il : « Que Ta Majesté me pardonne ce manque en ton divin jugement. Rien n'aurait dû perturber nos Parcelles Divines, puisque nul sujet susceptible de t'irriter ne les entache. »

Tendant les deux bras devant lui en signe d'allégeance, suivi en cela par les trois autres Conseillers Intimes et le Grand Chambellan qui firent le même geste séculier, le prince Khafriré conclut sa phrase ainsi : « Nous écoutons attentivement l'urgence que Ta Majesté veut nous faire entendre. Telles nos enveloppes charnelles altérées de bonnes paroles, nos oreilles s'ouvrent grandes à l'entrée de Ta Voix Juste. Parle… »

Le Pharaon, à Lui L.V.F.S., parla : « Cette nuit, la Divine Voix s'est fait entendre à moi, en une suite de couleurs et d'obscurités. Tout était lumineux, doré, éblouissant, puis soudain, c'était le noir total, absolu, et je pensais être devenu aveugle, bien que je susse cela impossible. Cela c'est reproduit huit fois de suite, avec

with the same pattern and same words. What is this dream saying? You who are my Counselors must have an explanation for this. Is it a disastrous omen or a beneficial prophecy...? Answer me frankly.'

Before the silence of Prince Khafrire, the pontiff of the North, the venerable Amemka, royal counselor for religious questions, spoke: 'You are the descendent of Ra, all powerful Lord of Eternity, Oh Khufu. That his rays may render you divine for millions and millions of lives to come! Your dream is not quite an omen, neither uniquely a prophecy. It is the royal mark of your omnipotence. Djoser, your divine ancestor, to Him be Eternal Life, which raised so grandly a solar temple to Sakara before constructing a tomb almost as sumptuous as that one which will be yours at the end of your earthly life, had, on many occasions, visions similar to yours this night. The royal scribes of his court attested to this in their journalistic reports.

The Pharaoh, to Him L.L.S.H., nodded his head, as if to endorse the ancient existence of an identical dream, before asking, 'This is true, Oh Amenka, remind me of the value given by the Magi of this distant age to this dream, similar to mine, of my ancestor the Great Per-Aha Djoser, to Him Eternal Life eternally.' Amenka responded to this request without the slightest hesitation: 'The alternating blinding brightness and total obscurity, eight times repeating, is the proof of the divine influence of Ra over all the earth. His presence illuminates and dispenses life, his disappearance blinding and likened to death. Also the Magi recommended themselves before the grand Djoser, your ancestor, to Him Eternal Life, to ordain the construction of the most beautiful temple dedicated to the Sun, such that no other of its kind has ever been constructed. This he did, oh powerful Khufu, and his minute of eternity on the soil of our Second Heart lasted longer than usual...'

The meditative silence of Pharaoh, to Him L.L.S.H., lasted only as long as a sigh, and His Majesty in a steady voice said, 'This is perfectly true, Oh Amenka, let us bring to the altar of Per-Aha Djoser, to Him Life Eternal, an offering of a thousand

les mêmes alternances et les mêmes paroles. Que veut dire ce songe ? Vous qui êtes mes Conseillers devez avoir une explication à cela. Est-ce un funeste présage ou une prophétie bénéfique ? Répondez-moi en toute franchise. »

Devant le silence du prince Khafriré, le pontife d'An du Nord, le vénéré Amemkâ, le conseiller royal pour les questions religieuses, prit la parole : « Tu es le descendant de Râ, Seigneur de l'Éternité toute-puissante, Ô Khoufou. Que ses rayons te divinisent pour des millions et des millions de vies à venir ! Ton songe n'est pas tout à fait un présage, ni uniquement une prophétie. C'est la marque royale de ta toute-puissance. Djoser, ton ancêtre divin, à Lui la Vie Éternelle, qui éleva si grandement un temple du Soleil à Sakârâ avant de se construire un tombeau presque aussi fastueux que celui qui deviendra le tien à la fin de ta vie terrestre, a eu, à plusieurs reprises, des visions semblables à celle qui fut la tienne cette nuit. Les scribes royaux de sa Cour en attestent dans leurs rapports journaliers ».

Le Pharaon, à Lui L.V.F.S., hocha la tête, comme pour approuver l'existence antique d'un rêve identique, avant de demander : « Ceci est Vrai, Ô Amenkâ, rappelle-moi donc la valeur accordée par les Mages de cette époque lointaine au rêve pareil au mien de mon ancêtre le Grand Per-Ahâ Djoser, à Lui la Vie Éternelle, éternellement. » Amenkâ répondit à cette requête sans marquer la moindre hésitation : « Les alternances de clarté aveuglante et d'obscurité totale, huit fois de suite, sont la preuve de l'influence divine de Râ sur toute la Terre. Sa présence illumine et dispense la Vie; sa disparition aveugle et sème la Mort. Aussi les Mages préconisèrent-ils au Grand Djoser, ton ancêtre, à Lui la Vie éternelle, d'ordonner la construction du plus beau temple dédié au Soleil, tel qu'aucun roi n'eût jamais construit. Ce qu'il fit, Ô Puissant Khoufou, et sa minute d'éternité sur le sol de notre Deuxième-Coeur dura plus longtemps qu'habituellement… »

Le silence méditatif du Pharaon, à Lui L.V.F.S., ne dura que le temps d'un soupir, et Sa Majesté à la voix juste dit : « Cela est parfaitement vrai, Ô Amenkâ, qu'on porte sur l'autel du Per-Ahâ Djoser, à Lui La Vie Éternelle, une offrande de mille pains, de cent cruches

breads, one hundred pitchers of beer, ten cupels of incense, as well as a bull cut according to our ancestral rites as determined by Seth, to Him eternal power thanks to the omnipotence of Ra. Doing the same on the altar of his Khai-Habi a good portion of pure meat, a pint of beer, a cake and a cupel of incense, in order that he continue to glorify eternally the greatness of spirit of his Per-Aha, in the land of the Blessed Asleep.'

Amenka responded, 'That it well conforms to the will of Your Majesty.' And the pontiff bowed to him, before returning to his usual place, on a small ebony footstool, slightly behind that of Prince Khafrire. It was him, the son of Khufu, who rose to approach His Majesty. He said in his turn, 'King Djoser certainly deserves to attain celestial eternal life, following the fervour with which he chose to accomplish the desires of Ra as introduced during the nights of the omens. However, those of Per-Aha followed but their dreams were not similar. His successor, King Nebka, to Him all Eternity, was possessed by the same visions as those of King Djoser and identical to those of Your Majesty. But his magician told him that the series of great brilliance and total darkness was the sign of a great universal equilibrium, this was the sign that His Majesty was the greatest King of the Just Voice since the beginning of time, which was Nebka during his long terrestrial life. He rendered justice with such equality that at the moment of the Final Judgement his entrance into the Beyond Earthly Life aroused only praise!'

The Pharaoh, to Him L.L.S.H., agreed and asked, 'Can you cite me an example of this light, which illuminates?' Khafrire nodded his head: 'His justice was such that it accomplished wonders! One day, King Nebka, to Him Eternal Life, was on his way to the temple of Ptah in the very beautiful capital with the White Walls resplendent today by your presence. Now, unlike you, each time he went to the temple of Ptah, King Nebka, to Him Eternal Life, was preceded by his chief of protocol, Khai-habi Oubaousir, in order that this one tends sites of the royal suite during the religious ceremony dedicated to Ptah. However, the

de bière, de dix coupelles d'encens, ainsi que du taureau découpé selon nos rites ancestraux déterminés par Seth, à Lui le pouvoir éternel grâce à la toute-puissance de Râ. Fais de même placer sur l'autel de son Khaï-Habi une bonne ration de viande pure, une pinte de bière, une galette et une coupelle d'encens, afin qu'il continue de glorifier éternellement la grandeur d'âme de son Per-Ahâ, au pays des Bienheureux Endormis. »

Amemkâ répondit : « Qu'il en soit fait conformément à la volonté de Ta Majesté. » Et le pontife s'inclina, avant d'aller s'asseoir à sa place habituelle, sur un petit tabouret d'ébène, un peu en retrait de celui du prince Khafriré. Ce fut lui, le fils de Khoufou, qui se leva pour venir jusque devant Sa Majesté. Il dit à son tour : « Le Roi Djoser a certes mérité d'accéder à l'éternité de la vie céleste à la suite de la ferveur avec laquelle il favorisa l'accomplissement des désirs de Râ, introduits durant les nuits de ses présages. Cependant, les Per-Ahâ se suivent, mais leurs rêves ne se ressemblent pas. Son suivant, le Roi Nebkâ, à Lui toute l'Éternité, a été possédé par les mêmes visions que celles du Roi Djoser et identiquement à celles de Ta Majesté. Mais son magicien lui indiqua que cette alternance, d'une grande clarté et d'un noir total était le signe du grand équilibre universel, ce qui était le signe que cette Majesté-là serait le plus Grand Roi à la Voix juste depuis le début des temps, ce que fut Nebkâ durant sa longue vie terrestre. Il rendit la Justice avec une telle équité qu'au moment du Jugement Ultime, son entrée dans l'Au-delà de la Vie Terrestre ne suscita que des louanges ! »

Le Pharaon, à lui L.V.F.S., approuva et demanda : « Peux-tu me citer un exemple de cette lumière qui l'éclairait ? » Khafriré hocha la tête : « Sa Justice était telle qu'elle passait pour accomplir des prodiges ! Un jour, donc, que le Roi Nebkâ, à Lui la Vie Éternelle, se rendait au temple de Ptah de la si belle capitale dont les Murs Blancs resplendissent aujourd'hui par ta présence. Or, à ta différence, à chaque fois qu'il se rendait au temple de Ptah, le Roi Nebkâ, à Lui la Vie Éternelle, se faisait précéder par son chef du protocole, le Khaï-habi Oubaousir, afin que celui-ci surveille les emplacements de la suite royale durant la

spouse of Oubaousir was treacherous, since in the royal suite, there was a vassal who, from the first hour he saw her, forgot where his home was. For, each time that Oubaousir rejoined the King for a long ceremony in the temple, she would send her servant, each time with new clothes as presents. And the rich vassal left off his court tunic for the festive clothes and returned close to the spouse of Oubaousir, on the vast grounds of this one bordering the Great Hapy River. Both of them spent hours in ecstasy in the pleasure of the senses, on the bed of a small kiosk situated on a peninsula that ended the garden before the river. Afterwards, both of them would wash themselves in order that no trace of their fatigue remained. Now, one day when the vassal did not acknowledge the gardener as usual, this one went to find his master Khai-habi, to tell him about the entire affair. So, Oubaousir asked him to bring him his ebony coffer, encrusted in gold, where he kept his collection of antique recipes to curse the Deceitful. And he made a crocodile of wax, seven inches long according to ritual, in order that the curse would act effectively. Oubaousir knew that it was not sufficient to try and drown such a lucky man as this vassal, he would be capable of coming to the surface with a nice fish between his teeth...! Also, he incanted with conviction upon the crocodile, the written formula on the holy spell, while adding: 'And Divine Oumbou, as soon as this vassal, traitor to my oath, bathes beside my kiosk, entice him out to the deepest part of the river and keep him there until I beseech you. Do what I ask you to do, in the name of Khoum!'

So, he gave the wax crocodile to the gardener and told him, 'As soon as the vassal plunges into the waters of the Great River, to wash himself of his wrongdoing, throw the crocodile in after him.' This scenario materialized the next day, while Oubaousir was absent, the vassal hurried to bathe before leaving. And the wax crocodile of seven inches changed into a crocodile of seven cubits, and took the vassal immediately under water.

During this time Oubaousir spoke to King Nebka, to Him Eternal Life: 'If it pleases Your Majesty

cérémonie religieuse dédicatoire à Ptah. Cependant, l'épouse d'Oubaousir était perfide, car dans la suite royale, il existait un vassal qui, dès l'heure où elle l'avait aperçu pour la première fois, lui fit oublier l'endroit du monde où se trouvait son foyer. Car, à chaque fois qu'Oubaousir rejoignait le roi pour une longue cérémonie dans le temple, elle envoyait sa servante, chaque fois avec de nouveaux présents sous forme de vêtements. Et le riche vassal quittait sa tunique de Cour pour se parer des habits de fête et se rendre auprès de l'épouse d'Oubaousir, dans la vaste propriété de celui-ci, en bordure du Grand Fleuve Hapy. Ils passaient ainsi tous les deux des heures d'ivresse dans le plaisir des sens, sur la couche d'un petit kiosque situé sur la presqu'île qui achevait le jardin devant le fleuve. Après quoi, ils se baignaient tous les deux afin qu'il ne reste plus trace de leurs fatigues. Or, un jour que le vassal n'eut pas remercié comme à son habitude le jardinier, celui-ci s'en alla trouver son maître le Khaï-habi, pour lui raconter toute l'affaire. Alors Oubaousir lui demanda de lui apporter sa cassette d'ébène incrustée d'or, celle où il conservait son recueil des recettes antiques pour maudire le Malin. Et il conçut un crocodile de cire, long de sept pouces selon le rituel, afin que la malédiction agisse efficacement. Oubaousir savait qu'il ne suffisait pas de jeter un homme chanceux comme ce vassal pour le noyer; même dans le Grand Fleuve, il serait capable de remonter à la surface avec un beau poisson entre les dents !... Aussi lut-il avec conviction, sur le crocodile, la formule écrite sur le grimoire sacré en ajoutant : « Et Divin Oumbou, dès que le vassal traître à son serment se baignera près de mon kiosque, entraîne-le jusqu'au fond du Grand Fleuve et garde-le jusqu'à ce que je te le réclame. Fais-ce que je te demande, au nom de Khoum ! »

Alors il remit le crocodile de cire au jardinier et lui dit : « Dès que le vassal, pour laver le résultat de son méfait, se sera plongé dans les eaux du Grand Fleuve, jette ce crocodile à sa suite. » Ce qui se produisit dès le lendemain, lorsque, Oubaousir absent, le vassal accouru, se baigna avant de repartir. Et le crocodile de sept pouces en cire se changea en un crocodile de sept coudées qui emporta immédiatement le vassal sous l'eau.

to come see the wonder which is produced at my home, the cause of the horrible conduct of your vassal with my spouse.'

The King followed Oubaousir to his home and watched him speak to the waters of the Great River, 'Bring the vassal out of the water, Oh Oumbou!' And the crocodile of seven cubits shot forth out of the water, holding the vassal half suffocated. His Majesty Nebka, to Him a very very Long Life in Eternity, was not in the least bit frightened by this sight. His Just Voice trembled only slightly as he said to the crocodile, 'This carnal envelope is no longer a Divine Parcel... it is yours, keep it!' The crocodile of seven cubits plunged with its prey to the deep of the Great River, and no one knew where he went, neither one nor the other. As for King Nebka, the Eternal Voice of Justice, he conducted the spouse of Oubaousir to the northern face of the royal grounds where she was burned alive before her ashes could blow out onto the river. Thus, the glow of the flames regenerated the dark sentiments which had animated this woman, this sorry example of humanity, born by Per-Aha, to Him Long Life, Strength and Great Health. 'Here, oh Powerful Bull who reigns over your sons as those of Two Countries, is the significance of the light and darkness of your dream.'

The meditative silence of the Pharaoh, to Him L.L.S.H., lasted no longer than for the previous narration. Khufu had only time to draw a breath before he agreed himself that the Justice of Nebka was not to be valued more than the Nobility of Djoser in relation to His Majesty Khufu, which is to say himself. Nevertheless, he said, 'This is very true, Khafrire; that we bring to the altar of Per-Aha Nebka, to Him Eternal Life, an offering of a thousand breads, one hundred jugs of beer, ten cupels of incense as well as a bull butchered according to the rituals and principles of the Grand Ptah who protected Ousir during the reign of King Nebka, to Him Eternal Eternity! Doing the same thing placing on the altar of his Khai-habi, Oubaousir, a good ration of pure meat, a pint of beer, a cake and a cupel of incense.'

Durant ce temps Oubaousir parlait au Roi Nebkâ, à Lui la Vie Éternelle : « Plaise à Ta Majesté de venir voir le prodige qui s'est produit chez moi, à cause de l'horrible conduite de ton vassal avec mon épouse. »

Le Roi suivit donc Oubaousir chez lui et le regarda parler aux eaux du Grand Fleuve : « Apporte le vassal hors de l'eau, Ô Oumbou ! » Et le crocodile de sept coudées jaillit de l'eau, tenant le vassal à moitié étouffé. Sa Majesté Nebkâ, à Lui une très très Longue Vie dans l'Éternité, ne fut nullement effrayé à cette vision. Sa Voix Juste frémit seulement un peu pour dire au crocodile : « Cette enveloppe charnelle n'a plus de Parcelle Divine, elle est tienne, garde-la ! » Le crocodile de sept coudées plongea aussitôt avec sa proie au fond du Grand Fleuve, et nul ne sut ce qu'il advint, ni de l'un ni de l'autre. Quant au Roi Nebkâ, à la Voix Juste pour l'Éternité, il fit conduire l'épouse d'Oubaousir sur la face nord du tertre royal, où elle fut brûlée vive avant que ses cendres ne fussent jetées dans le fleuve. Ainsi la lueur des flammes régénéra le noir des sentiments qui avaient animé cette femme, triste représentante humaine de l'espèce que le Per-Ahâ, à Lui Longue Vie, Force et grande Santé, avait enfantée. « Voilà, Ô Puissant Taureau qui règne sur Tes Fils comme sur ceux des Deux-Pays, la signification de la lumière et des ténèbres de ton rêve. »

Le silence méditatif du Pharaon, à Lui L.V.F.S., ne dura pas plus longtemps que pour la précédente narration. Khoufou ne soupira que l'espace d'un souffle avant de convenir en lui-même que la Justesse de Nebkâ ne valait pas plus que la Noblesse de Djoser par rapport à Sa Majesté Khoufou, c'est-à-dire lui-même. Il dit cependant : « Cela est bien vrai, Khafriré; qu'on porte sur l'autel du Per-Ahâ Nebkâ, à Lui la Vie Éternelle, une offrande de mille pains, de cent cruches de bière, de dix coupelles d'encens, ainsi que d'un taureau découpé rituellement selon les principes du Grand Ptah qui protégea Ousir durant le règne du Roi Nebkâ, à Lui l'Éternelle Éternité ! Fais de même placer sur l'autel de son Khaï-habi, Oubaousir, une bonne ration de viande pure, une pinte de bière, une galette et une coupelle d'encens. »

Khafrire responded, 'That it is well in conformity to the will of Your Majesty.' The prince bowed before his father the Pharaoh, to Him L.L.S.H., before returning to his seat near the pontiff Amenka. The third Close Counselor, already standing, approached Khufu. He was the noble descendant of the Zamankhou family, so his own father had been the Khai-habi of the Great Snéfrou, to Him Long Life in Eternity, where he has been now for a few years, mourned by many women and concubines which had produced a flourishing progeny, the likes of which, in fact, produced Khufu, to Him L.L.H.S., and who took at that moment the sceptre from the hands of the sleeping king.

Also Zamankhou, the Close Counselor of Khufu, chose to throw light on the dream of his king by that which Snefrou in company of his father, the Khai-habi had lived. And he began to speak, 'This is one of the marvels experienced by your father, the Great Snefrou, to Him eternal Life, following a dream identical to yours, oh Powerful Bull who reigns in the Two Countries.' That morning, His Majesty was to call my father, the Khai-habi, to ask him for explanations regarding his dream. After a moment of reflection, Zamankhou understood the sense of the vision, and he explained to Snefrou: 'You are sad, O Great King of the earth, since your heart is heavy with all of the sins committed by the young ones, your subjects. All will be obscured and darkened if you do not remedy this. To shed light on thyself, you must leave on a cruise on the Great River and that which inspired your dream will enlighten you through its splendour to indicate to you the Truth.' The Pharaoh, to Him eternal Glory, pouted, since a trip on The Hapy with prisoner oarsmen would hardly enchant him. Since he knew he had broken the train of thought of his Master, Zamankhou added: 'You will arrange that the beautiful women of your royal harem will accompany you and not prisoners. Your heart will be lightened by their view and the countryside along the river will appear even more beautiful! Take twenty oars made of ebony wood and encrusted with gold, with blades made of sycamore core wood to be under the protection of the divine Isis. And arrange to take twenty

Khafriré répondit : « Qu'il en soit fait conformément à la volonté de Ta Majesté. » Le prince s'inclina devant son père le Pharaon, à Lui L.V.F.S., avant de retourner s'asseoir auprès du pontife Amenkâ. Le troisième Conseiller Intime, déjà levé, s'approchait de Khoufou. C'était un noble descendant de la famille Zamankhou, dont le propre père avait été le Khaï-habi du Grand Snéfrou, à Lui Longue Vie dans l'Éternité où il était entré depuis peu d'années, pleuré par les nombreuses femmes et concubines qui l'avaient doté d'une florissante progéniture, de laquelle, justement, provenait Khoufou, à Lui L.V.S.F., et qui avait pris à ce moment-là le sceptre des mains du roi endormi.

Aussi Zamankhou, le Conseiller Intime de Khoufou, avait-il choisi d'éclairer le songe de son roi par celui qu'avait vécu Snéfrou en compagnie de son père, le Khaï-habi. Et il commença ainsi de parler : « Ceci est un des prodiges vécu par ton père, le Grand Snéfrou, à Lui la Vie éternelle, à la suite d'un rêve identique au tien, Ô Puissant Taureau qui règne sur les Deux-Pays. » Ce matin-là, Sa Majesté fit appeler mon père, le Khaï-habi, pour lui demander des explications sur son rêve. Après un moment de réflexion, Zamankhou comprit le sens de la vision, et s'en expliqua à Snéfrou : « Tu es triste, Ô Grand Roi de la Terre, car ton coeur est lourd de tous les péchés commis par les Cadets, tes sujets. Tout s'obscurcit et tout se noircira totalement si tu n'y remédies point. Pour t'éclairer, tu dois partir en croisière sur le Grand Fleuve, et celui qui a inspiré ton rêve t'illuminera alors de sa splendeur pour t'indiquer la Vérité. » Le Pharaon, à Lui la Gloire éternelle, fit la moue, car une promenade sur Hapy avec des rameurs prisonniers ne l'enchantait guère. Comme s'il avait perçu le fil des pensées de son Maître, Zamankhou ajouta : « Tu ordonneras de l'armer avec des belles filles de ton harem royal, et non avec des prisonniers. Ton coeur s'allégera à leur vue, et la campagne qui borde les rives du Grand Fleuve t'en paraîtra plus belle ! Fais donc apporter vingt rames en bois d'ébène incrusté d'or, dont les pales seront faites de coeur de bois de sycomore pour être sous la protection de la divine Isis. Et puis ordonne la venue des vingt plus

of the most beautiful new arrivals in your harem, those with beautiful bodies, lovely hair, as yet without children, dressed only in netting over their nudity. And something will produce itself that will stop your morbid thoughts to protect you in the ineffable clarity.' And so it was that the time of the cruise arrived. The beautiful harem girls rowed in rhythm, seated on the bench, their muscles bracing their beautiful skin with such effort; and the heart of His Majesty rejoicing in himself watching them come and go in a rhythm of movements, singing out loudly to give them the strength to pull on the oars. The heart of His Majesty was ready to sing out likewise when suddenly one of the oars having missed the water rebounded and passing over the top of the hair of the rower on the bench in front, swept the malachite fish that had been inlaid in her hair. In despair, the young girl stopped singing and rowing. This made the other beautiful girls stop rowing as well.

His Majesty, who was watching the scene, approached the rower who had first stopped her athletic movements, and asked her why she had stopped rowing, since he had not seen the disappearance of the malachite fish. She explained why to King Snefrou. His Majesty told her not to cry and to recommence rowing as he would give her another fish that was just as nice. The beautiful girl responded that there was no other malachite fish that she wanted, but to find the fish that she had lost!

Thus, the Pharaoh, to Him L.L.S.H., quickly dispatched two messengers in order that my father Zamankhou arrive to him without delay, because his heart which was close by to soothe him according to what had been predicted weighed heavily on him, to the point of sinking! My father was swift in being close to Snefrou before the disaster. He recited the ancient incantation to roll the waters of the Great River back. And the twelve cubits of depth of water moved back over the regular twelve cubits of water exposing the place where the malachite fish of the beautiful harem girl lay. Zamankhou descended to retrieve it with dry feet and gave it to Snefrou before reciting the end of the spell which returned the water to its normal place.

belles nouvelles arrivantes dans ton harem, de celles qui ont beaux corps, belles chevelures, et point encore d'enfants, vêtues de la seule fine résille au-dessus de leur nudité. Et quelque chose se produira qui fera cesser tes sombres pensées pour te protéger dans l'ineffable clarté. » Ainsi fut fait lorsque le temps de la croisière fut venu. Les belles filles du harem ramaient en cadence, calées sur leur banc, les muscles tendant les jolies peaux sous l'effort; et le coeur de Sa Majesté se réjouissait à les voir aller et venir au gré des mouvements, chantant à pleine voix pour se donner la force de tirer sur les rames. Le coeur de Sa Majesté était près de chanter pareillement, lorsque soudain un des bois, ayant raté l'eau, rebondit; et, passant par dessus la chevelure de la rameuse du banc précédent, balaya le poisson de malachite qui y était planté. De désespoir, la jeune fille se tut et cessa de ramer. Ce que cessèrent pareillement les autres belles filles.

Sa Majesté, qui avait suivi la scène, s'approcha de la rameuse qui avait cessé la première ses évolutions sportives, et lui demanda pourquoi elle avait cessé de ramer, car il n'avait pas vu la disparition du poisson de malachite. Elle expliqua pourquoi au Roi Snéfrou. Sa Majesté lui répondit de ne point pleurer et de recommencer à ramer parce qu'il lui en donnerait un autre tout aussi beau. La belle fille répondit que ce n'était pas un autre poisson de malachite qu'elle voulait, mais de retrouver celui qu'elle avait perdu !

C'est alors que le Pharaon, à Lui L.V.F.S., dépêcha deux coursiers des plus rapides afin que mon père Zamankhou arrive jusqu'à lui sans délai, parce que son coeur qui était près de s'alléger selon ce qui avait été prédit s'alourdissait présentement au point de sombrer ! Mon père fit célérité pour parvenir auprès de Snéfrou avant le désastre. Il récita la formulation des grimoires antiques pour refouler les eaux du Grand Fleuve au loin. Et les douze coudées d'épaisseur de l'eau montèrent plus loin sur les douze coudées normales du reste de l'eau, pour vider l'endroit où était tombé le poisson de malachite de la belle fille du harem royal. Zamankhou descendit le prendre à pied sec et le remit à Snéfrou avant de réciter la fin de la formule du grimoire pour que l'eau du fleuve Hapy reprenne son cours normal.

His Majesty returned the malachite fish to the beautiful rower who returned to work, as did her companions. This was a memorable day for all, but it brought that young and beautiful bearer of the malachite fish to the royal chamber that night, and that lovely head of hair was glistening in the light. Of all the good things that followed, the most important was the birth of the Two-Countries splendour today: His Majesty Khufu! The dazzling light had triumphed over the sombre depths of the waters, so that the glorious rays of the Second-Heart would be assured!

The Pharaoh, to Him L.L.S.H., this time thought longer, since he knew the divine sign of his birth, and he suddenly felt the need himself to return to the harem. But he caught a furious look from Khafrire, and he preferred to bide his time and listen to his fourth and last Close Counselor. And as this one was the most secret and less prolific speech-wise, he told himself that it was not a bad idea. He then said to Zamankhou who waited erect and immobile the good will of his royal person, 'You have spoken very well of His Majesty Snefrou, to him Eternity and the eternal Peace of the Blessed Righteous! Bring to his altar an offering worthy of his virility, lay two thousand breads, five hundred kegs of beer, ten cupels of incense, a black bull, ritually sliced according to the cherished precepts of Ousir, as well as a white bull, cut according to the traditional rites of the sons of our venerable Seth. As well draw him a supplement of eternal strength that I may profit from it. As for his father, the Khai-habi, bring to his private altar on behalf of my Majesty, a cupel of incense which you have circled with cakes and pints of beer that you judge appropriate. Go! I have spoken.'

Zamankhou bowed respectfully and returned to his seat, while the last Close Counselor, the Great Seer Senenpthah, approached his king who regarded him advancing with an eye that was more and more scrutinizing. Senenpthah came from distant, mystic High-Egypt, from where Khufu had not had the occasion to go. In his peace and brotherhood treaty with this important region, his governor had included the friendly presence of a counselor. Was he spy or

Sa Majesté rendit le poisson de malachite à la belle rameuse qui se remit ensuite au travail, tout comme ses autres compagnes. Ce fut une journée mémorable pour tous, mais elle s'acheva cette nuit-là dans la chambre royale pour la jeune et belle porteuse du poisson de malachite, dont la jolie chevelure resplendissait de clarté. De toutes les bonnes choses qui s'ensuivirent, la plus importante fut la naissance de la splendeur des Deux-Pays d'aujourd'hui : Sa Majesté Khoufou !... La lumière éblouissante avait triomphé du sombre gouffre des eaux, pour que soit assurée la gloire rayonnante du Deuxième-Coeur !

Le Pharaon, à Lui L.V.F.S., cette fois, médita plus longuement, car il connaissait ce signe divin de sa naissance, et il se sentait soudain le besoin de se rendre lui-même au harem. Mais il surprit un regard furieux de son fils Khafriré, et il préféra temporiser en écoutant son quatrième et dernier Conseiller Intime. Et comme celui-ci était le plus secret et le moins prolifique en paroles, il se dit que ce ne serait pas une mauvaise idée. Il dit donc à Zamankhou, qui attendait debout et immobile le bon vouloir de sa royale personne : « Tu as très bien parlé de Sa Majesté Snéfrou, à lui l'Éternité de l'éternelle Paix bienheureuse des Justes ! Porte sur son autel une offrande digne de sa virilité, dépose deux mille pains, cinq cents cruches de bière, dix coupelles d'encens, un taureau noir rituellement tranché selon les préceptes chers à Ousir, ainsi qu'un taureau blanc découpé selon les rites traditionnels des fils de notre Seth vénéré. Ainsi puisera-t-il un supplément de force éternelle dont je pourrai profiter. Quant à son père, le Khaï-habi, fais porter sur son autel privé, de la part de ma Majesté, une coupelle d'encens que tu entoureras des galettes et des pintes de bière que tu jugeras convenable. Va ! J'ai dit. »

Zamankhou s'inclina respectueusement et retourna s'asseoir, cependant que le dernier Conseiller Intime, le Grand Voyant Senenpthah, s'approchait de son roi, qui le regardait avancer d'un oeil de plus en plus scrutateur. Senenpthah venait de la lointaine Haute-Égypte, de cette thébaïde où Khoufou n'avait pas encore eu l'occasion de se rendre. Dans son traité de paix et de fraternité avec cette importante région,

counselor? It seemed to the Pharaoh, to Him L.L.S.H., that he was a bit of both. And in order that Senenpthah not read his thoughts, His Majesty hurriedly asked him: 'And you, what do you think of my dream and of what your counselor colleagues have said?'

The Great Seer, who was no fool, with neither thoughts nor intentions hidden from Khufu, responded to him: 'To answer you, O Great King of Two-Countries, I will call on my double Dadukhuru.' His Majesty was amazed: 'Why the double such as the name would say: who knows the past and the future? You never spoke to me of it nor brought him before me...' Senenpthah answered with a sad air: 'The moment had not yet arrived, Oh Omnipotent holder of the scepter of Two-Countries. Considering your dream of last night, it is time to call him, since the dark of the future he foresees worries me.'

The Pharaoh, to Him L.L.S.H., darkened at this and said, 'Why speak here of the dark, when I saw the Light as well? It cannot be dark! All right then: present me this Dadukhuru. Bring him to me, my Counselor, in order that I know all.' Senenpthah responded in all seriousness, 'He is in me, O Great Khufu, I question him on the past or the future and he answers me, and I transmit his answer through my voice.' Khufu was surprised but he did not show it, he asked, 'Why does he not speak to you of the present?' Senenpthah answered: 'Because the past has drifted away and since each one recounts his own perception from behind the mirror of time, Dadukhuru knows the truth of Good and Bad past. Your three other Counselors have described your dream according to past predictions, each in their way, have presented you as well three different facets each acceptable of your vision. It is impossible to speak of the present, since even during the very second I speak, the future becomes the past without the present remaining! Even after you have heard my words, you cannot use them in the present, but prepare only for the future with them...'

The Pharaoh, to Him L.L.S.H., furrowed his brow in an unusual effort to understand, before asking

son gouverneur avait inclus la présence amicale d'un conseiller. Était-ce un espion, était-ce un conseiller ? Un peu des deux à ce qu'il semblait au Pharaon, à Lui L.V.F.S. Et afin que Senenpthah ne puisse lire ses pensées, Sa Majesté s'empressa de lui demander : « Et toi, que penses-tu de mon présage et de ce qu'en ont dit tes collègues Conseillers ?... »

Le Grand Voyant, qui n'était pas dupe, ni des pensées ni des intentions cachées de Khoufou, lui répondit : « Pour te répondre, Ô Grand Roi des Deux-Pays, je vais faire appel à mon double Dadoukhourou. » Sa Majesté s'étonna : « Pourquoi ce double dont le nom veut dire : qui connaît le passé et l'avenir ? Tu ne m'en a jamais parlé et tu ne l'as jamais amené devant moi... » Senenpthah répondit d'un air triste : « Le moment n'en était pas encore venu, Ô toi le Tout-Puissant détenteur du sceptre des Deux-Pays. Devant ton rêve de la nuit passée, il est temps de faire appel à lui, car le noir de l'avenir qu'il laisse présager me préoccupe. »

Pharaon, à Lui L.V.F.S., s'assombrit encore plus à cette phrase. Il dit : « Pourquoi parler ici de noir, alors que j'ai aussi vu la Lumière ? Il ne peut pas faire noir ! mais soit : présente-moi vite ce Dadoukhourou. Fais-le venir, toi qui es mon Conseiller, afin que je sache tout. » Senenpthah répondit sans sourire : « Il est en moi, Ô Grand Khoufou, je le questionne sur le passé ou sur l'avenir, et il me répond, et je transmets sa réponse par ma voix. » Khoufou fut surpris mais ne le montra point, il demanda : « Pourquoi ne parle-t-il pas aussi du présent ? » Senenpthah répondit : « Parce que le passé est écoulé, et que chacun pouvant en raconter sa propre perception depuis derrière le miroir du temps, Dadoukhourou connaît la vérité du Bien et du Mal passés. Tes trois autres Conseillers ont décrit ton rêve d'après des présages passés, chacun à leur façon, te présentant ainsi trois facettes différentes et acceptables de ta vision. Il est impossible d'en parler au présent, puisque à la seconde même où je parle, le futur devient le passé sans que le présent ne subsiste ! Même après que tu auras entendu mes paroles, tu ne pourras les utiliser dans le présent, mais préparer seulement le futur avec elles... »

yet again: 'What can you add to my understanding of my dream, Senenpthah? Speak frankly.' The Great Seer straightened himself a little more, to speak in a slightly contemptuous tone: 'Up until now, the Counselors of His Majesty have spoken of wonders realized by your more or less distant Ancestors regarding symbolic dreams apparently identical to yours this night. They are known by the acts written by royal scribes, but the symbolism of certain facts, such as the transformation of the wax crocodile into a real one, or the parting of the waters of the Great River to find the malachite fish of the harem girl, cannot be proven as truth in a concrete fashion. I do not claim that it was trickery, but rather a transformation of the truth to explain a past prophecy, which was realized, that of your birth. And this is what I propose: To introduce Dadukhuru, my internal double whom you do not know, to His Majesty, although he is eternally in the present to speak of the future.

The Pharaoh, to Him L.L.S.H., asked once again: 'How is it possible, Senenpthah?' The Great Seer answered him, shrugging his shoulders: 'I do not really know. What I can tell you is that he entered into me at the same time as my Divine Particle, and presently he is more than 120 years old. But he lived during the time of the Great Cataclysm when the sun advanced instead of retreating in the Lion. He fought with the bull Apis and went often in my company to the Great River and scattered new forces. Above all, he assisted Ateta, the three times blessed, in his work saving the survivors of the chosen people, helping the Pharaoh, to Him life Eternal to the right of Ptah, to reintroduce the march of Time, the pursuit of Life and the knowledge of the Eternity of the Creator!'

Khufu heaved a loud sigh in spite of him. The story of Ateta of which Eternity was assured reminded him in a parallel way of that of King Mena, Life Eternal to the Unifier as well, constructor of the temple of Men-Nefer but also of the Golden Circle of the South, built on the very tomb of Mena. Ah! The Year-of-the-South in which we find the mountains and mountains of gold and gems...! To reach this

Pharaon, à Lui L.V.F.S., fronça les sourcils sous un effort de compréhension inhabituel, avant de redemander : « Que comptes-tu m'apprendre de nouveau sur mon rêve, Senenpthah ? Parle en toute franchise. » Le Grand Voyant se redressa un peu plus, pour dire d'un ton un peu méprisant : « Jusqu'à présent, les Conseillers de Ta Majesté ont parlé des prodiges réalisés par tes Ancêtres plus ou moins lointains à propos de rêves symboliques apparemment identiques au tien de cette nuit. Ils sont connus par les actes écrits de Scribes royaux, mais le symbolisme de certains faits, comme la transformation du crocodile de cire en un vrai, ou du découpage des eaux du Grand Fleuve en deux parties pour repêcher la malachite de la fille du harem, ne peuvent être garantis comme véridiques de cette façon concrète. Je ne dis pas qu'il y a supercherie, mais transformation de la vérité pour expliquer un passé prophétique qui s'est réalisé, tel celui de ta naissance. Et c'est ce que je te propose : faire connaître à Ta Majesté, Dadoukhourou, mon double intérieur, que tu ne connais pas, bien qu'il soit éternellement dans le présent pour ne te parler que de l'avenir ! »

Pharaon, à Lui L.V.F.S., demanda de nouveau : « Comment cela est-il possible, Senenpthah ? » Le Grand Voyant lui répondit en haussant les épaules : « Je ne le sais pas exactement. Ce que je peux te dire c'est qu'il est entré en moi en même temps que ma Parcelle Divine, et que présentement, il a plus de 120 ans. Mais il vivait déjà au temps du Grand Cataclysme où le Soleil avançait au lieu de reculer dans le Lion. Il s'est battu avec le boeuf Apis et va souvent en ma compagnie dans le Grand Fleuve y répandre des forces nouvelles. Il a surtout assisté Atêta le trois fois béni, dans son oeuvre salvatrice des rescapés du peuple élu, en aidant ce pharaon, à Lui la Vie éternelle à la droite de Ptah, à réintroduire la marche du Temps, la poursuite de la Vie, et la Connaissance de l'Éternité du Créateur ! »

Khoufou soupira tout haut malgré lui. L'histoire d'Atêta dont l'Éternité était assurée lui rappelait pareillement celle du Roi Mêna. Vie éternelle à l'Unificateur également, constructeur du temple de Men-Nefer certes, mais aussi du Cercle d'Or de l'An-du-Sud, bâti sur le tombeau même de Mêna. Ah !

immeasurable wealth that shone before the eyes, worse than the brilliance that he had in his night dream, the Pharaoh, to Him L.L.S.H., was suddenly certain that it was the knowledge of the Golden Circle that had been shown to him...! He closed his eyes for a moment in order to get control of himself, and to not let his sentiments be visible to the Great Seer. In a more neutral voice, Khufu said: 'Ateta, Eternal Praise to his name three times, was the Great Reformer of all of our sacred literature! Did he not write all of the texts himself?' Senenpthah answered: 'Not only did he know how to stitch the heads onto the shoulders and speak to the stars, but he himself wrote the forty-two books before enclosing them in the chests, which he sent down to the crypt reserved for this in the Circle of Gold protected by Isis!'

At these words Khufu could not stop himself from shuddering, and posed the next question without looking at Senenpthah: 'Could you not make a copy for my tomb, that I bring it with me in the Afterlife?' He said to His Majesty: 'I cannot interrogate Dadukhuru about the past, he will not answer me. But I can ask him about the future.' The Pharaoh, to Him L.L.S.H., restrained at great effort a frustrated gesture. He said, 'The future matters little to me on this subject. Ask about the precise past.' Senenpthah shook his head: 'He will not answer. At his great age he is sheltered from requests of this nature. He prepares only to be wrapped in graveclothes and his return to his Creator. But there is still a possibility of asking him about this subject.' His Majesty said: 'Quick, tell me which one.' The Great seer answered: 'I will stretch out on the ground and arrange for Dadukhuru to put me to sleep and to use my body to answer your questions. Ask him about future kings who will be tempted to penetrate the Circle of Gold and seize the Great original Treasure. Maybe he might then tell you of the placement of the chests of books and a means to obtain a copy for your tomb.' Khufu approved: 'This is good, Senenpthah, go ahead and ask your Dadukhuru to put you to sleep and I will speak to him.'

This was quickly done. Once the Great Seer had the appearance of a stiff carnal envelope without a

Cet An-du-Sud dans lequel se trouvaient des montagnes et des montagnes d'or et de pierreries !... Parvenir à cette richesse incommensurable qui brillait devant ses yeux, pire que l'éblouissement qu'il avait eu dans son rêve nocturne, Pharaon, à Lui L.V.F.S., fut soudain certain que c'était la connaissance du Cercle d'Or qui lui avait été annoncée ! Aussi ferma-t-il les paupières un instant pour reprendre le contrôle de lui-même et ne rien laisser paraître de ses sentiments devant le Grand Voyant. D'une voix plus neutre, Khoufou dit : « Atêta, Gloire éternelle à son nom trois fois Grand, fut le Grand Rénovateur de toute notre littérature sacrée ! N'a-t-il pas écrit lui-même tous les textes ? » Senenpthah répondit : « Non seulement il savait recoudre les têtes sur les épaules et parler aux astres, mais il a écrit lui-même les quarante-deux livres avant de les enfermer dans leurs coffrets à écrits, qu'il a descendus dans la crypte réservée à cet effet dans le Cercle d'Or protégé par Isis ! »

A ces mots Khoufou ne put s'empêcher de tressaillir, et il posa sa question suivante sans regarder Senenpthah : « Ne peux-tu donc en faire une copie pour mon tombeau, que j'emmènerai avec moi dans l'Au-delà de la vie terrestre ? » Il dit à Sa Majesté : « Je ne peux pas interroger Dadoukhourou sur le passé, il ne me répond pas. Mais je peux l'interroger sur l'avenir. » Le Pharaon, à Lui L.V.F.S., retint à grand-peine un mouvement de dépit. Il dit : « L'avenir m'importe peu à ce sujet. Interroge-le sur ce passé précis. » Senenpthah secoua la tête : « Il ne répondra pas. À son grand âge, il est à l'abri des requêtes de ce genre. Il ne se prépare plus qu'à sa mise en bandelettes et à son retour auprès de son Créateur. Mais il y a tout de même une possibilité de l'interroger à ce sujet. » Sa Majesté dit : « Vite, dis-moi laquelle. » Le Grand Voyant répondit : « Je vais m'étendre à terre et ordonner à Dadoukhourou de m'endormir et de se servir de mon corps pour répondre à tes questions. Interroge-le sur les rois du futur qui tenteront de pénétrer dans le Cercle d'Or pour s'y emparer du Grand Trésor originel, il te parlera peut-être alors de l'emplacement des coffrets à livres et du moyen d'en obtenir une copie pour ton tombeau. »

soul, the Pharaoh, to Him L.L.S.H., stood up from his throne, and descended near the inert being stretched out. Khufu leaned down and said, 'Why is it, Dadukhuru, that I have never seen you before?' Another voice, much deeper, exited the body of Senenpthah to answer: 'Because I am a wandering soul without a body in this life. You cannot see me, but I can hear you and answer you, oh King.' Khufu said anew, 'The Great Seer says that you can restitch heads.' The voice answered, 'I can, oh King. Break a head and I will repair it!' His Majesty returned and ordered his Great Chamberlain, 'Go bring here before me a prisoner, one whom has been pronounced condemned, right away!'

The Great Chamberlain hurried towards the prisons of the cave of the palace with soldiers and a jailer and brought a prisoner strong as a bull, chained, who had killed two soldiers of the royal guard with his bare hands on a drunken night. The soldiers made him prostrate himself before the Pharaoh, to Him L.L.S.H., with his head on the ebony footstool, where Senenpthah had been sitting. And a soldier armed with a club, brought it down suddenly on the skull of the prisoner, shattering it along with the footstool. And Khufu said to the still-rigid body of the Great Seer: 'It is now up to you to prove if what you pretend is true, Dadukhuru: restitch for me this skull.' Slowly the body of Senenpthah rose. Once he was standing, very quickly, he began to remove tools from the folds of his tunic, and began the work of shaving the head, cutting the skin, removing pieces of bone, sponging up the blood, and putting the skin back in place. After this he returned to Khufu and said to him in the same deep voice: 'The prisoner will regain consciousness and will live. Now leave me in peace, oh King!' His Majesty said sharply: 'Wait, Dadukhuru. I have an important request to address to you.' The deep voice responded in the standing body: 'I am listening.' Khufu said, 'Senenpthah pretends that you know the place where the chests of writings, those of Ateta, to Him the Eternal eternity of the Afterlife, can be found. Is this true, Dadukhuru?' The deep voice in the immobile erect body answered: 'Exactly, oh King, behind the great

Khoufou approuva : « Cela est bien, Senenpthah, demande donc à ton Dadoukhourou de t'endormir et je lui parlerai. »

Ce qui fut rapidement fait. Lorsque le Grand Voyant n'eut plus que l'aspect rigide d'une enveloppe charnelle sans âme, le Pharaon, à Lui L.V.F.S., se dressa sur son trône et descendit auprès de l'être inerte étendu. Khoufou se pencha et dit : « Qu'est-ce cela, Dadoukhourou, que je ne t'ai encore jamais vu ? » Une autre voix, beaucoup plus grave, sortit du corps de Senenpthah pour répondre : « Parce que je suis une âme errante sans corps dans cette vie. Tu ne peux me voir, mais je t'entends et je te réponds, Ô Roi. » Khoufou dit de nouveau : « Le Grand Voyant prétend que tu sais recoudre les têtes. » La voix répondit : « Je le peux, Ô Roi. Casse une tête et je la réparerai ! » Sa Majesté se redressa et ordonna au Grand Chambellan : « Qu'on amène ici devant moi un prisonnier, de ceux dont la condamnation est prononcée, sur l'heure ! »

Le Grand Chambellan se précipita vers les prisons de la cave du palais avec des soldats et un geôlier, et il ramena un prisonnier fort comme un taureau, chargé de chaînes, qui avait tué un soir d'ivresse deux soldats de la garde royale, uniquement avec ses mains nues ! Les soldats l'obligèrent à se prosterner devant le Pharaon, à Lui L.V.F.S., la tête posée sur un tabouret d'ébène où était assis auparavant Senenpthah. Et un soldat armé d'une massue abattit celle-ci soudainement sur le crâne du prisonnier, le fracassant, en même temps que le tabouret. Et Khoufou dit au corps toujours rigide du Grand Voyant : « À toi de faire voir si ce que tu prétends est vrai, Dadoukhourou : recouds-moi ce crâne-là. » Lentement, le corps de Senenpthah se releva. Dès qu'il fut debout, très rapidement, il entreprit d'ôter des outils des replis de sa tunique et se mit en devoir de raser la chevelure, couper la peau, ôter des morceaux d'os, d'éponger le sang, et de remettre les peaux en place. Après quoi il se retourna vers Khoufou et lui dit de la même voix grave : « Le prisonnier va reprendre connaissance et il vivra. Maintenant laisse-moi en paix, Ô Roi ! » Sa Majesté dit vivement : « Attends, Dadoukhourou. J'ai une requête importante à

sandstone rock, which forms the access to the Room of Archives of the Chamber of Rolls in the South.' His Majesty said in an excited voice, 'Can you take me there?' The deep voice answered: 'I cannot since I have absolutely no memory of the past.' Khufu resumed his sad voice: 'So then I will leave for the Afterlife without the copies of these holy texts in my tomb. Is there no way to obtain them, Dadukhuru?' The deep voice answered: 'There is one, oh King. Make the provision of the request in your tomb, destined for your grandchildren, since one will be tempted to enter the Circle of Gold, and if he does not come back, his retinue will find a cachet where the copies of the contents of the writing chests have been already stored!'

The deception of the Pharaoh, to Him L.L.S.H., was great. But he did not despair of learning the secret of entry into the underground giving access to the Circle of Gold by continuing to question Dadukhuru. His Majesty said: 'Very well, I will do that. But since you can read into the future, answer this: Who will penetrate the secret of the Golden Circle, as of today lost?' The deep voice exited the body still immobile and standing up, to say: 'It will not be before five millennia, when the prescribed time for a new cycle of Divine-Mathematical-Combinations, that the Circle of Gold will deliver up its contents to the youth of that age, not before." Khufu said: 'From where will those come from who will be tempted to penetrate the Circle of Gold, Dadukhuru?' And the deep voice issued this warning: 'All those who try to infiltrate the secret before the prescribed time will perish! This is irrevocable, oh King.'

The Pharaoh, to Him L.L.S.H., was very disappointed, since he had already formed the intention to go himself onsite to search for the Great Treasure. His Majesty said again: 'These kings cannot make amends for their curiosity, Dadukhuru?' And the deep voice responded: 'Only if they are prepared to spend without care for the remainder of the royal coffers to reconstruct a temple to Isis, even more beautiful than that one which they tried to desecrate without success!' Now I rest, so that

t'adresser. » La voix grave répondit dans le corps debout : « Je t'écoute. » Khoufou dit : « Senenpthah prétend que tu connais l'endroit où se trouvent les coffrets à écrits, ceux d'Atêta, à Lui l'Éternité éternelle de l'Au-delà. Est-ce vrai Dadoukhourou ? » La voix grave dans le corps immobile debout répondit : « C'est exact, Ô Roi, derrière la grande pierre en grès qui forme l'accès à la Salle des Archives de la Chambre des Rôles dans l'An-du-Sud. » Sa Majesté dit alors d'une voix émue : « Peux-tu m'y conduire ? » La voix grave répondit : « Je ne le peux pas car je n'ai aucun souvenir du passé » Khoufou reprit d'une voix attristée : « Alors je partirai pour l'Au-delà sans que des copies de ces textes sacrés n'entrent dans mon tombeau. N'y a-t-il aucun moyen pour que j'en obtienne, Dadoukhourou ? » La voix grave répondit : « Il en existe un, Ô Roi. Prévois une requête dans ton tombeau, destinée à tes petits-enfants, car l'un d'eux tentera d'entrer dans le Cercle d'Or, et s'il n'en ressort pas, sa suite trouvera une cachette où sont déjà entreposées des copies du contenu des coffrets à écrits ! »

La déception du Pharaon, à Lui L.V.F.S., était grande. Mais il ne désespérait pas d'apprendre le secret de l'entrée du souterrain donnant accès au Cercle d'Or en questionnant plus avant Dadoukhourou. Sa Majesté dit : « Mais puisque tu sais lire dans l'avenir, réponds à ceci : Qui pénétrera le secret du Cercle d'Or, aujourd'hui perdu ? » La voix grave sortit du corps toujours immobile et debout, pour dire : « Ce ne sera que dans cinq millénaires, une fois venus les temps prescrits pour un nouveau cycle des Combinaisons-Mathématiques-Divines, que le Cercle d'Or livrera son contenu aux Cadets de cette époque-là, pas avant ! » Khoufou dit : « Que deviendront ceux qui tenteront de pénétrer dans le Cercle d'Or, Dadoukhourou ? » Et la voix grave donna un arrêt sans appel : « Tout ceux qui tenteront de percer le secret avant le temps prescrit périront ! Cela est irrévocable, Ô Roi. »

Pharaon, à Lui L.V.F.S., était très déçu car il avait déjà formé le voeu d'aller lui-même sur place à la recherche du Grand Trésor. Sa Majesté dit encore : « Ces rois ne pourraient-ils pas se racheter de leur curiosité, Dadoukhourou ? » Et la voix grave répondit : « Si, en dépensant sans compter le reste de leur cassette

Senenpthah can recover his body.' Khufu said excitedly: 'Wait! Wait! By the god who created you such as you are, wait! Senenpthah has time!' The deep voice responded: 'The Great Seer is not happy, he is afraid that you will learn too much.' His Majesty was annoyed: 'Senenpthah does not matter to me! Answer me this: Who will be the future kings who dare penetrate the secret of the Golden Circle? Do you know...?' The deep voice answered: 'I know, oh King, but this will not help your cause, since I cannot answer you except in the form of prophetic parables. Here is what the Divine-Mathematical-Combinations announce: From the sky will descend three cursed princes, born of the fratricidal branch of the old Lion, death of youth! Their birth was very difficult, so much so that Isis, Nephtys and Khnoum united their efforts during each of the births, to help that one, of his sistrum, that one of his stick, that one of cobras. And so came into the world the three plague-bearers. The first child had a large stomach, the second had a strong mouth, the third, as much as he was the most normal, was marked by hair made from lapis-lazuli. Here is the precise detail of the three curiosities from birth, who will all die of just misery, the height of their crimes being crimes against divinity. I rest now.'

Excitedly, the Pharaoh, to Him L.L.S.H., said: 'Give me at least their names!' The deep voice said: 'I rest now.' Khufu tried to keep him from leaving: 'Give me the names of the three future kings. I am your elder! I want to know.' The immobile body remained voiceless for a moment, and His Majesty thought he had lost contact. But the deep voice, hesitant and farther away, said: 'The third, the most wicked for the Golden Circle, is a foreigner. He will be called Khambenoui the Bloodthirsty, but the first, who will begin the series, will be named Rakaoui the Tenebrous. I have finished, it is too late to secure my wrappings...!'

His Majesty, overcome, did not understand the terrible meaning of these words. Khufu took hold of the body by the tunic; however the tunic remained in his hands. The carnal casing disintegrated. The matter reduced to ashes, into a small mound upon which the king gazed at with dismay. And so

royale pour reconstruire un temple à Isis, encore plus beau que celui qu'ils auront profané sans succès ! Maintenant je me repose, pour que Senenpthah récupère son corps. » Khoufou dit vivement : « Attends ! Attends ! Par le Dieu qui t'a créé tel que tu es, attends ! Senenpthah a le temps. » La voix grave répondit : « Le Grand Voyant n'est pas content, il a peur que tu en apprennes trop. » Sa Majesté s'impatienta : « Que m'importe Senenpthah ! Réponds-moi à ceci : Quels seront les rois du futur qui tenteront de percer le secret du Cercle d'Or ? Le sais-tu ?... » La voix grave répondit : « Je le sais, Ô Roi, mais cela ne t'avancera en rien car je ne peux te répondre que sous la forme de paraboles prophétiques. Voici ce que les Combinaisons-Mathématiques-Divines annoncent : Du ciel descendront trois princes maudits, nés de la branche fratricide du vieux Lion, mort du jeune ! Leur naissance fut tellement difficile qu'Isis, Nephtys et Khnoum durent unir leur efforts lors de chaque enfantement, devant se faire aider, qui, de son sistre, qui de son bâton, qui de ses najas. Ainsi vinrent au monde les trois pestiférés. Le premier enfant avait un gros ventre, le deuxième avait la bouche forte, le troisième, bien que plus normal, était désigné par ses cheveux en lapis-lazuli. Voilà le détail précis des trois curieux à naître, qui mourront tous dans des douleurs justes, à la hauteur de leurs crimes de lèse-divinité. Je me repose maintenant. »

Vivement, Pharaon, à Lui L.V.F.S., dit : « Donne-moi d'abord leurs noms ! » La Voix grave dit : « Je me repose maintenant. » Khoufou l'en empêcha en le retenant. Il dit : « Donne-moi les noms des trois futurs rois. Je suis ton Aîné, je le veux. » Le corps immobile resta un instant sans voix, et Sa Majesté crut avoir perdu le contact. Mais la gravité vocale hésitante et plus lointaine dit : « Le troisième, le plus scélérat pour le Cercle d'Or, viendra de l'étranger. Il s'appellera Khambénoui le sanguinaire, mais le premier, qui débutera la série sera nommé Rakâoui le ténébreux. J'en ai fini, il est trop tard, pour assurer mes bandelettes !... »

Sa Majesté, excédé, ne comprit pas le sens terrible de ces paroles. Khoufou retint le corps qui se penchait par la tunique, mais celle-ci lui resta entre les

Senenpthah and Dadukhuru were reduced to nothingness! An interval passed before the Pharaoh, to Him L.L.S.H. told the prisoner who had come back to life and whom the Pharaoh had liberated, 'Put his remains in an urn and take it to the altar of the temple of Ptah with a hundred bunches of shallots and a hundred cloves of garlic. He does not deserve more for having disappeared before revealing the Truth to me... the Tenebrous! Who can tell me about Rakaoui the Tenebrous...?'

None of his remaining three Close Counselors could resolve this enigma. And as the Pharaoh, to Him L.L.S.H., knew that he was not one of the three cursed, he decided to go away to Sakhibou, this mystic place keeper, by Isis and Ateta, of terrible secrets, but also of immense treasures! And if he failed, he would reconstruct a splendid temple to the honour of the Good Mother of the Sky, in order to continue to reign in Two-Countries, in terrestrial light, hence far away from all celestial obscurity.

1) *'LA GRANDE HYPOTHÈSE'*
Albert Slosman

mains. L'enveloppe charnelle fondait. La matière se réduisait en cendres, en un petit monticule que le roi regarda d'un air consterné. Et Senenpthah et Dadoukhourou étaient réduits à néant ! Un intermède survint avec le prisonnier qui revenait à la vie, et à qui le Pharaon, à Lui L.V.F.S., rendit la liberté, avant d'ordonner : « Qu'on mette ces restes dans une urne et qu'on la porte près de l'autel du temple de Ptah avec cent bottes d'échalotes et cent bottes d'ail. Ils ne méritent pas autre chose pour avoir disparu avant de me révéler la Vérité… Le Ténébreux ! Qui peut me parler de Rakâoui le Ténébreux ?… »

Aucun des trois Conseillers Intimes restants ne put résoudre cette énigme. Et comme Pharaon, à Lui la Longue Vie, la Force et la Santé, savait qu'il ne faisait pas partie des trois maudits, il décida de se rendre dans ce lointain Sakhibou, cette thébaïde détentrice, par Isis et Atêta, de si terribles secrets, mais aussi d'immenses trésors ! Et s'il échouait, il ferait reconstruire un temple splendide en l'honneur de la Bonne Mère du Ciel, afin de continuer à régner sur les Deux-Pays, en toute clarté terrestre, et donc loin de toute obscurité céleste.

1) *LA GRANDE HYPOTHÈSE*
Albert Slosman

Chapter 4
The oracle of the South

Chapitre 4
L'oracle du Sud

The texts of the present chapter are from South America. A spanish translation was found in Europe after many upheavals between the two world wars.

The author is unknown, but the message travels from the far distant Antiquity to an unmeasurable future.

Historic, scientific and prophetic, the text goes beyond the limits of the most audacious imagination by describing precisely the major trends facing the future world. As an example, let's look at the following sentences: 'They came from a star at the end of it's time' and 'The hour was hopeless and science vain.' These sentences illustrate the desperate situation before the destruction of life on Earth as imaged by the Aztec calendar.

And what can we say of: 'And giant portico where time is erased', 'Supreme point zero which overrides matter', 'Time and all times are nothing more than a single time.' If this description of the past is exact, no doubt remains on the realness of those futuristic writings.

In our own opinion, the prophetic vision cannot run over fifty thousand years. We therefore presume of an extraterrestrial source possibly carved in Atlantis writings in a remote location unknown of to this day.

We have retitled certain texts.

EXCERPT FROM '*LE SPHINX ET LE DERNIER ÂGE DU MONDE*'[1] (THE SPHYNX AND THE LAST ERA OF THE WORLD), BY LYSIANNE DELSOL.

THE PROPHECY OF THE HALF-GOD

'Remind yourself, in the future lives of your life without end and shiver with joy of that radiant day when, throughout the inhabited earth, you will learn of the throne of solid gold, that of gods, a vestige of their fading grandeur, proof of the distant antiquity of man, that was pulled from the depths of the ocean, at the time when my words will be proven.

'In that time, the oceans will be explored to their most secret accessible depths. The peoples will draw from its bosom a thousand riches and even hot water for private

Les textes du présent chapitre proviennent de l'Amérique du Sud. Une traduction espagnole s'est retrouvée en Europe après de nombreuses péripéties entre les deux guerres mondiales.

L'auteur en est inconnu, mais le message voyage de l'Antiquité la plus lointaine à un futur démesuré.

Historique, scientifique et prophétique, le texte surpasse les limites de l'imaginaire audacieux en décrivant précisément les grands courants d'un monde en devenir.

À titre d'exemple, citons les phrases suivantes : « Ils venaient d'une étoile en son heure dernière. » et « L'heure était sans espoir et la science vaine. » Ces phrases illustrent la situation désespérée avant la destruction de la vie sur Terre, telle qu'imagée dans le calendrier aztèque.

Et que pouvons-nous dire de : « Et portique géant où s'efface le temps », « Suprême point zéro que franchit la matière » et « Le temps et tous les temps ne sont plus qu'un seul temps. » Si cette description du passé est exacte, il n'y a plus aucun doute sur la réalité de ces écrits futuristes.

À notre avis, la vision prophétique ne peut couvrir plus de cinquante millénaires, nous présumons donc une source extra-planétaire, possiblement gravée en écriture atlante, dans un endroit inconnu à ce jour.

Nous avons retitré certains textes.

EXTRAIT DU LIVRE *LE SPHINX ET LE DERNIER ÂGE DU MONDE*[1], DE LYSIANNE DELSOL.

LA PROPHÉTIE DU DEMI-DIEU

« Souviens-toi, dans les vies futures de ta vie sans fin, et tressaille de joie au jour radieux, où, de par toute la terre habitée, on apprendra qu'un trône d'or massif, celui des dieux, vestige de leur grandeur éteinte, preuve de la lointaine antiquité de l'Homme, a été retiré des fonds de l'océan, car viendra le temps où mes paroles se vérifieront. »

« En ce temps-là, les océans seront explorés jusqu'en leurs plus secrètes profondeurs accessibles. Les peuples tireront de leur sein mille richesses et jusqu'à l'eau

and public baths. The birthing labour in their liquid entrails. Submerged cities will be constructed to shelter a population enslaved to the needs and greed of men.'

'The new cultures, above all surprising but also at times dangerous, with their prodigious interbreeding, spread out over submerged covered fields, there over the reign of only aquatics. Vehicles fast as lightening, heavy as black metal, cutting across the great deep valleys in the service of the underwater population. The flora will give remedies to new sicknesses, more diverse, and crueler. The sick will be cared for at the bottom of the abyss where vast zones of absolute silence will save those tormented by delirium of the spirit, intensely, in the ages to come.'

'Incredible fortunes will come from the heart of the waters. We will plunder nature against her will, before she decides, and come to the fiery menace for the possession of fabulous mines. The light of the sun will descend to the darkest waves to lighten the nightmare landscape, frighteningly beautiful. Thus, the world will know a prodigious but brief destiny, made of nameless dramas, of vast realizations and unconscionable pride.'

'The God will be violated in its fabulous power. The distances in space will diminish and enormous waterfalls will overtake the peoples. However, before the men of tomorrow see opening before them the infernal chasm, before they themselves enter into legend, the traces of an original and superior humanity will be found even their most intimate details, studied on that great day.

'The water, the earth, the mountains will deliver the secret of ancient races and the history of a unique monarch: Jika, son of gods, we know only that he had a scarlet flower as an emblem, that he was great amongst the Great, peaceful, adored, deified by all the peoples of the earth, as radiant as his human beauty.

'In this time, look again, look always, towards the depths of the oceans and seas, towards the centre of the planet, under the ice of the polar deserts which will exist then, under the sand of the arid earths, in the deep bowels of the mountains, under the highest pyramids of the globe. No torch dies out completely, seek at most

chaude des bains privés ou publics. Le labeur naîtra dans leurs entrailles liquides. Des villes immergées seront construites pour abriter une population esclave des besoins et de l'avidité des hommes. »

« De nouvelles cultures, surprenantes d'abord, dangereuses parfois, avec des croisements prodigieux, s'étendront en champs couverts immergés, là où ne règnent que des êtres aquatiques. Des véhicules rapides comme l'éclair, pesant comme le noir métal sillonneront les vallées des grandes profondeurs au service des populations sous-marines. La flore donnera des remèdes précieux aux maux nouveaux, les plus divers, comme les plus cruels. Les malades seront soignés au fond des abîmes où de vastes zones de silence absolu sauveront ceux que tourmentera le délire de l'esprit, intense, dans la suite des âges. »

« Des fortunes inouïes sortiront du sein des eaux. On pillera la nature contre son gré, avant qu'elle ne décide et on en viendra à la menace par le fer pour la possession de mines fabuleuses. La lumière du Soleil descendra au plus noir des flots pour éclairer des paysages de cauchemar, à l'effrayante beauté. Le monde d'alors connaîtra un destin prodigieux, mais bref, fait de drames sans nom, de réalisations démesurées et d'orgueilleuse inconscience. »

« Le Dieu sera violé en sa fabuleuse puissance. Les distances se rapprocheront dans l'espace et des cataractes énormes submergeront les peuples. Cependant, avant que les Hommes de demain ne voient s'ouvrir devant eux le gouffre infernal, avant qu'ils n'entrent eux aussi dans la légende, les traces des humanités supérieures et premières seront retrouvées jusqu'en leurs plus infimes détails, étudiées au grand jour. »

« L'eau, la terre, les montagnes livreront le secret des races antiques et l'histoire d'un monarque unique : Jika, fils des dieux, dont on saura seulement qu'il eut pour emblème la fleur écarlate, qu'il fut grand parmi les Grands, paisible, encensé, divinisé par tous les peuples de la terre, aussi radieux que son humaine beauté. »

« En ce temps-là cherchez encore, cherchez toujours, vers le cœur des océans et des mers, vers le centre de la planète, sous la glace des déserts polaires qui existeront alors, sous le sable des terres arides, dans le ventre profond des montagnes, sous les plus hautes pyramides du globe. Nul flambeau ne s'éteint tout à fait,

secret dead ages, seek with your souls and by the enlightenment of the Spirit.'

'The seas, the oceans will draw back everywhere you wish to win their empire, delivering under the steps of the men a cluster of strange ruins, unexpected vestiges of an almost buckled legend of one humanity, ravaged by various mortalities and numerous traces, although denatured, of a disconcerting world, which will seem to you inconceivable.'

SAMIRZA... THE WINGED GOD

'They came from a star at the end of its time,
From a star where its life was waning.
They came from a star open to the light,
From a star with a finished but poignant destiny.
The hour was hopeless and science vain.
Their wings took them to the highest summit.
They glided below mounts and the plain,
Equipped with an insurmountable spirit.
The Universe before them, delivered, magnanimous:
The Word was Strength, and Love was the Law.
Their knowledge embraced the Colossal Mystery:
They were all sons of the divine Sun-King
But he, the Generous one, more beautiful than the stars,
He banded the arc of the gods, the arc with the gold cord,
Then his arrow went well beyond the veils
Which despite our erudites we cling to still.
The sky was opened in a large abyss,
A giant portico where time was lost.
He was son of a king; the strength and power
Gave to his face a shining contour.'

'When his rapid vessel, to the blazing dome,
Fell upon our soil, beautiful fabulous bird,
The forest embraced it, the sleepy wave
Bucked, roaring, in a howling undertow.
Not far from the Green Island that consumed the flames,
The peoples strolled about, while looking at the sky,
Saving the children and hiding the women,
Before being approached by the strange thing.
And so, he descended from the immobile ship,
A ray of light attached to his steps,
His forehead lighted by a juvenile grace,

cherchez au plus secret des âges morts, cherchez avec vos âmes à la lueur de l'Esprit. »

« Les mers, les océans reculeront partout où vous voudrez gagner sur leur empire, livrant sous les pas des hommes un amas d'étranges ruines, les vestiges inattendus d'une humanité à la légende presque voilée, ravagée par diverses mortalités et les traces nombreuses, bien que dénaturées, d'un monde déconcertant, au passé qui vous semblera inconcevable. »

SAMIRZA... LE DIEU AILÉ

« Ils venaient d'une étoile en son heure dernière,
D'une étoile où la vie allait en s'éteignant.
Ils venaient d'une étoile ouverte à la lumière,
D'une étoile au destin accompli mais poignant.
L'heure était sans espoir et la science vaine.
Des ailes les portaient vers le plus haut sommet.
Ils planaient au-dessus des monts et de la plaine,
Dotés d'un vaste esprit que plus rien ne soumet.
L'Univers, devant eux, se livrait, magnanime :
La Parole était Force et l'Amour faisait Loi.
Leur Savoir embrassait la Colossale Énigme :
Ils étaient tous les fils du divin Soleil-Roi.
Mais lui, le Généreux, plus beau que nos étoiles,
Il bandait l'arc des dieux, l'arc à la corde d'or,
Puis sa flèche portait bien au-delà des voiles
Qui malgré nos savants nous enserraient encore.
Le ciel s'était ouvert en une passe immense,
Un portique géant où s'abîmait le temps.
Il était fils de roi; la force et la puissance
Donnaient à son visage un relief éclatant. »

« Quand son vaisseau rapide, à la coupole ardente,
Tomba sur notre sol, bel oiseau fabuleux,
La forêt s'embrasa, la vague somnolente
Se cabra, mugissante, en un ressac houleux.
Non loin de l'île verte que dévoraient les flammes,
Les peuples qui flânaient en regardant le ciel,
Sauvèrent les enfants, puis cachèrent les femmes,
Avant de s'approcher de l'étrange appareil.
Alors, il descendit du navire immobile,
Un rayon de clarté s'attachait à ses pas,
Son front s'illuminait de grâce juvénile,

His thousand companions, from us, spoke very low.
To the Clock of Destiny, the hour was solemn:
A page was turning in the History of Man;
Would it be peaceful, or prove cruel?
The fate was agonizing for those who did not know.'

END OF OPHALIR'S CITY ON THE SHORES OF THE ATLANTHIR OR THE GREAT WATER (ATLANTIC OCEAN)

'Time had flowed on the happiness of Man,
When the old king, dying, was to summon Samirza:
'On your value, he told them, we have made a sum.
You know what a seer, of old, has prophesied:
From Space will come the magnificent God,
That the People will elect, with great authority,
And he will carry high our ancient prestige,
His name will be known from posterity.
He came, this god, from faraway stars.
For company, he took our girl Ophala;
He endowed us with all certain riches,
But his science was still well beyond.'
We wanted to speak to him as we spoke to the princes,
To engage firmly in this reigning hour.
Our merits were neither too large nor too thin,
And it is you, Samirza, who can save all.
Rather than the successor, who should take the place,
On our very old throne and rule one day
Our subjects so loved, without reservation,
We want to see the blood of your race, forever.
The throngs of the earth, to you make their choice,
They praise your knowledge and sane reason;
You can bring them joy and hope,
Without ever dreading the least betrayal.
We do not have a son, neither a sweet companion.
Yours is still far too young, according to us.
By you we place this one who accompanies you
Upon a divine throne which we desire everywhere.
Do you see it, Samirza, the grandiose throne
And our peoples spread out under the wings of a god?
Your reign will be more than an apotheosis
And your succession a very glorious day.
We burned incense in our most beautiful temple,
At the hour when the Sun rests on the horizon.

Ses mille compagnons, de nous, parlaient tout bas.
Au cadran du Destin, l'heure était solennelle :
De l'Histoire de l'Homme une page tournait.
Serait-elle paisible ou épreuve cruelle ?
Le Sort est angoissant pour qui ne le connaît. »

FIN DE LA CITÉ D'OPHALIR SUR LES BORDS D'ATLANTHIR OU LA GRANDE EAU (OCÉAN ATLANTIQUE).

« Le temps avait coulé sur le bonheur de l'Homme,
Quand le vieux roi, mourant, fit mander Samirza :
« De ta valeur, dit-il, nous avons fait la somme.
Tu sais ce qu'un devin, jadis, prophétisa :
De l'Espace viendra le dieu si magnifique,
Que le Peuple élira, de grande autorité,
Il portera bien haut notre prestige antique,
Son nom sera connu de la postérité.
Il est venu ce dieu, des étoiles lointaines.
Pour compagne il a pris notre fille, Ophala;
Il nous a tous dotés de richesses certaines,
Mais sa science encore ira bien au-delà.
Nous voulons lui parler comme parlent les princes,
L'engager fermement en cette heure à régner.
Nos mérites ne sont ni trop grands ni trop minces,
Et c'est toi, Samirza, qui peux tout épargner.
Plutôt que l'héritier, qui doit prendre la place,
Sur notre si vieux trône et diriger un jour
Nos sujets tant aimés, sans en avoir l'audace,
Nous voudrions voir le sang de ta race, à toujours.
Les foules de la Terre, à toi, font préférence,
Elles louent ton savoir et ta saine raison;
Tu peux leur apporter la joie et l'espérance,
Sans jamais redouter la moindre trahison.
Nous n'avons point de fils, ni de douce compagne.
Le tien est bien trop jeune encore, selon nous.
Par toi nous placerons celle qui t'accompagne
Sur un trône divin qu'on désire partout.
Le vois-tu, Samirza, ce trône grandiose,
Et nos peuples rangés sous les ailes d'un dieu ?
Ton règne leur sera plus qu'une apothéose
Et ton avènement un jour bien glorieux.
On brûlera l'encens dans notre plus beau temple,
A l'heure où le Soleil reste sur l'horizon.

The kings of the Universe, you will become the example
And fling peace over all folly.'

Samirza will yield to the authorities of the monarch. All the people are in agreement, and more gods form an assembly around him of precious and wise counsellors.

'After sad days of long funerals,
Where we ceaselessly wept for the good, old sovereign,
The World decided, without cries and without battles,
That a Priest of the Sun, all would be in His Hand.
The throngs of the earth, at the immense news,
Beat on their gongs, throughout all the cities.
Ophala bedecked with flowers and lace,
We wished a thousand congratulations upon the god.
The princes and kings drew aside, docile,
Under the divine standard, without losing their Power.
Throughout this was the peace of easy agreements:
The Joy and Happiness, the Wealth and the Knowledge.'

THE ATLANTIS LIFE

And further:
'Our hands had hewed into the splendid marble,
His radiant face and his nimble body.
To erect the sculpture, immense, on the void,
We had the Sun as a powerful ally.
We saw it from afar, with its great wings,
At the foot of the staircase of the noble palace of the gods;
The light the halo of soft sparks
And, very often, his forehead seemed to touch the skies.
Handsome conquering divine, with a blond mane,
Your marble image was a talisman.
We worshipped everywhere, here as with the round:
At his feet, lovers pronounced their oaths.
The wealth born of the mountains, by the plains.
Fast-appearing cities, from far, on our soil.
Ophalir covered with splendid fountains,
The large vibhams of fire, everywhere, took their flight.
We forged the Beauty, we pierced the mountains.
The trails sank into the very depths of the desserts.
Wheats, in two harvests, covered our countrysides:
The oil it gave us when it was very green.

Des rois de l'Univers, tu deviendras l'exemple
Et jetteras la Paix sur toute déraison. »

Samirza va céder aux instances du monarque. Tous les peuples seront d'accord et plus encore les dieux qui vont former, autour de lui, une assemblée de conseillers précieux et sages.

« Après les tristes jours des longues funérailles,
Où l'on pleura sans fin le bon vieux souverain,
Le Monde décida, sans cris et sans batailles,
D'un Prêtre du Soleil, tout serait dans Sa Main.
Les foules de la Terre, à l'immense nouvelle,
Frappèrent sur les gongs, par toutes les cités.
Ophala se para de fleurs et de dentelle,
On rêva, pour le dieu, mille félicités.
Les Princes et les Rois se rangèrent, dociles,
Sous l'étendard divin, sans perdre leur Pouvoir.
Partout ce fut la paix des ententes faciles :
La Joie et le Bonheur, le Luxe et le Savoir. »

LA VIE ATLANTE

Et plus loin :
« Nos mains avaient taillé dans le marbre splendide,
Sa face radiante et son corps délié.
Pour dresser la sculpture, immense, sur le vide,
Nous eûmes le Soleil en puissant allié.
On la voyait de loin, avec ses grandes ailes,
Au bas de l'escalier du fier palais des dieux;
La clarté la nimbait de douces étincelles
Et, bien souvent, son front semblait toucher les cieux.
Beau conquérant divin, à la crinière blonde,
Ton image de marbre était un talisman.
On l'encensait partout, ici comme à la ronde :
A ses pieds, les amants prononçaient leur serment.
La richesse naissait par les monts, par les plaines.
Des cités surgissaient, au loin, sur notre sol.
Ophalir se couvrait de splendides fontaines,
Les gros vibhams de feu, partout, prenaient leur vol.
Nous forgions la Beauté, nous percions les montagnes.
Des pistes s'enfonçaient jusqu'au fond des déserts.
Les blés, en deux moissons, recouvraient nos campagnes :
De l'huile, ils nous donnaient, lorsqu'ils étaient bien verts.

Each day the Sun brought its caress,
And every one enjoyed its blessings.
The People, in this dawn, had joy and jubilation:
Our happiness seemed like it would never end.'

THE END OF ATLANTIS

'That the people, tomorrow, do not have use of the secrets.
The age of danger, every twelve thousand years to come.
That it watches the sky, that it is careful and wise:
The Passage of the Sun tempts strangers.
Immense hourglass of burning light
And giant Portico where time is erased.
Supreme point zero which overrides matter,
In one so short a moment, which it is not of any moment.
Which I did not experience, such as one in the tomb,
When I crossed to come into the world,
This ephemeral Pass, onboard my vessel.
Tomorrow, who will believe that in this fleeting nothingness
Time and all time are nothing more than one single time.
In vain would Man launch himself into Space:
He will not be able, however, to cross your limits.
And when will come the day when the Immense Portico
Will slowly open on the world, again,
In the night, magnetic clearness will be seen
The great flaming vessels, on earthly level.

That the people, later, beware of this trap:
Your rapid vibhams will be also lost
In unknown places, travelled by accident,
When the Time of our time finds them confounded.
My son, I will tell you the terrible secret:
See the central Point of the fatal hourglass.
It is there where the zero Portico is imperceptible,
That each one can cross in an ordinary instant.
Sweet prince, know well that it takes great science
To cross the Pass evading the hazards.
I speak to you as conqueror of this experience,
Of which can triumph from cruel strangers.
To the peoples of the Earth teach Wisdom:
That they turn their gaze to the sombre beyond.
During thirty-six months, this treacherous pass
Can leave amongst you certain enemies.'
'Of my own hand I destroyed our divine fleet,

Le Soleil, chaque jour, apportait sa caresse,
Et de tous ses bienfaits chacun pouvait jouir.
Le Peuple, en cette aurore, avait joie et liesse :
Notre bonheur semblait ne plus devoir finir. »

LA FIN DE L'ATLANTIDE

« Que le Peuple, demain, des secrets n'ait l'usage.
Tous les douze mille ans vient l'ère des dangers.
Qu'il surveille le ciel, qu'il soit prudent et sage :
La Passe du Soleil tente les étrangers
Immense sablier de l'ardente lumière
Et Portique géant où s'efface le temps,
Suprême point zéro que franchit la Matière
En un instant si bref, qu'il n'est d'aucun instant.
Où je n'ai pas vécu, tel un être au tombeau,
Lorsque j'ai traversé, pour venir en ce monde,
Cette Passe éphémère, à bord de mon vaisseau.
Demain, qui donc croira qu'en ce zéro fugace
Le Temps et tous les temps ne sont plus qu'un seul temps.
En vain l'Homme voudra s'élancer dans l'Espace :
Il ne saura franchir vos limites pourtant.
Et quand viendra le jour où l'Immense Portique
S'ouvrira lentement sur le Monde, à nouveau,
On verra, dans la nuit, la clarté magnétique
Des grands vaisseaux de flamme, au terrestre niveau.

Que les peuples, plus tard, du piège prennent garde :
Vos rapides vibhams seraient aussi perdus
Et des lieux inconnus, traversés par mégarde,
Quand les Temps de nos temps se trouvent confondus.
Mon fils, je vous révèle tout le secret terrible :
Voyez le Point central du sablier fatal.
C'est là qu'est le Portique au zéro non sensible,
Que chacun peut franchir en un instant banal.
Doux prince, sachez bien qu'il faut grande science
Pour traverser la Passe en fuyant les dangers.
Je vous parle en vainqueur de cette expérience,
Dont peuvent triompher de cruels étrangers.
Aux peuples de la Terre enseignez la Sagesse :
Qu'ils portent leurs regards vers les sombres lointains.
Durant trente-six mois, cette passe traîtresse
Peut laisser parmi vous des ennemis certains. »
« De ma main j'ai détruit notre flotte divine,

The large fire birds that were so admired.
Who can reach them, at the bottom of the saline water?
A man, touching them, unfortunately will perish.
Only under the Pyramid, in the funeral chamber,
Where I will rest, in the far future,
You will find later, in the heart of the darkness,
Of my powerful ship, a sure relic.
My son, do not worry. I took wise measure.
On the high wall is the profile of a flower,
Engraved in shining and hard material:
My royal emblem, scarlet in colour.'

'Number of conquerors surging through space,
To shed dread, to multiply the horror.
On Earth, they melt, such is the cruel bird of prey,
And entire peoples flee in the terror.
You will not be there any longer, sweet prince of my race:
In the Hourglass of Time, the centuries run.
The somber strangers, tomorrow, will take the place:
Before them the stronger, trembling, step back.
I see coming from the sky a large troupe,
With huge vehicles destined for combat.
The People want the gods: hope is misleading:
They kill, pillage, burn and fight against one another.
A bastard specimen has conquered the planet.
There is no more wealth or perfect knowledge.
On the Earth roars the wind of the conquest:
My work disappears until the last blessing.
The cities will burn from an all-consuming fire.
The corpses will become like dirt in the air,
Women, children in the smoking embers
Will find death in a lightening bolt.
The pitiless monsters will devastate the Earth,
Emptying the cities with a deadly ray.
Their science is damned, and man loses hope:
He thought that Love was Universal.'

'Of the Ancient Epic, it does not remain in our spirit
That the dream inspired, that the sweet memory,
A foolish wish, a timid flame
That softly trembles at the cusp of the Future.
Happiness was born of the magnificent prince,
Descended among us from a flaming vessel,

Les gros oiseaux de feu que tant on admirait.
Qui pourrait les atteindre, au fond de l'eau saline ?
Un homme, en les touchant, malgré tout périrait.
Seul sous la Pyramide, en la chambre funèbre,
Où je reposerai, dans l'avenir lointain,
Vous trouverez plus tard, au sein de la ténèbre,
De mon puissant navire, un vestige certain.
Mon fils, ne craignez point. J'ai pris sage mesure.
Sur la haute paroi se profile une fleur,
Gravée en la matière étincelante et dure :
Mon emblème royal, d'écarlate couleur. »

« Nombre de conquérants surgiront de l'espace,
Pour répandre l'effroi, multiplier l'horreur.
Sur la Terre ils fondront, tel le cruel rapace,
Et des peuples entiers fuiront dans la terreur.
Vous ne serez plus là, doux prince de ma race :
Au sablier du Temps, les siècles couleront.
De sombres étrangers, demain, prendront la place :
Devant eux, les plus forts, tremblants, reculeront.
Je vois venir du ciel une troupe nombreuse,
Avec d'immenses chars qu'on destine au combat.
Le Peuple veut des dieux : l'espérance est trompeuse :
On tue, on pille, on brûle et chacun l'on abat.
Une espèce bâtarde a conquis la planète.
Il n'est plus de richesse ou de savoir parfait.
Sur le Monde mugit le vent de la conquête :
Mon œuvre disparaît jusqu'au dernier bienfait.
Les villes flamberont d'un feu qui tout consume.
Les corps deviendront tels que des sales dans l'air.
Les femmes, les enfants, dans la braise qui fume
Iront trouver la mort en un rapide éclair.
Les monstres, sans pitié, vont désoler la Terre,
En vidant les cités par un rayon mortel.
Leur science est maudite, et l'homme désespère :
Il croyait que l'Amour était Universel. »

« De l'Épopée Antique, il ne reste en notre âme
Que le rêve inspiré, que le doux souvenir,
Une espérance folle, une timide flamme
Qui tremble doucement au bord de l'Avenir.
Le bonheur était né du prince magnifique,
Descendu parmi nous sur un vaisseau de feu,

To offer an alliance, strange and peaceful
Sealed in our peaceful and generous harmony.
But life in this world, insolent and barbaric,
Destroys the joy of the heart of poet and king:
We gorge on blood, and adorn ourselves with murder:
The glory of the Powerful is a fissure of dread.'

IN MEMORY OF SAMIRZA

'When the god, Samirza, was taken from the world,
We embalmed his body for posterity.
All the city's gongs rumbled in rounds
And everywhere reigned complete obscurity.
Death, therefore, had thwarted insolence,
Now carried on a victorious arm.
No more laughter, no more chants, only sad silence:
A hopeless vessel was there for the god.
And when he was laid in the great sarcophagus,
Where our Queen, Ophala, had preceded,
A mask of gold we put on His Noble Face,
In order that he shine even in the Beyond.
And in the Funeral Chamber of the Pyramid,
Amongst the art frescoes and thousand gifts,
The simplest mortal, or a celebrated prince,
The light kept close watch to the imposing coffin.
The throngs repeated in tears his praise
The Messenger of the gods, yet not accepting
That he would nevermore leave this strange rest
To sit again on his shining throne.
O divine Samirza, that our sublime faith
Would bring you to life again in some descendent,
That it removes you one day with the fearful destruction:
The peoples wait for you until the supreme instant.'

THE ARCHAEOLOGIST'S PRAYER

'You, treasure hunters, do you know the World
And its hidden sites, that exist far away?
Search the Pyramid in its abstract depth,
Do not forget any innocent cranny.
The ocean will take you to the Throne of Light,
Altered by the waves, by the passage of Time.
At the end of the Universe you will discover the stone
Ready to guide your steps, tomorrow, at any moment.
But if you triumph, do not take the glory

Offrir une alliance étrange et pacifique
Scellée en notre accord paisible et généreux.
Mais la vie en ce monde insolent et barbare,
Détruit la joie au cœur du poète et du roi :
On se gorge de sang, puis du meurtre on se pare :
La gloire des Puissants est un sillon d'effroi. »

À LA MÉMOIRE DE SAMIRZA

« Quand Samirza, le dieu, fut ravi de ce monde,
Son corps on embauma pour la postérité.
Tous les gongs de cité grondèrent à la ronde
Et de partout régna la pleine obscurité.
La Mort dont il avait déjoué l'insolence,
L'entraînait maintenant d'un bras victorieux.
Plus de ris, plus de chants, seul le triste silence :
Un vaisseau sans espoir était là pour le dieu.
Et lorsqu'il fut couché dans le Grand Sarcophage,
Où l'avait devancé notre reine, Ophala,
Un masque d'or on mit sur Son Noble Visage,
Afin qu'il resplendit même dans l'Au-delà.
Et dans la Pyramide en la Chambre funèbre,
Parmi les fresques d'art et les mille présents,
Du plus simple mortel, ou du prince célèbre,
La lumière veilla près du coffre imposant.
Les foules répétaient en pleurant la louange
De l'Envoyé des dieux, sans accepter pourtant
Qu'il ne sortirait plus de ce repos étrange
Pour s'asseoir à nouveau sur son trône éclatant.
O, Samirza divin, que notre foi sublime
Ramène à la vie en quelque descendant,
Qu'elle t'enlève un jour à l'effrayant abîme :
Les peuples t'attendront jusqu'au suprême instant. »

LA PRIÈRE DE L'ARCHÉOLOGUE

« Vous, chercheurs de trésors, connaissez-vous le Monde
Et les lieux reculés, qui subsistent au loin ?
Fouillez la Pyramide en la vague profonde,
Ne laissez à l'oubli le plus modeste point.
L'océan vous rendra le Trône de Lumière,
Altéré par les flots, par l'usure des Temps.
Au bout de l'Univers, découvrez donc la pierre
Prête à guider vos pas, demain, à tout instant.
Mais si vous triomphez, ne prenez pas la gloire

Of Him that traced, of old, your destiny:
His name is the greatest of all Divine History,
Even if he comes to you by a modest route.
Under the magnetic rock, the Rock that rules,
Is a Perfect Number, like a secret sign.
Where the eternal emblem of the Divine Race
Delivered its message in a concrete way.
The treasures of the Earth, we received the offering,
But the time will be long, till the Earth learns
That the Light comes to him that makes the request:
And alone, chosen one, by these words, understood.
The Rock is the key, the Rock wants to say all:
On the scarlet flower, he must place his hand.
The god who knew, of old, was able to predict:
'When the flash shines, do not wait for tomorrow.'

This text, altered by successive translations, relates the major events of a cataclysmic past and a warning for the future.

The time has now come to engage on our final approach toward the mythical Atlantis. During this never-ending descent, only the message from the Great Pyramid crossed my mind: 'Search and you will find.'

1) *'LE SPHINX ET LE DERNIER ÂGE DU MONDE'*
Lysianne Delsol

De Celui qui traça, jadis, votre destin :
Son nom est le plus grand de la Divine Histoire,
Même s'il vient à vous par un discret chemin.
Sur la roche d'aimant, la Roche qui domine,
Est un Nombre Parfait, tel un signe secret.
Où l'emblème éternel de la Race Divine
Livrera son message en un terme concret.
Des trésors de la Terre, on recevra l'offrande,
Mais le temps sera long, puis le Monde apprendra
Que la Lumière vient à qui fait la demande :
Et seul, l'homme choisi, par ces mots, comprendra.
La Roche est à la clef, la Roche veut tout dire :
Sur la fleur écarlate, il faut poser la main
Le dieu qui le savait, jadis, put le prédire :
« Lorsque l'éclair luira, n'attendez pas demain. »

Ce texte, altéré par les traductions successives, relate les événements majeurs d'un passé cataclysmique et une mise en garde pour le futur.

Il est maintenant temps d'amorcer notre approche finale vers la mythique Atlantide. Durant cette descente interminable, seuls les messages de la Grande Pyramide me venaient à l'esprit : « Cherchez et vous trouverez ».

1) *LE SPHINX ET LE DERNIER ÂGE DU MONDE*
Lysianne Delsol

Chapter 5
Atlantis

Chapitre 5
Atlantide

Chronologically the destruction of Atlantis corresponds to the last shift of the polar axis, in 9792 B.C. It is hence logical to think that it could be found buried under the ice of the North Pole. For all intents and purposes, if we trace with a line all the sites where we find Atlantis writing, we obtain a triangle oriented towards this point. Considering the exile route taken by the survivors, I am of the opinion that a majority of the monuments will be found on the Canadian side.

This hypothesis is supported by the fact that we find on both sides of the Davis Strait the rudiments of a transitory habitation of human beings. The vestiges on the banks of Labrador and Greenland, as well as the estuary of the St. Lawrence River indicate to us the passage of a population in transit. Consequently, some survivors of Atlantis found themselves in Canada and migrated south to survive. This brings us to formulate a second hypothesis that the majority of lands under the polar cap were inhabited during this time.

The climatic variation is of primordial importance in the analysis of the possibilities of the development of a civilization. So, the distance between Hudson Bay and the North Pole transposed south brings us to the present-day state of Florida, with a sub-tropical temperature. All conditions were therefore conducive to the development of a civilization when the North Pole was found at the centre of Hudson Bay.

At this stage, we know the date of the destruction, but we ignore the probable date of our space friend's visit. I will attempt to reconstruct the history of the planet with the help of the scientific data of Charles Hapgood and the archaelogical discoveries of Albert Slosman. Recently, David Kring, a British scientist, has determined the point of impact of the comet responsible for the disappearance of the dinosaurs as being near Mexico.

The importance of this discovery is immense since it opens the door to answer the two greatest enigmas of my research, namely: the confirmation of the motive of the visit of our space friend and the directional force responsible for the North Pole shift from Alaska to Norway. No terrestrial geographical factor could

Chronologiquement, la destruction de l'Atlantide correspond au dernier déplacement de l'axe polaire, en 9792 avant J.C. Il est donc logique de penser qu'elle se trouve ensevelie sous les glaces du pôle Nord. À toutes fins pratiques, si nous relions par un trait les endroits où nous retrouvons l'écriture atlante, nous obtenons un triangle dont la pointe supérieure nous dirige vers le continent Arctique.

De plus, cette hypothèse s'appuie sur le fait que nous retrouvons des deux côtés du Détroit de Davis les rudiments d'habitations passagères par des êtres humains. Les vestiges sur les côtes du Labrador et du Groenland, ainsi que dans l'estuaire du fleuve St-Laurent, nous indiquent le passage d'une population en transit. Certains survivants de l'Atlantide se sont donc retrouvés au Canada et ont migré au Sud pour survivre. Ce qui nous amène à formuler une dernière hypothèse que la majorité des terres sous le cap polaire étaient habitées à cette époque.

Parallèlement, la variation climatique est de première importance dans l'analyse des possibilités de développement d'une civilisation. Ainsi, la distance entre la Baie d'Hudson et le pôle nordique transposé au Sud nous amène dans l'état de la Floride avec un climat sub-tropical. Toutes les conditions étaient donc propices à l'épanouissement d'une civilisation, lorsque le pôle Nord se trouvait au centre de la Baie d'Hudson.

À ce stade, nous connaissons la date de la destruction mais nous ignorons la date probable de la visite de notre ami spatial. Je vais tenter de reconstituer l'histoire de la planète à l'aide des données scientifiques de Charles Hapgood et des découvertes archéologiques d'Albert Slosman. De plus, récemment, David Kring, un scientifique britannique a déterminé le point d'impact de la comète responsable de la disparition des dinosaures comme étant près du Mexique.

L'importance de cette découverte est immense puisqu'elle a permis de répondre aux deux plus grandes énigmes de ma recherche, soit : la confirmation de la visite de notre ami spatial, et la force directionnelle responsable du déplacement du pôle Nord, de l'Alaska à la Norvège. Aucun facteur géophysique terrestre ne peut expliquer un tel déplacement. Seule une force

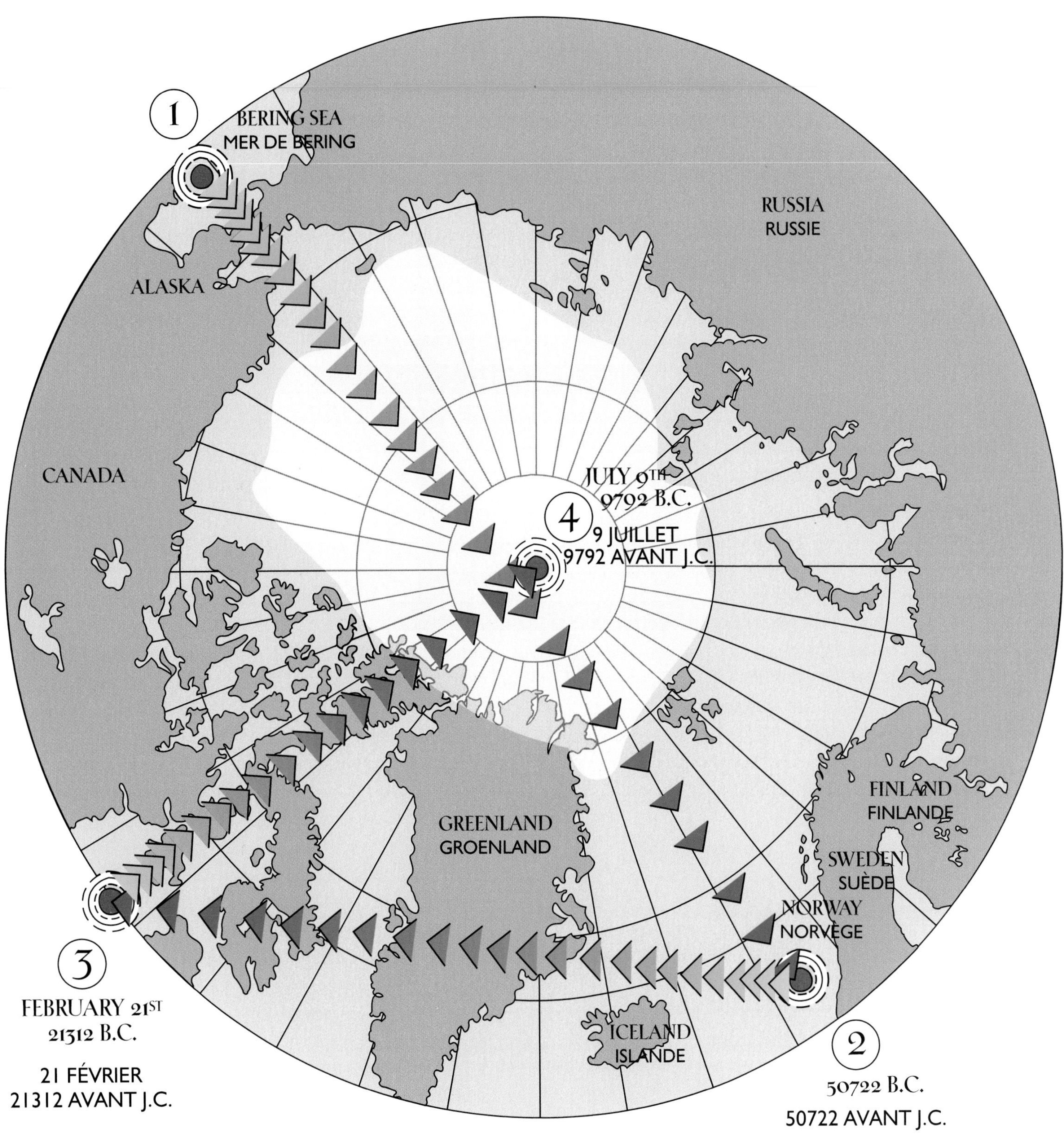

NORTHERN POLAR CAP

The 4 last positions established by Charles Hapgood and astronomically dated by the Egyptians.

CAP POLAIRE NORDIQUE

Les 4 dernières positions établies par Charles Hapgood et datées astronomiquement par les Égyptiens.

explain such a displacement. To my knowledge, only an external force could induce a phenomenon of such amplitude. Unfortunately, the Earth shifting crust theory is weakened following the newly acquired knowledge although it was the most realistic hypothesis, when formulated, following the scientific evidences of the North Pole displacement by Charles Hapgood.

With this new data and revised hypothesis, I will attempt to reconstitute the Earth's history from the first day of the human race.

JULY 9TH, 9792 B.C.

- Destruction of Atlantis registered on Egyptian Solar calendars (Denderah'Zodiac).
- Reversal of Earth's rotating movement.
- Displacement of the North Pole from Hudson Bay to its actual site.
  Source: Egyptian records accurately translated by Albert Slosman.
  This displacement is confirmed by Charles Hapgood's carbon analysis dated 15000 B.C.
  To confirm the date, Albert Slosman made a full analysis of Denderah's Zodiac as follows.

DENDERAH'S ZODIAC[1]

So that the reader can see more clearly in this astronomical labyrinth, we will describe the inner circle which contains the twelve constellations. It is a perfect spiral as shown on the next page. Also, the hieroglyph represented by the spiral means 'creation.' So, at the begining, the general display refers to a new creation because certains pictograms are opposite to others as we will show.

Undoubtedly, it is the Lion that leads the circular arrangement of the constellations. Why? Because, he is the guide in the 'Mandjit' the Cataclysm boat of salvation and he leads the eleven others. We notice, another Lion whose head is turned, meaning that the calculation method to use is the 'precession of the equinoxes' (explained in 'the Cancer')

extérieure peut engendrer un phénomène d'une telle amplitude. Malheureusement, la théorie du déplacement de la croûte terrestre est affaiblie suite aux nouvelles connaissances acquises.Bien qu'elle ait été l'hypothèse la plus réaliste, au moment de sa formulation, suite au constat scientifique du déplacement du pôle Nord par Charles Hapgood.

Avec ces nouvelles données et des hypothèses révisées, je vais tenter de reconstituer l'histoire de la Terre depuis le premier jour de la race humaine.

9 JUILLET 9792 AVANT J.C.

- Destruction de l'Atlantide enregistrée sur les calendriers solaires égyptiens (Zodiaque de Dendérah).
- Inversion du mouvement de la rotation de la Terre.
- Déplacement du pôle Nord de la Baie d'Hudson à son site actuel.
  Source : annales chronologiques égyptiennes traduites avec exactitude par Albert Slosman.
  Ce déplacement est confirmé au moyen des analyses au carbone à 15000 avant J.C. par Charles Hapgood.
  Pour confirmer la date, voyez l'analyse complète du Zodiaque de Dendérah d'Albert Slosman.

ZODIAQUE DE DENDÉRAH[1]

Pour que le lecteur voit déjà plus clair dans ce labyrinthe astronomique, décrivons ici le cercle intérieur, celui qui contient les douze constellations. C'est une spiraloïde parfaite telle qu'elle est montrée à la page suivante. Ajoutons que le hiéroglyphe représentant une spirale signifie « la création ». Ainsi, au départ, l'idéogramme général est celui d'une création nouvelle, puisque certaines figures sont à l'opposé des autres comme cela va être présenté.

C'est le Lion qui incontestablement ouvre la ronde interminable des constellations. Pourquoi ? Parce qu'il est le guide. Il est sur une « Mandjit », la barque salvatrice du Cataclysme et les onze autres la suivent. On remarque au-dessous un autre lion la tête tournée, signifiant ainsi que le calcul à employer est celui de la « précession des

DENDERAH'S ZODIAC

© Photo by Henri Stierlin.

Domenico Valeriano is inspired by the work of Girolamo Segato published in Florence 1835, and the drawings of Vivant Denon, member of the 1798 Egyptian campain.

ZODIAQUE DE DENDÉRAH

© Photographie de Henri Stierlin.

Domenico Valeriano s'inspire, pour l'ouvrage de Girolamo Segato publié à Florence en 1835, des dessins de Vivant Denon, membre de la campagne d'Égypte en 1798.

to find the exact date of the engraved sky.
The astronomer and the sculptor, to enhance their thoughts, have diverted the Gemini and Cancer figures which are the last ones in the order the sun travels the constellations under the impulse of the Heart of the Lion: Regulus.

First astronomical consideration: the sun 'navigated' in the Lion constellation from 11767 B.C. to 9751 B.C. This last date would have been reached if it was not for the Great Cataclysm that occured in 9792 B.C.

This evident correlation, which can only amaze anyone who had no doubt of the real antiquity of pharaonic Egypt.

Let's take a look at the twelve zodiacal figures in their precessionnal order as engraved in the ceiling of the Great Temple of Denderah. We will indicate in italics the name of the stars or constellations included in these ideograms mythified today.

équinoxes » (expliqué dans « le Cancer »), pour retrouver la date précise du ciel gravé. L'astronome et le sculpteur, afin de préciser leurs pensées, ont même détourné les figures des Gémeaux et du Cancer qui sont les derniers dans l'ordre où le Soleil parcourt les constellations sous les influx du Coeur-du-Lion : Régulus.

Première constatation astronomique : le Soleil « naviguait » dans la constellation du Lion de 11767 à 9751 avant J.C. Cette dernière date aurait été atteinte s'il n'y avait eu, justement, le Grand Cataclysme, survenu en 9792 avant notre ère.

Il y a là une corrélation évidente, qui ne pouvait être que stupéfiante pour quiconque ne se doutait pas de l'antiquité réelle de l'Égypte pharaonique.

Voyons donc les douze figures zodiacales dans leurs sens précessionnels telles qu'elles ont été gravées au plafond du grand temple de Dendérah. Nous mettrons en italique les noms des étoiles ou constellations incluses dans ces douze idéogrammes aujourd'hui mythifiés.

LEO (36°)

He is placed on *Hydra* where the *Raven* looks at its tail. The woman figure following the Lion and before the *Raven*, corresponds undoubtedly to the constellation we called *The Goblet*.

LE LION (36°)

Il est placé sur *l'Hydre*, dont le *Corbeau* regarde la queue. La figure de femme qui fait suite au Lion et se trouve avant le *Corbeau*, correspond sans nul doute à la constellation que nous appellons *La Coupe*.

VIRGO (36°)

She walks behind the Lion holding an ear. She is Isis and the ear is her son Horus shown non figuratively in the inner circle to allow precise computation.

LA VIERGE (36°)

Elle marche à la suite du Lion, en portant un épi. Elle est Isis et l'épi est son fils Horus, représentés non figurativement dans le cercle inférieur du planisphère, permettant un calcul précis.

LIBRA (24°)

There is a circle over it in which the silhouette of seated woman appears. This specific point is the source of controversy as to whether the balance was primarely introduced by Egyptians or Greeks.

LA BALANCE (24°)

Elle est surmontée d'un cercle dans lequel une silhouette de femme est accroupie. Ce point très particulier fait également l'objet de nombreuses controverses quant à l'invention de la balance et de sa primauté grecque ou égyptienne.

SCORPIO (24°) 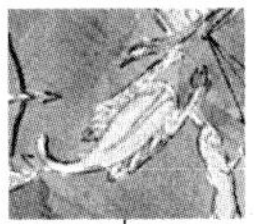
His head is turned toward the balance at which he aimed. But, it is the silhouette of Nout Virgin Queen, mother of Osiris, in the bubble, that is designated as such.

LE SCORPION (24°)
Il a sa tête tournée vers la Balance dont il fait ainsi son point de mire. Mais c'est la silhouette de Nout, la Reine-Vierge, mère d'Osiris, dans sa bulle, qui est ainsi désignée.

SAGITTARIUS (34°) 
He has the shape of a winged Centaur with two faces. His front feet are on a ship.

LE SAGITTAIRE (34°)
Il a la forme d'un Centaure ailé à deux visages. Ses pieds de devant sont posés sur un bateau.

CAPRICORN. (34°) 
He has the front part of a goat and the tail of a fish. The bird that stands in front is a celestial reference point: it is the constellation *Cygnus*.

LE CAPRICORNE (34°)
Il a la partie antérieure d'une chèvre et une queue de poisson. L'oiseau qui se tient au-devant est un point de repère céleste : celui de la constellation du *Cygne*.

AQUARIUS (28°) 
This aquarius personifying the deluge or golden age, is a patriarch holding two urns from which he drops water downwards without knowing, himself, what will be what.

LE VERSEAU (28°)
Ce Verse-Eau, personnifiant le Déluge ou l'Âge d'Or, est un patriarche qui tient deux urnes dont il renverse l'eau de haut en bas sans qu'il sache lui-même laquelle sera quoi.

PISCES (28°) 
They symbolized the second coming of the twins of Osiris and Set — The Gemini. They are still tied by the tail, sign of the family's unity that links them to Nout, their mother. Between them lies neatly drawn the *Square of Pegasus* and the *Evening Star*.

LES POISSONS (28°)
Ils symbolisent le second avènement des Jumeaux Osiris et Set — les Gémeaux. Ils sont encore liés par la queue, signe de l'unité familiale qui les lie à Nout, leur mère. Entre eux se trouvent nettement dessinés le *Carré de Pégase* et le *Porcher* ou le Berger.

ARIES (32°) 
Head turned looking behind him at the predestined end of the 'Second Heart.' This date is indicated as such because it can only be a date that lies beetween 2304 of our era and the year of the birth of the second son of God who will be the Saviour. And, the destruction by the Persians occured in 525 B.C.

LE BÉLIER (32°)
Sa tête est tournée, regardant derrière lui la fin prédestinée du « Deuxième Coeur ». La date est ainsi indiquée puisqu'il ne peut s'agir que d'une date située entre 2304 avant notre ère et l'année de la naissance du second fils de Dieu, qui sera le Sauveur. Et cette destruction par les Perses eut lieu en 525 avant J.C.

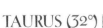

TAURUS (32°) 
He seems to be running toward sunset while also looking behind him. He represents Osiris whose golden age extends beyond his terrestrial death in this period where the precessionnal sun travelled from 4608 B.C. to 2304 B.C. We must remember that it was in 4244 B.C. that Menes first Pharaoh of the first Dynasty

LE TAUREAU (32°)
Il semble courir vers le Couchant tout en regardant aussi derrière lui. Il est la figuration d'Osiris, dont l'apogée se situe, par-delà la mort terrestre dans cette période où le Soleil précessionnel dura de 4608 à 2304 avant Christ. Si l'on se souvient que ce fut en 4244 que Ménès, premier Pharaon de la première

reestablished the integrity of the 'First Heart' into a 'Second Heart.' Therefore you now understand the historical value of Denderah's Zodiac.

GEMINI (26°)
They hold hands but walk one in front of the other. The symbolism is evident as it represents two enemy brothers: Set and Osiris. A bloody war opposed them during all that period and for this reason it was named as such by the Egyptians.

CANCER (26°)
Represented by a crab, second form of the scarabeum priviledged in hieroglyphics. He is undoubtedly the last one of the twelve carved in the monumental ceiling. The manner in which the sculptor has shown it entering the inner circle reflects the high intellectual spririt of the promoters. This leaves no doubt on their intention to end the spiraloid description confirming the Lion as the chief, so that all computations regarding the Creation, the Creator's Law and the Commandments concerning the Creatures, have the Lion at their starting point.

LEO	20°
CANCER	26°
GEMINI	26°
TAURUS	32°
ARIES	32°
PISCES	28°
TOTAL	164°

164 X 72 years = 11 808 years
11 808 – 2 016 = 9792 B.C.: date of the cataclysm

Thus it becomes easy to date the event related on Denderah's Zodiac, knowing the precessionnal retrogression of the equinoxes. In simple terms, the sunrise moves one degree every 72 years. So, since the last cataclysm, when the rotation movement of the Earth

dynastie, rétablit l'intégrité du « premier Coeur » en un « deuxième Coeur », on comprendra l'énorme valeur de ce monument qu'est le Planisphère de Dendérah.

LES GÉMEAUX (26°)
Ils se donnent la main, mais marchent à la suite l'un de l'autre. Le symbolisme est évident, car, il s'agit des deux frères ennemis : Set et Osiris. Une guerre impitoyable les opposa durant toute cette période, et c'est pour cela qu'elle prit cette dénomination typiquement égyptienne.

LE CANCER (26°)
Il était encore représenté par un crabe, forme seconde du scarabée privilégié de la hiéroglyphique. Il est incontestablement le dernier des Douze gravés sur ce plafond monumental. La façon dont le sculpteur a exécuté l'ordre de le représenter, rentrant à l'intérieur du cercle, est tout à l'honneur des promoteurs. Cela ne laisse aucun doute sur l'intention de couper la ronde des astres en définissant le Lion comme le Chef, afin que tous les calculs sur la Création, la Loi du Créateur, et les Commandements concernant les Créatures, aient bien le Lion pour point de départ.

LION	20°
CANCER	26°
GÉMEAUX	26°
TAUREAU	32°
BÉLIER	32°
POISSONS	28°
TOTAL	164°

164 X 72 années = 11 808 années
11 808 - 2016 = 9792 avant J.C. : date du cataclysme

Il devient alors facile de dater l'événement relaté par le Zodiaque de Dendérah, connaissant la rétrogradation précessionnelle des équinoxes. En termes simples, le lever du soleil se déplace de un degré à toutes les 72 années. Donc, depuis le dernier cataclysme, où la

was inversed, the sun will have travelled 164° because we will be at the end of Pisces near 2016. (End of the excerpt from 'Zodiaque de Denderah' by Albert Slosman)

FEBRUARY 21ST, 21312 B.C.

- North Pole displacement from Norway to Hudson Bay.

This event is documented in the Egyptian chronological records translated by Albert Slosman. A mini deluge is reported in the records of the period.

Charles Hapgood established the same displacement, He estimated the period at 50000 B.C.

47272 B.C.

- Beginning of the Egyptian chronological records 864 years before the appointment of the first pharaoh.

50722 B.C.

- Date at which the comet hit the Earth, shifting the North Pole from Alaska to Norway, according to Edgar Cayce.
- Our creator's visit would approximately be that date.

By carbon dating, Charles Hapgood has estimated that date to be 80000 B.C. The carbon method overestimates by far the number of years elapsed. But he has carefully documented the process and it will be possible in the future to give a better evaluation of the samples analysed. Once the facts are disclosed, it becomes necessary to prove them at this stage.

The Atlantean civilization had groups of erudites known as the 'Keepers of the Sacred Works of the Ancient Fatherland and Masters of Measure and Number.' These wise men compiled extremely precise files on all major events and the pharaonic dynasties. The astronomical dates were compiled according to the position of the rising sun. This variation of the position of the sun is called the 'Precession of the Equinoxes.' In simple terms, the

rotation de la Terre s'est inversée, le soleil aura parcouru 164° puisque nous serons à la fin de l'ère des Poissons vers 2016. (Fin de l'extrait du « Zodiaque de Dendérah » de Albert Slosman)

21 FÉVRIER 21312 AVANT J.C.

- Déplacement du pôle Nord de la Norvège à la Baie d'Hudson

Cet événement est documenté dans les annales chronologiques égyptiennes traduites par Albert Slosman. Un mini déluge est rapporté aux annales de cette époque.

Charles Hapgood observe le même déplacement. Cependant, il évalue la période à 50000 avant J.C.

47272 AVANT J.C.

- Début des annales chronologiques égyptiennes 864 ans avant la nomination du premier pharaon.

50722 AVANT J.C.

- Date où la comète a frappé la Terre transportant le pôle Nord de l'Alaska à la Norvège, selon Edgar Cayce.
- La visite de notre créateur se situerait approximativement à cette date.

Par la datation du carbone, Charles Hapgood a estimé cette date à 80000 avant J.C. La méthode de datation du carbone surestime donc beaucoup le nombre d'années écoulées. Cependant, il a abondamment documenté le processus et il sera donc possible dans le futur de mieux évaluer les échantillons analysés. Une fois les faits dévoilés, il est maintenant nécessaire d'en apporter la preuve.

La civilisation atlante avait des groupes d'érudits connus sous le nom de « Gardiens des Ouvrages Sacrés de l'Antique Patrie et Maîtres de la Mesure et du Nombre ». Ces sages compilaient des dossiers extrêmement précis sur tous les événements majeurs et les dynasties pharaoniques. Les dates astronomiques étaient compilées selon la position du soleil, au lever. Cette variation de la position du soleil s'appelle la « précession des équinoxes ». En termes simples, la

position of the rising sun varies one (1) degree every 72 years. A complete circumference turn requires 25 920 (360 x 72) years, which corresponds to the Grand Egyptian year.

Consequently, this measurement is unvariable no matter the period in which we live. We have the chance to prove the exactness of this phenomenon while comparing two methods of analysis which are completely different, yet the results are accurate and, above all, identical.

Let us compare the archaeological approach of Albert Slosman and the scientific approach of Charles Hapgood.

Albert Slosman, in the AHÂ-MEN-PTAH chronology, from his book *'Le Grand Cataclysme'* (The Great Cataclysm) states that the destruction of Atlantis occurred on July 9th, 9792 B.C. If we add our current date of 2000, the destruction therefore occurred 11 792 years ago.

He attributes the destruction to a gigantic tidal wave, following the melting of the polar ice cap, leading to a shift in direction of the earth's rotation.

Charles Hapgood has determined through a scientific method, the last four (4) positions of the North Pole (see illustration page 197). During a volcanic eruption, iron is liquified, and while cooling, the iron magnetic particles point towards the north at a determined angle. All that needs to be done, is to find the date of the volcanic eruption, in order to know the position of the North Pole on the date of the eruption.

I am giving a simplified explanation of a rigorous and colossal amount of work. He (Charles Hapgood) concluded in his book, *Path of a Pole*, that the current North Pole, has moved there 17 000 years ago. The chronology differs but the successive positions of the polar cap are exact. Of equal importance, his book, *Maps of the Ancient Sea Kings*, reveals the existence of a civilization much more scientifically advanced than the one which succeeded it. Based on the study of ancient geographic maps recopied from the Middle Ages, the analysis reveals that the continental contours were exact, but the relative position of the continents was inaccurate on these same maps.

position du soleil au lever varie d'un (1) degré à tous les 72 ans. Un tour complet de la circonférence nécessite 25 920 (360 X 72) années ce qui correspond à la grande année égyptienne.

Conséquemment, cette mesure est invariable quelle que soit l'époque où nous vivons. Nous avons l'occasion de prouver l'exactitude de ce phénomène en comparant deux méthodes d'analyses complètement différentes, mais dont les résultats sont rigoureusement exacts et surtout identiques.

Nous comparerons l'approche archéologique d'Albert Slosman et l'approche scientifique de Charles Hapgood.

Albert Slosman, dans la chronologie d'AHÂ-MEN-PTAH, tiré de son livre *Le Grand Cataclysme* indique que la date de destruction de l'Atlantide est le 9 juillet 9792 avant J.C. Si nous ajoutons que nous vivons en l'an 2000, la destruction aurait donc eu lieu 11 792 années avant notre temps.

Il attribue la destruction à un immense raz-de-marée, suite à la fonte du cap polaire, entraînant un changement du sens de la rotation de la terre.

Charles Hapgood a déterminé, de manière scientifique, les quatre (4) dernières positions du pôle Nord (voir la carte, page 197). Lors d'une éruption volcanique, le fer se liquéfie, et au refroidissement, les particules de fer magnétique pointent vers le Nord à un angle déterminé. Il ne reste plus qu'à dater la cheminée volcanique pour connaître la position du pôle Nord à la date d'éruption.

J'apporte une explication simplifiée à un travail rigoureux et colossal. Dans son livre « *Path of a Pole* », il (Charles Hapgood) conclut que le pôle Nord actuel, existe, à cet endroit depuis 17 000 ans. La chronologie diffère mais les positions successives du cap polaire sont exactes. De plus, son livre, « *Maps of the Ancient Sea Kings* » (Cartes des anciens rois de la mer), révèle l'existence d'une civilisation scientifiquement plus avancée que la civilisation qui lui a succédée. Basée sur l'étude des anciennes cartes géographiques recopiées au Moyen Âge, l'analyse révèle que les contours des continents étaient exacts, mais la position relative des continents était inexacte sur ces mêmes cartes.

We know from here on that this conclusion is also exact. When there is a meeting of two great minds, the conclusion cannot be ignored. The exactness of my scenario of the last day of Atlantis will be corroborated in a few years by young bold explorers. However, my scenario at the moment is the following: The melting of the poles led to the flooding of all inhabitable grounds on the planet. Consequently, the civilization of Atlantis slowly disappeared under the water.

The Atlanteans owe their survival to a rather unique situation. The temperature of the polar cap on any given July 9th hovers at the freezing point. In the following weeks, the old and the new pole were again below freezing point, delaying therefore the melting process over many years.

The slow disappearance draws on the proximity of the ancient pole (situated in Hudson's Bay) in relation to the new one. The temperature range between these two positions, on the same date, is approximately 20 to 30 degrees 'warmer', but insufficient to rapidly melt the ancient cap. Death by freezing or drowning was inevitable for the majority of the animals. The egyptians annals tell that the survivors were dressed in skins.

Still pushing the analysis further, in my opinion, the city of Atlantis rests intact under the ice. It's discovery will be like finding Egypt at the time of Ramses, Kheops or Sethi 1st. The Atlantean civilization, as all other major civilizations, had prospered near an ocean; therefore large vessels were at their disposal.

Laying out the supplementary data, my hypothesis is not unfounded. Albert Slosman deplores the lack of information on a 6 000 year period, between the cataclysm and the arrival of Horus on the Moroccan lands. The probable explanation is somewhat awkward in the telling, but it must be put forth.

How does one explain to the greatest historian in the world, the fact that Canadian archeologists state that the wrecks of vessels, found near the

Nous savons désormais que cette conclusion s'avère également exacte. Quand deux grands experts se rencontrent, la conclusion est incontournable. Le degré d'exactitude de ma mise en scène du dernier jour de l'Atlantide sera corroborée par de jeunes explorateurs peu frileux dans quelques années. Ma théorie est la suivante : La fonte des pôles entraîne l'inondation de toutes les terres habitables sur la planète; conséquemment, la civilisation atlante aurait disparue lentement sous les flots.

Les Atlantes doivent leur survie à une situation « privilégiée ». La température du cap polaire au 9 juillet oscille autour du point de congélation. Dans les semaines suivantes, l'ancien et le nouveau pôle étaient de nouveau à une température inférieure au point de congélation, freinant la fonte de l'ancien, sur plusieurs années.

La disparition lente s'appuie donc sur la proximité des anciens pôles (ancien pôle Nord situé dans la Baie d'Hudson) par rapport au nouveau. L'écart de température entre ces deux positions, à la même date, est d'environ 20 à 30 degrés plus « chaud », mais insuffisant pour fondre l'ancien cap rapidement. La mort par froid ou noyade de la majorité des animaux était inévitable. Les annales égyptiennes relatent que les survivants étaient vêtus de peaux.

Toujours en poussant l'analyse un peu plus loin, à mon avis, la cité atlante repose intacte sous les glaces, ce qui équivaudrait à retrouver l'Égypte, inviolée, au temps de Ramsès, Khéops ou Séthi Ier. La civilisation atlante, comme toutes les autres grandes civilisations, a prospéré près d'un océan; elle disposait donc d'un certain nombre de grands vaisseaux.

Disposant de données supplémentaires, mon hypothèse n'est pas totalement aléatoire. Albert Slosman déplore l'inexistence d'informations sur une période de 6 000 ans, entre le cataclysme et l'arrivée de Horus sur la terre marocaine. L'explication probable est quelque peu gênante mais elle doit être dévoilée.

Comment expliquer au plus grand historien du monde que les archéologues canadiens attribuent à la visite de vikings ou de pêcheurs basques les vestiges de

Canadian coasts, belong to Vikings or Spanish fishermen. If they had to rebuild the ships, we may be right in assuming that they had sunk with the chronological annals of 6 000 years and the belongings of the survivors for the great trip to a new welcoming land.

Several hints demonstrate that they stopped on grassy lands at the estuary of the St-Lawrence River for a relatively short period. No monument has been erected, only what was essential to the reconstruction of a mandjit subsists. Metal melting ovens, sinks for heating resins, hunting gear, fishing expedition remains; things used to assure the subsistence of the people.

This archaeological nonchalance on the part of Canada is understandable. Canada has no ancient history: 450 years, a few cannon shots, several barrels of beer and the torture, certainly deserved, of a few missionaries, colleagues to the one pretending he was the author of Cree writing... 200 years ago! Causing by the fact, additionnal years of research for the author of this book and many others.

A few of the survivors however did not appreciate this second ice bath, since they opted for a terrestrial trip. The prophetic book of Gabriel Garcia Marquez, *'Cien anos de soledad'* (One Hundred Years of Solitude), refers to the voyage towards a vessel sunk in the bay, following the route to the North.

Finally, we know that Atlantis lies under the Artic polar cap. But the Artic continent is huge, cold and not easily accessible. A more precise location would have been welcomed! But evidence is the science and we still have hints to guide us...

1) *'LE ZODIAQUE DE DENDÉRAH'*
Albert Slosman
© Éditions du Rocher, 1980

vaisseaux retrouvés près des côtes. S'il a été nécessaire de reconstruire des bateaux, nous sommes en droit de supposer qu'ils ont sombré avec les annales chronologiques des 6 000 années et les bagages des rescapés, pour le grand voyage vers une nouvelle terre d'accueil.

Plusieurs indices démontrent qu'ils ont séjourné dans la verdure de l'estuaire du fleuve Saint-Laurent pendant une période relativement courte. Aucun monument n'a été érigé, seul l'essentiel à la reconstruction d'une mandjit subsiste. Fours à métaux, bacs de chauffage des résines, armes de chasse et vestiges d'embarcations de pêche utilisées pour assurer la subsistance du peuple.

Cette nonchalance archéologique du Canada est compréhensible. Le Canada n'a pas d'histoire ancienne : 450 ans, quelques coups de canon, plusieurs barils de bière et la torture, sûrement bien méritée, de quelques missionnaires, confrères du missionnaire, qui s'est attribué la paternité de l'écriture crie… il y a 200 ans ! Occasionnant par le fait même, des années de recherche supplémentaire à l'auteur de cet ouvrage, et bien d'autres !

Certains des rescapés n'ont cependant pas apprécié ce second bain glacé, puisqu'ils ont opté pour la voie terrestre. Le livre prophétique de Gabriel Garcia Marquez, *Cent ans de solitude,* réfère au voyage vers un vaisseau échoué dans la baie, en empruntant la route du Nord.

Finalement, nous savons que l'Atlantide se trouve sous le cap polaire arctique. Mais le continent Arctique est grand, froid et difficile d'accès. Une location plus précise aurait été bienvenue ! Mais, l'évidence est la science et nous avons encore quelques indices pour nous guider…

1) *LE ZODIAQUE DE DENDÉRAH*
Albert Slosman
© Éditions du Rocher, 1980

Chapter 6

The prophecies

Chapitre 6

Les prophéties

So the prophecies carved on the walls of the underground galeries of the Sphinx have materialized.

'TRUTH WILL COME FROM THE WEST'

and

'1999'

These prophecies were reanimated by Michel de Notre Dame known as Nostradamus who visited these galeries when they were accessible to the public. He related his discoveries in the quatrain 10.72:

'Year 1999 the seventh month
From the sky comes a great king of terror
Revive the great king Ancient
Before after Mars rule by happiness'

Some have seen the end of the world, but it was only the end of ignorance. The great king of terror is the Sphinx whose arab name 'Abu Hol' translates to the 'Father of terror.'

So quatrain 10.72 means that in July 1999, the real meaning of the pyramids and the Sphinx will be known. This is exact and we apologize for the printing delay.

The American prophet Edgar Cayce follows the same line of thought with his prophecies on Atlantis. He mentions that;

'The existence of Atlantis will be confirmed
by archives from three locations on the globe.'
'The animals were destroyed by an axis shift
of the poles' (Reading 5249-1).

These two meaningful sentences are a very thin excerpt of more than 2 000 readings the prophet gave on Atlantis. The importance of Edgar Cayce's readings must not be underestimated. Kheops refers us to Edgar Cayce in his will for the next millenium because the Egyptian prophetic mind vanishes after 2016.

Ainsi se sont matérialisées les prophéties gravées sur les murs des galeries souterraines du Sphinx

« LA VÉRITÉ VIENDRA DE L'OCCIDENT »

et

« 1999 »

Ces prophéties ont été reprises par Michel de Notre Dame dit Nostradamus qui a visité ces galeries alors qu'elles étaient encore accessibles au public. Il nous a fait part de ses découvertes dans le quatrain 10.72 :

« L'an mil neuf cens nonante neuf sept mois
Du ciel viendra un grand Roy d'effrayeur
Resusciter le grand Roy d'Angolmois
Avant après Mars régner par bonheur ».

Certains y ont vu la fin du monde, mais ce n'était que la fin de l'ignorance. Le grand Roy d'effrayeur est le Sphinx de son nom arabe « Abu Hol », traduit par « Père de l'effroi ».

Ainsi le quatrain signifie donc qu'en juillet 1999, la véritable signification des pyramides et du Sphinx sera connue. Ce qui est exact, nous nous excusons pour les délais d'impression.

Le prophète américain Edgar Cayce abonde également dans la même ligne de pensée avec ses prophéties sur l'Atlantide. Il mentionne que;

« L'existence de Atlantis sera confirmée par
des archives provenant de trois points du globe ».
« Les animaux furent détruits par un déplacement
de l'axe des pôles » (lecture 5249-1).

Ces deux phrases significatives sont un bien mince extrait de plus de 2 000 lectures sur l'Atlantide du prophète. L'importance des lectures d'Edgar Cayce ne doit pas être sous-estimée. Khéops nous y réfère dans son testament pour le prochain millénaire, puisque la pensée prophétique égyptienne s'éteint après 2016.

This last bit of information is confirmed by the analysis of some magnificient funeral frescos of the Valley of the Kings. The design of a funeral fresco was the result of a very elaborate research by the royal scribes under the name of 'Masters of the Measure and the Number.' Consequently, the end result, meaningless at first glance, may contain a message of extreme importance.

A rigourous analysis may turn up a blend of 4 or 5 levels of messages. For the sake of demonstration, we have dissected masterpieces of particular interest in the present context. The thematic approach of the preceding chapters is required once more. Here is a full and complete translation of the hidden messages embedded within two funeral frescos of the grave of Pharaoh Sethi 1st, and the translation of a Maya disk little known up to this day.

Cette dernière information nous est d'ailleurs confirmée par l'analyse de magnifiques fresques funéraires de la Vallée des Rois. La conception d'une fresque funéraire royale était le fruit de recherches élaborées par les scribes royaux, désignés sous l'appellation « Maîtres de la Mesure et du Nombre ». Conséquemment, le résultat, anodin à première vue, peut contenir un message d'une importance capitale.

Une analyse rigoureuse nous révèle un amalgame de 4 ou 5 niveaux de messages. À titre de démonstration, nous avons disséqué des oeuvres, d'intérêt particulier, dans le présent contexte. Le format thématique des chapitres précédents s'impose donc à nouveau. Voici donc une traduction complète et intégrale de la symbolique cachée inhérente à deux fresques ornant le tombeau du pharaon Séthi 1er, ainsi que la traduction d'un disque maya peu connu jusqu'à ce jour.

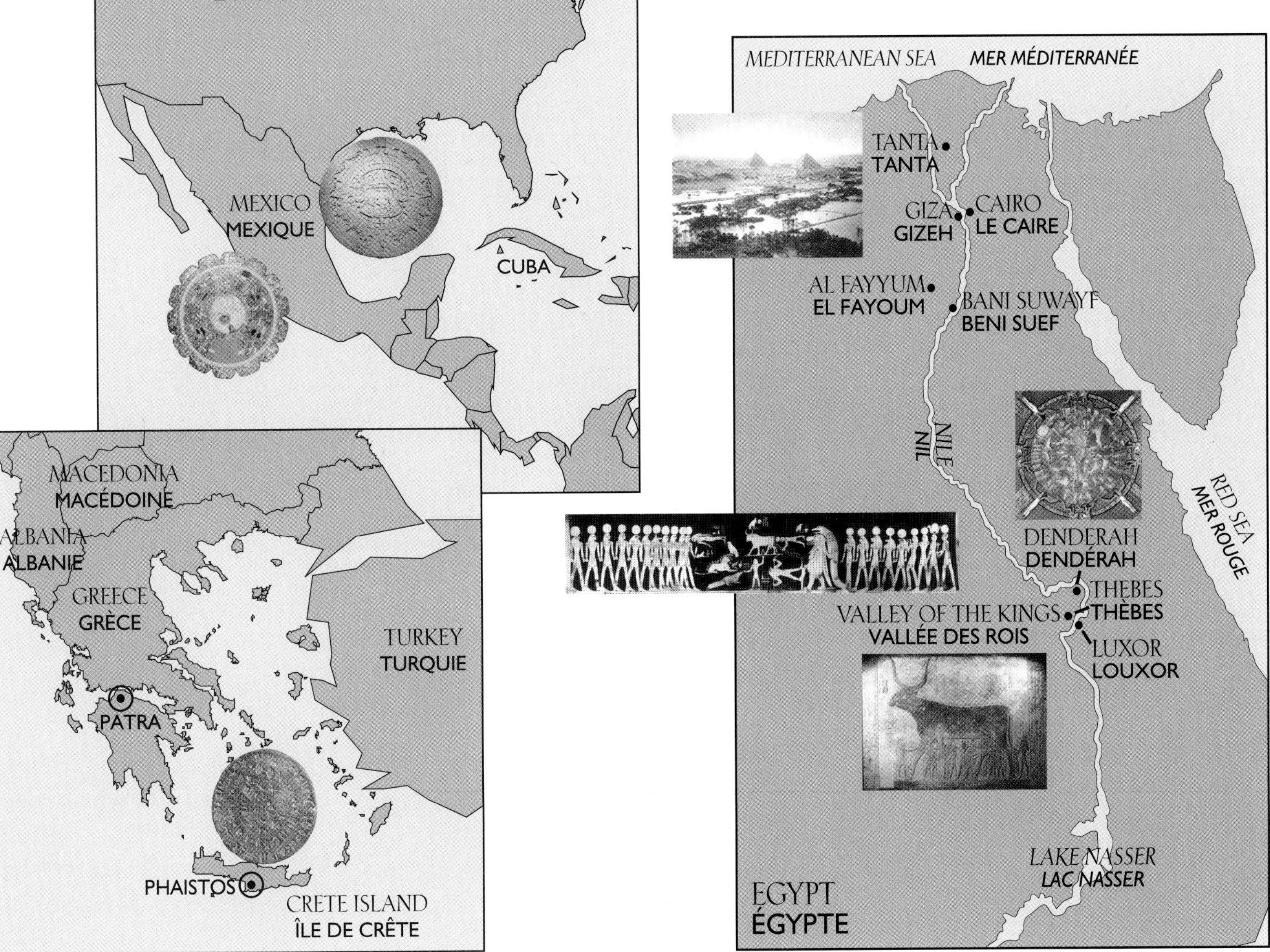

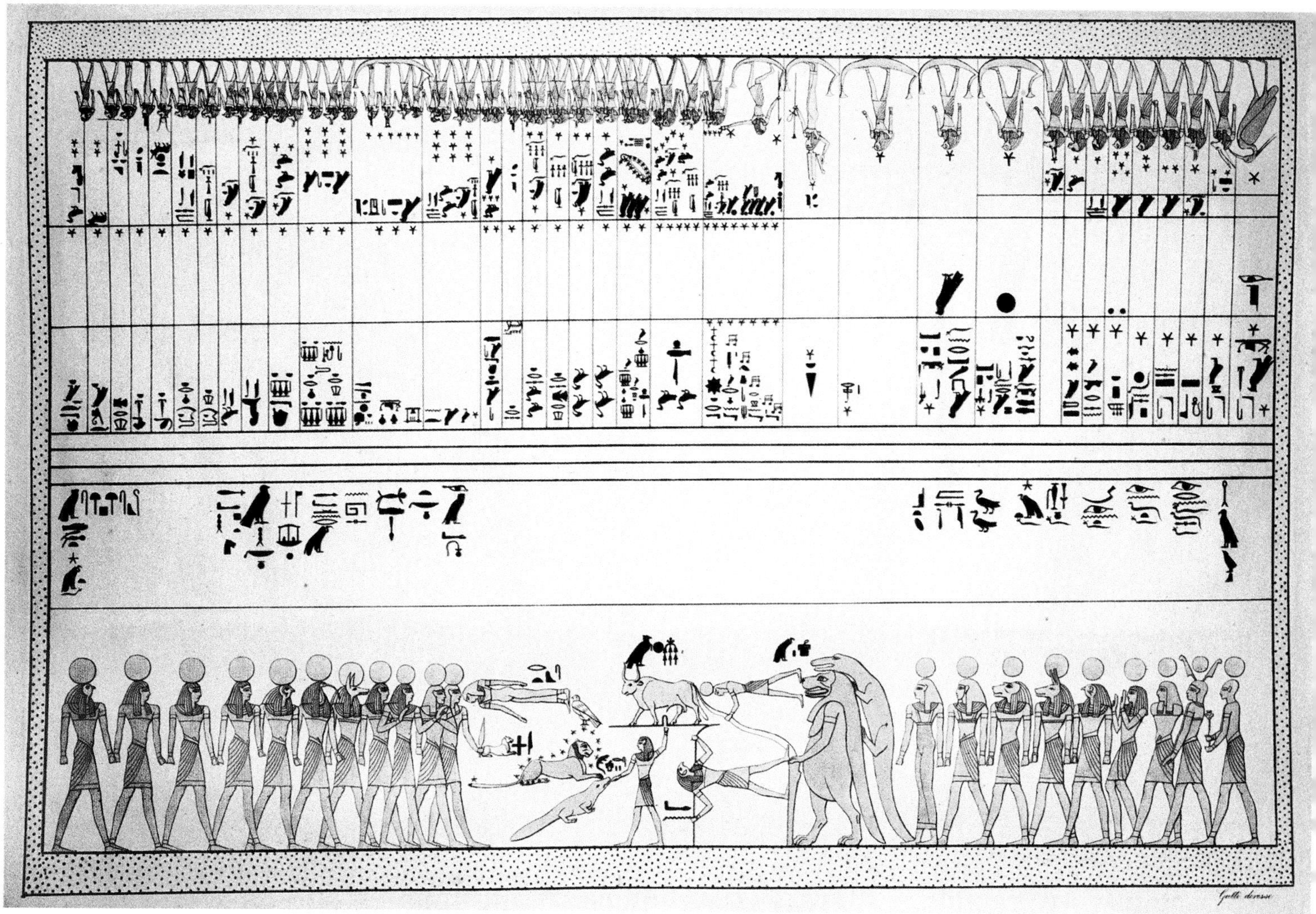

CEILING FRESCO IN THE TOMB OF SETHI 1ST
Water-colour by the archeologist Ippolito Rosellini in 1832.
© Photo by Henri Stierlin

FRESQUE AU PLAFOND DANS LA TOMBE DE SÉTHI 1ER
Aquarelle de l'archéologue Ippolito Rosellini en 1832.
© Photographie de Henri Stierlin

CEILING FRESCO IN THE TOMB OF SETHI 1ST
© Metropolitan Museum of Art
Photo by Harry Burton

FRESQUE AU PLAFOND DANS LA TOMBE DE SÉTHI 1ER
© Metropolitan Museum of Art
Photographie de Harry Burton

Fresco 1 / Fresque 1

The hieroglyphic symbols / Les symboles hiéroglyphiques

TIME
At the center of the fresco, we find a vulture, the sun and a symbol designed by the name of 'mis' in Egyptian hieroglyphics. The vulture is associated with death. The sun and the 'mis' are the renewal. We have translated them as: after many generations, a time will come where...

TEMPS
Au centre de la fresque, nous retrouvons le vautour, le soleil et un symbole désigné sous le nom de « mis » dans la hiéroglyphie égyptienne. Le vautour est associé à la mort. Le soleil et le « mis » sont la renaissance. Nous l'avons traduit par : « Après de nombreuses générations, le temps viendra où… »

WEST
On the left, we find a mouth: the symbol of speech and thought. The sunset under the mouth refers to the West. The image of a dune means 'take shape.' The scepter on the right means 'authority on the subject', 'sacred words' or 'achievement.' We have translated it as: 'When the sacred words of the West will be written and disclosed...'

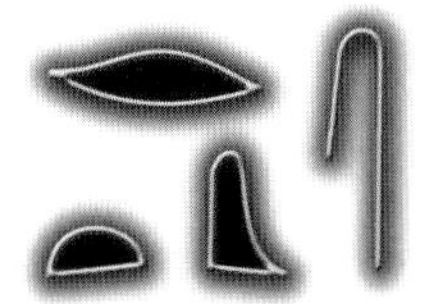

OCCIDENT
À gauche, nous retrouvons la bouche, symbole de la parole et de la pensée. Le soleil couchant sous la bouche réfère à l'Occident. Au centre, l'image d'une dune, se traduit par « prendre forme ». Le sceptre à droite prend la signification « d'autorité en la matière », « parole sacrée » ou « oeuvre achevée ». Nous l'avons traduit par : « Lorsque les paroles sacrées de l'Occident seront écrites et dévoilées… »

ORIENT
On the right we find a bird meaning a message. The bone refers to 'falling apart.' The table and the feather represents written messages, paintings and engravings. We have translated them as: 'The remains of the message from Orient (Egypt).'

ORIENT
À droite, nous retrouvons l'oiseau signifiant un message. L'os signifie 'en ruine' dans le contexte. La table et la plume symbolisent les écrits, gravures et peintures. Nous l'avons traduit par : « les vestiges du message de l'Orient (l'Égypte) ».

DIVINE WORK
At the bottom on the right, we find an arm representing work. The second symbol represents water and by extrapolation, creation. Together, the two symbols mean 'Work above the creation' translated as 'Divine work.'

TRAVAIL DIVIN
Vers le bas à droite, nous retrouvons un bras représentant le travail. Le second symbole représente l'eau et par extrapolation la création. Conjointement, les deux symboles signifient « un travail au-dessus de la création », traduit par « travail divin ».

FIRST MESSAGE

After many generations, a time will come where the sacred words of the West will be revealed and reunited with the messages from the Orient within a divine work.

PREMIER MESSAGE

Après de nombreuses générations, viendra un temps où les paroles sacrées de l'Occident seront dévoilées et réunies aux messages de l'Orient dans un travail divin.

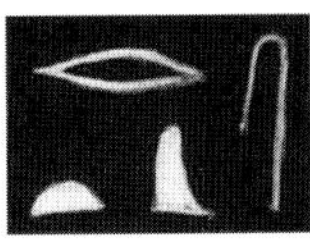

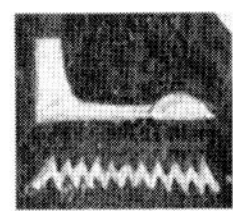

Fresco 1 / Fresque 1

The hieroglyphic symbols / Les symboles hiéroglyphiques

BOOK

On the left, eleven figures with the first one holding a feather represent the Gods of Atlantis. A feather, symbol of writing, means in the context: a book. They come from the part of the fresco reprensenting the West. We have translated it as 'From West will come a book.'

LIVRE

À gauche, les onze personnages, dont le premier porte une plume à la main, représentent les dieux de l'Atlantide. Une plume, symbole de l'écriture, signifie dans le contexte un livre. Les personnages proviennent de la partie de la fresque qui représente l'Ouest. Nous l'avons traduit par « De l'Occident viendra un livre ».

WRITING

In the center, we have the mouth, symbol of speech and thought. Under the mouth we find the number two. Adjacent, we find a table and a feather representing writing, and the scepter means 'realization.' We have translated it as 'Between thought and writing, two years will have gone by.'

ÉCRITURE

Au centre, nous avons la bouche, signifiant la parole ou la pensée. Sous la bouche se trouve le nombre deux. Adjacents nous retrouvons la table et la plume symbolisant un écrit, et le sceptre, traduit par « réalisation ». Nous obtenons : entre la pensée et l'écrit, deux ans se seront écoulés.

1999

The lion circled by 20 stars. Fourteen on the back, one at the tip of the tail and 5 on the paw. The left part of the number is 19 (20–1). The right part of the number is 4 paws x 5 fingers = 20 and 20 x 5 stars = 100 less the tail star = 99. So we obtain, for the year of the beginning: 1999. Our interpretation of the stars may seem far fetched. The following pages demonstrate that the star display contains many messages and that nothing is left to chance in the Egyptian frescos.

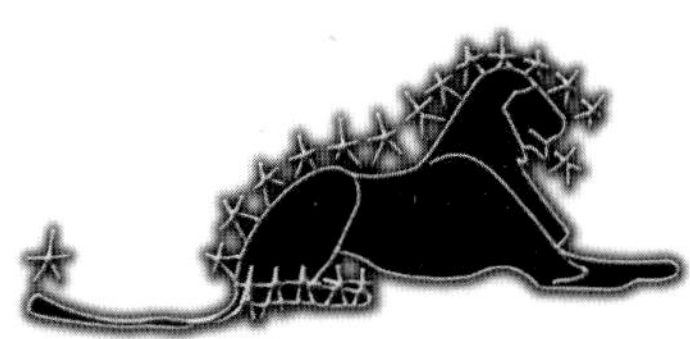

1999

Le lion entouré de 20 étoiles. 14 sur le dos, une à la pointe de la queue et 5 sur la patte. Donc le chiffre de gauche est 20 - 1 = 19. Le chiffre de droite est 4 pattes de 5 doigts = 20 et 20 x 5 étoiles = 100 moins l'étoile de la queue, donne 99. Pour l'année du début : 1999. Si notre interprétation des étoiles semble aléatoire, la suite démontre que l'agencement contient plusieurs messages et que rien n'est laissé au hasard dans les fresques égyptiennes.

2001

The second lion is shown in the shadow of the first one at a distance, with a feather and the + sign in front of him. So we obtain two lions + 1 = 2001. A second fresco will confirm the exactness of this statement

2001

Le deuxième lion est montré dans l'ombre du premier à une distance, en arrière-plan, avec une plume, accompagné du signe + devant lui. Nous obtenons donc deux lions + 1, soit 2001. Une seconde fresque confirmera l'exactitude de cette affirmation.

SECOND MESSAGE

From the West will come a book which will be produced between 1999 and 2001.

SECOND MESSAGE

De l'Occident viendra un livre dont la conception sera réalisée entre 1999 et 2001.

Fresco 1 / Fresque 1

The hieroglyphic symbols / Les symboles hiéroglyphiques

ATLANTIS

The march of the 11 figures represents the main gods of Atlantis coming from the left side of the fresco. The meeting of the Western population with the Oriental one takes the meaning of 'reunification of the two worlds.'

ATLANTIDE

La marche des 11 personnages représente les dieux principaux de l'Atlantide venant du côté gauche de la fresque. La rencontre du peuple de l'Orient avec celui de l'Occident signifie la « réunification des deux mondes ».

EGYPT

The march of the 11 figures represents the gods of Ancient Egypt coming from the right side of the fresco. Heading the group, Ptah the hippopotamus, is the highest divinity of Egypt. The general impression that transpires from the fresco is the one we observe at the end of a play or congratulations for the work well done. Also, some figures are shown applauding on both sides of the image.

ÉGYPTE

La marche des 11 personnages représente les dieux de l'Égypte ancienne venant du côté droit de la fresque. En tête, Ptah, l'hippopotame qui est la divinité principale de l'Égypte. L'impression générale dégagée par la fresque est celle que nous observons à la fin d'une pièce de théâtre. Soit les félicitations pour le travail accompli. D'ailleurs, certains personnages sont montrés applaudissant des deux côtés de l'image,

THIRD MESSAGE

This book will reunite the Oriental and the Western worlds.

TROISIÈME MESSAGE

Ce livre réunira les deux mondes de l'Orient et de l'Occident.

Fresco 1 / Fresque 1

The hieroglyphic symbols / Les symboles hiéroglyphiques

PTAH

Ptah the creator is the one who causes all the major events. He guides the march of men and Gods. He is also represented as the central figure of Denderah's Zodiac.

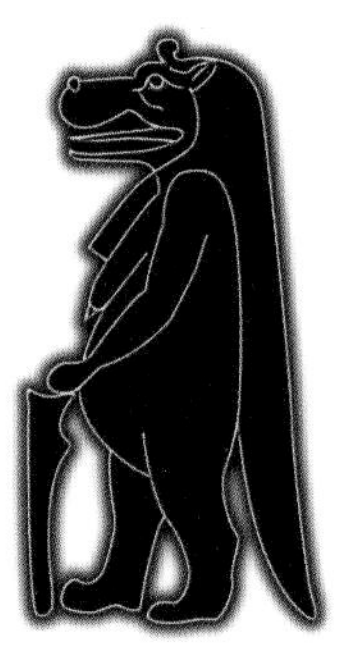

PTAH

Ptah le créateur est celui qui engendre tous les grands événements. Il guide la marche des hommes et des Dieux. Il est également représenté comme le personnage central dans le Zodiaque de Dendérah.

CROCODILE

The crocodile represents the second nature of Ptah. The precise meaning is 'the one who makes a decision and judgement.' Extrapolated, the meaning becomes 'The one who witnesses the course of history and records historical events (scribes writers and painters).

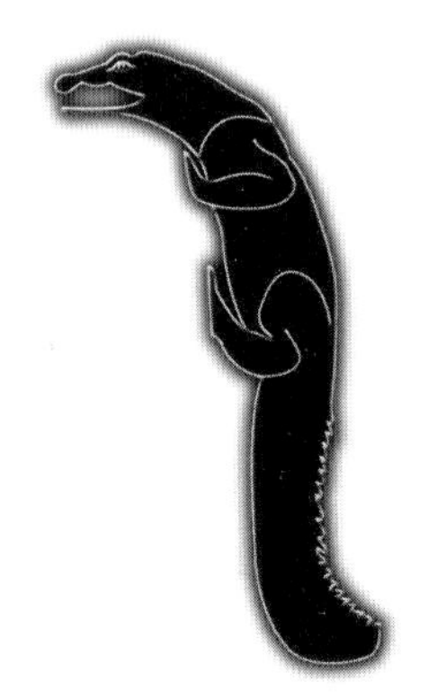

CROCODILE

Le crocodile représente la seconde nature de Ptah.
Le sens précis est : « celui qui décide ou juge ». Extrapolée, la signification devient « celui qui voit le cours de l'histoire et enregistre les événements historiques » (scribes, écrivains, peintres).

KNOWLEDGE

Apis the ox, represents the accomplishement of the work and research that travels from East to West. The literal translation would be knowledge, and ultimately, divine science.

CONNAISSANCE

Le taureau Apis représente l'accomplissement du travail de recherche, qui se déplace de l'Est à l'Ouest. La traduction littérale serait la connaissance, et ultimement, la science divine.

FOURTH MESSAGE

The divine spirit (spirit of research) will move from East to West.

QUATRIÈME MESSAGE

L'esprit divin (ou l'esprit de la recherche) se déplacera de l'Est à l'Ouest.

Fresco 1 / Fresque 1

The hieroglyphic symbols / Les symboles hiéroglyphiques

AUTHOR

The author was born under the astrological sign of the Lion and represented as such. We have great difficulty understanding how the authors of this prophetic fresco have reached such a degree of precision over many milleniums.

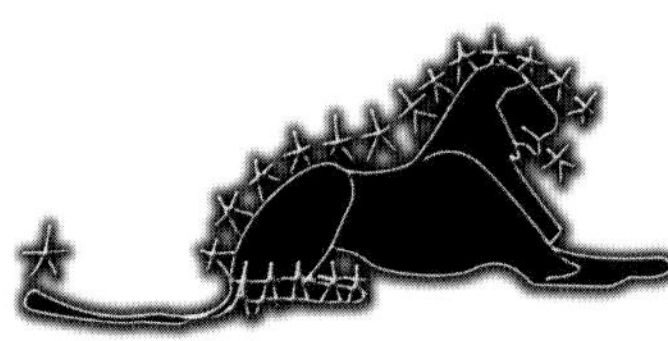

L'AUTEUR

L'auteur est né sous le signe astrologique du lion et est représenté comme tel. Nous comprenons difficilement comment les auteurs de cette fresque prophétique ont pu atteindre un tel degré de précision sur plusieurs millénaires.

CROCODILES

There are two crocodiles: one male and one female (smaller, very facinated by the book). A crocodile works with its eyes and jumps out of the water to catch its prey. In our context, they refer to the photographers working together in their studio catching images in a flash.

CROCODILES

Deux crocodiles, mâle et femelle (plus petite, et fascinée par l'ouvrage). Un crocodile travaille avec ses yeux et bondit hors de l'eau pour capturer sa proie. Dans notre contexte, ils réfèrent à nos deux photographes travaillant ensemble dans leur studio, saisissant les images en un éclair.

LIBRARIAN

A librarian has considerably helped the author. Shown in the shadow of the lion with a feather preceded by the + sign, meaning many books. Therefore, a librarian.

LIBRAIRE

Un libraire a considérablement aidé l'auteur dans ses recherches. Montré dans l'ombre du lion avec une plume, précédée du signe +, signifiant plusieurs livres, donc un libraire.

SECRETARY (SCRIPT?)

The person who transcribes the text is the secretary or script. The raised hand, causing a little bump in the rope overhead, may refer to the problems we have encountered in the making of this book.

SECRÉTAIRE (SCRIPTE ?)

La personne qui transcrit les textes, est la secrétaire ou le scripte. La main levée causant la petite bosse dans la corde au-dessus de sa tête réfère aux problèmes que nous avons eus durant la réalisation de ce livre.

FIFTH MESSAGE

The preceding page describes 5 of the 9 persons who participated in the making of this book. The remaining 4 are described on the next page.

CINQUIÈME MESSAGE

La page précédente décrit 5 des 9 personnes qui ont participé à la réalisation de ce livre. Les 4 autres sont décrits à la page suivante.

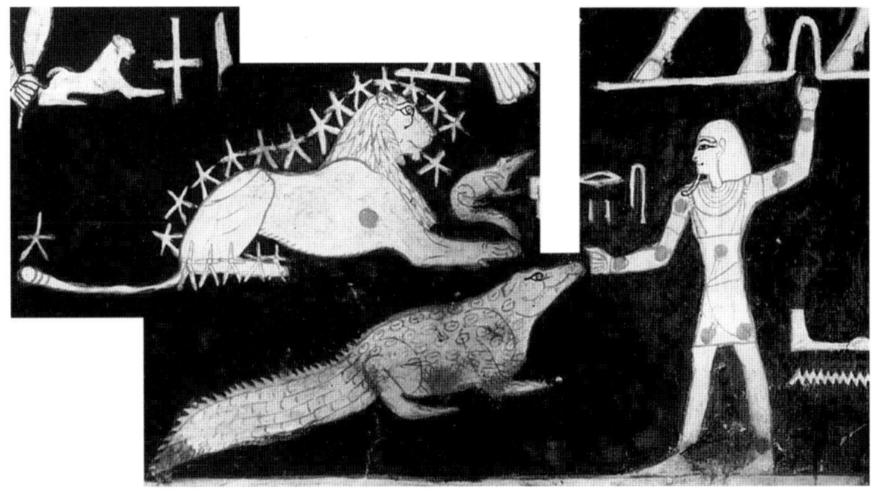

Fresco 1 / Fresque 1

The hieroglyphic symbols / Les symboles hiéroglyphiques

EDITOR
The editor is represented as a falcon holding a tight rope, meaning that she does not make compromises on quality. I take this occasion to express my gratefullness to her. Without her intuition, this Egyptian fresco would not have been part of this book. Because at her request, I searched the little something that seemed to be missing to finalize the work.

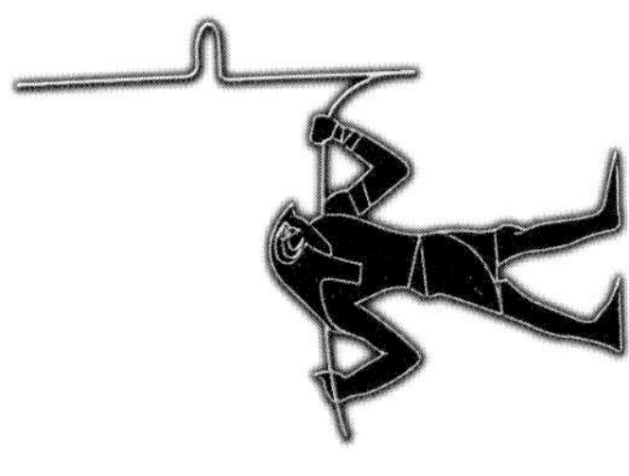

ÉDITEUR
L'éditrice représentée en faucon tenant une corde raide, signifiant qu'elle n'accepte aucun compromis au point de vue de la qualité. Je profite de l'occasion pour la remercier. Sans son intuition, cette fresque égyptienne n'aurait pas fait partie du livre. Puisqu'à sa demande, j'ai cherché ce petit quelque chose qui semblait manquer pour finaliser le travail.

GRAPHIC DESIGNER
The person who weaves the thread becomes in the present context a graphic designer. Through highly skilled computer manipulations, she was able to isolate each of the symbols and reproduce them to help the understanding of the text.

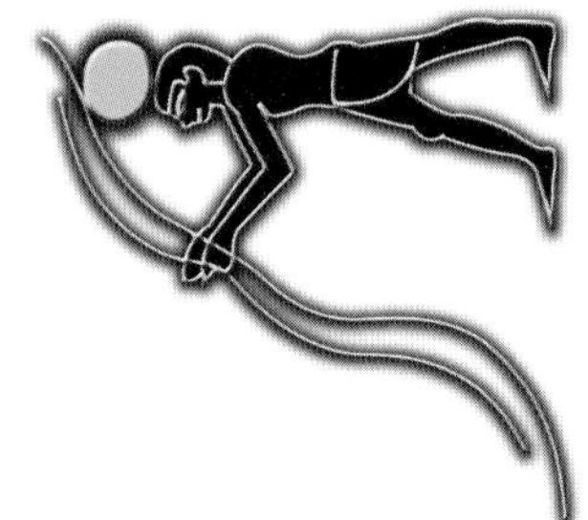

GRAPHISTE
La personne qui tisse le fil, devient donc, dans le présent contexte, la graphiste. Grâce à de savantes manipulations informatiques, elle a réussi à isoler chacun des symboles et les reproduire, facilitant ainsi la compréhension du texte.

PUBLIC AFFAIRS
The eagle represents our public affairs consultant. She made sure that we got all the rights of reproduction for photos and texts coming from all parts of the world, like an eagle bringing back a fish in its claws. Organizing meetings and international communications were part of her daily duties.

RELATIONNISTE
L'aigle représente notre relationniste. Elle s'assurait que nous obtenions les droits de reproduction pour les textes et photos, de partout dans le monde, tel un aigle ramenant un poisson entre ses pattes. L'organisation de rendez-vous et les communications internationales étaient la charge quotidienne de son travail.

TRANSLATOR
The person who moves from one world to the other is a translator in the present context. The translation of ancient texts is not exactly an easy routine job for anyone to achieve.

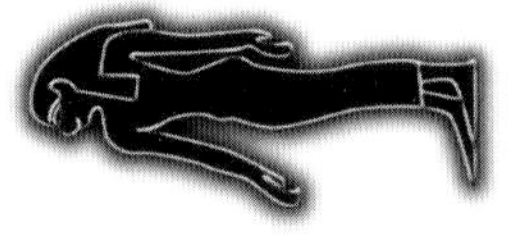

TRADUCTRICE
La personne qui va d'un monde à l'autre représente une traductrice dans le présent contexte. La traduction de textes anciens n'est pas exactement un travail facile et routinier à la portée de tous.

FIFTH MESSAGE

The masterpiece will be the result of the combined efforts of 9 persons.

CINQUIÈME MESSAGE

L'oeuvre sera le résultat du travail combiné de 9 personnes.

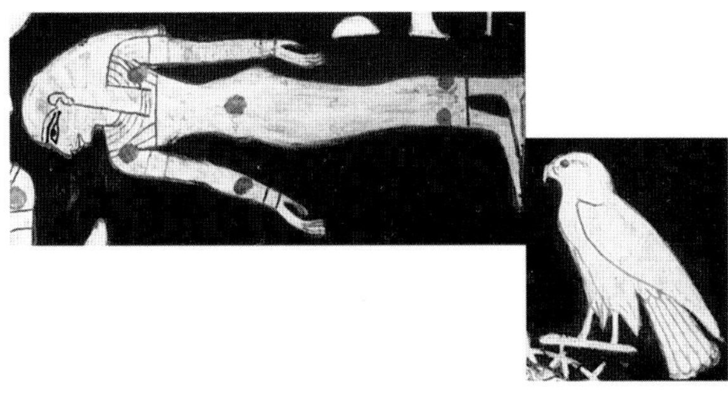

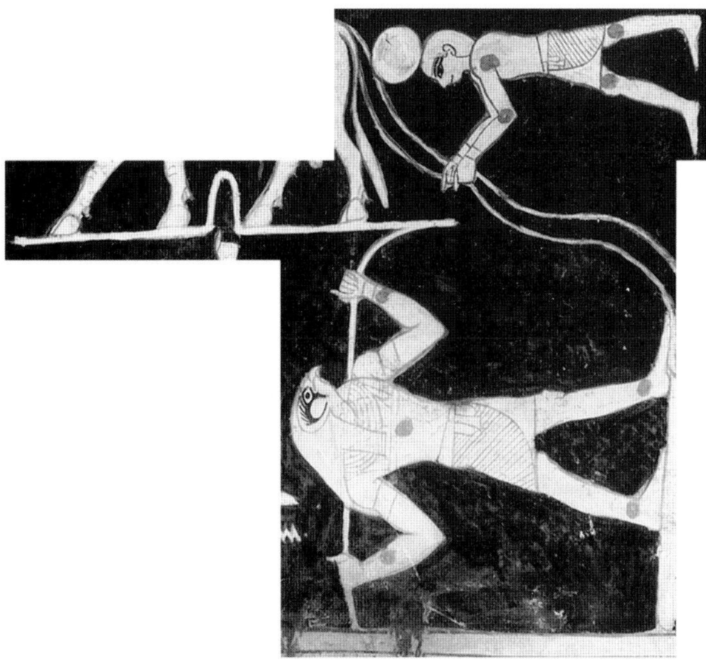

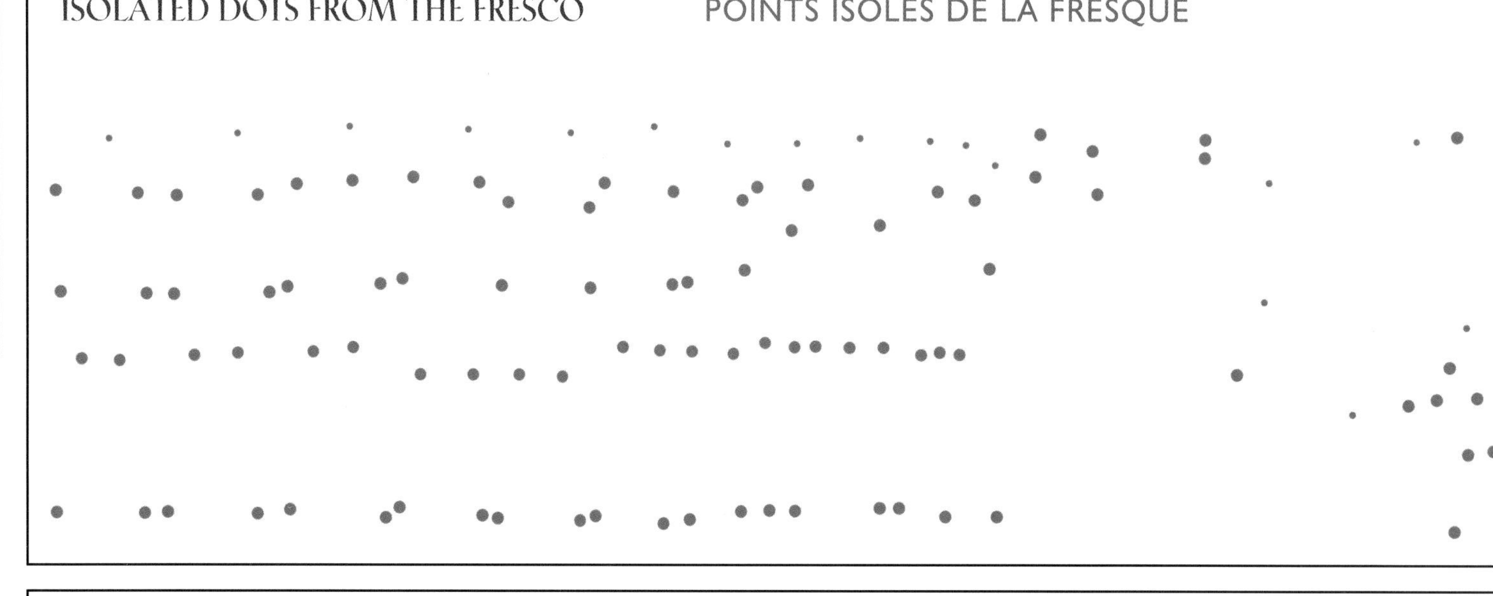
ISOLATED DOTS FROM THE FRESCO
POINTS ISOLÉS DE LA FRESQUE

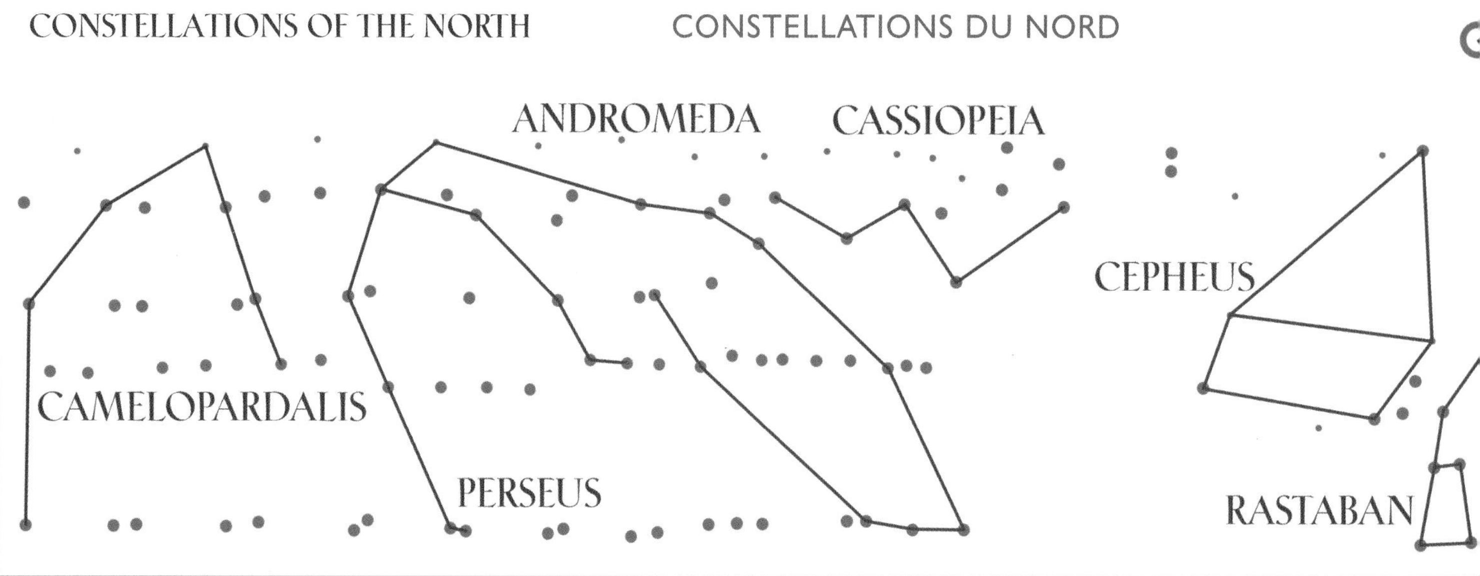
CONSTELLATIONS OF THE NORTH
CONSTELLATIONS DU NORD
ANDROMEDA
CASSIOPEIA
CEPHEUS
CAMELOPARDALIS
PERSEUS
RASTABAN

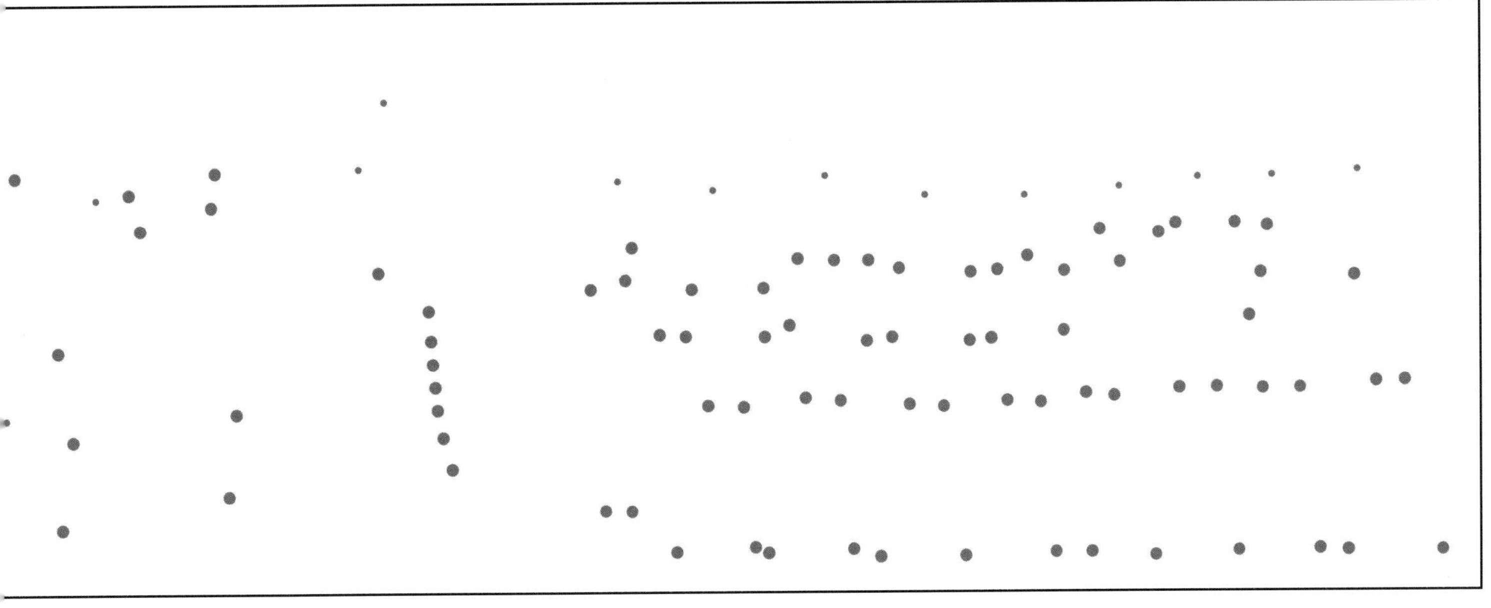

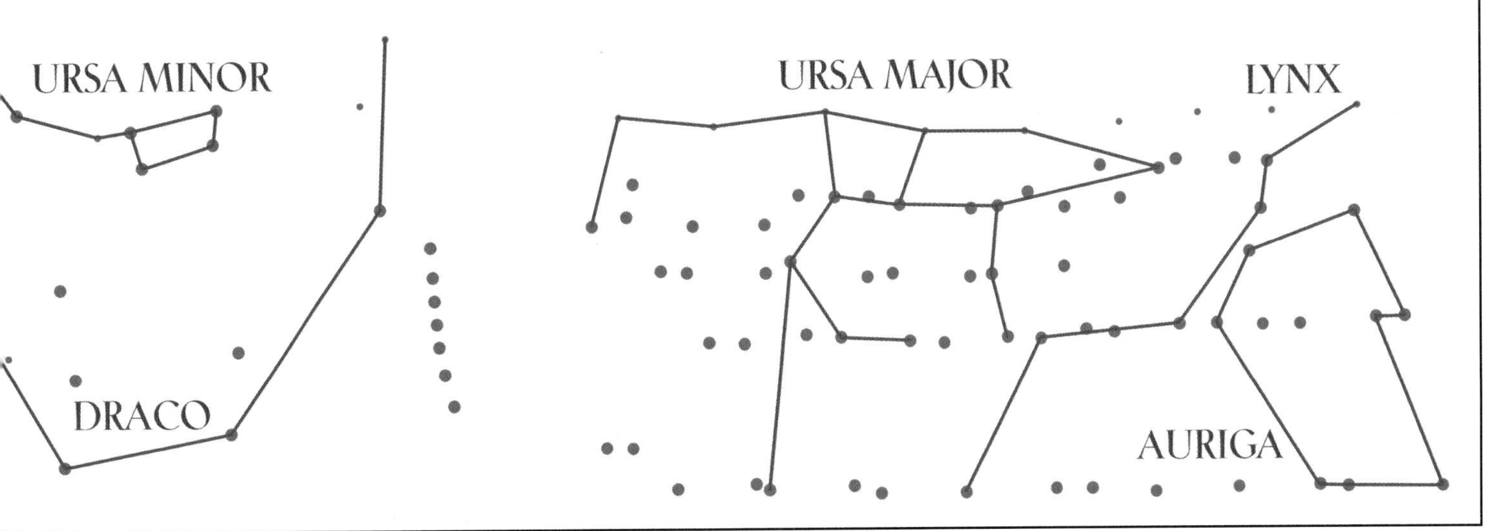
URSA MINOR
DRACO
URSA MAJOR
LYNX
AURIGA

Fresco 1 / Fresque 1

The hieroglyphic symbols / Les symboles hiéroglyphiques

DOTS

The extraction of the dots covering the figures allows us to unveil the hidden message. The image shows dots at various places on the figures. If we isolate them and the eyes of the figures, it becomes possible to trace star constellations. The representation of the constellations varies slightly among the consulted reference books. Certain stars are not found on the linear drawing of the constellations.

POINTS

L'extraction des points couvrant les personnages nous permet de dévoiler le message caché. L'image nous montre des points à différents endroits sur les personnages. Si nous isolons les points ainsi que les yeux des personnages, il devient alors possible de tracer des constellations d'étoiles. La présentation des constellations varie légèrement selon les ouvrages consultés. Certaines étoiles ne se retrouvent pas sur le tracé linéaire des constellations.

RIGHT SIDE

The constellations belong to the northern hemisphere. We find Ursa Minor in the center, where the last star of the tip is the Northern Polar Star.

CÔTÉ DROIT

Les constellations que nous obtenons appartiennent à l'hémisphère Nord. Au centre se trouve Ursa Minor, dont la dernière étoile de la pointe est l'étoile polaire du Nord.

LEFT SIDE

The constellations also belong to the northern hemisphere. If we link them to the right side, the constelations of the northern hemisphere would be reunited.

CÔTÉ GAUCHE

Les constellations que nous obtenons appartiennent également à l'hémisphère Nord. Si on les joint au côté droit, toutes les constellations au-dessus de la calotte polaire arctique sont réunies.

CEPHEUS CONSTELLATION

The stars outlining the Lion represent a unit of measure . We obtain 13 degrees west (14 stars – 1) and 4 degrees south (5 stars – 1). In the image of the constellation, the front part of the lion looking to the West, is an egyptian hieroglyphic symbol of Atlantis. Finally, the table with the feather is the central point of the fresco. It would be the location of Atlantis.

CONSTELLATION DE CEPHEUS

Les étoiles contournant le Lion représentent une unité de mesure. Nous obtenons donc 13 degrés Ouest (14 étoiles - 1) et 4 degrés Sud (5 étoiles - 1). Dans l'image de la constellation apparaît la partie avant du lion qui regarde vers l'Ouest, symbole hiéoglyphique égyptien de l'Atlantide. Finalement, la table où repose la plume est la pièce centrale de la fresque. Celle-ci serait l'emplacement de l'Atlantide.

SIXTH MESSAGE

For more precision, we have indicated an astronomical position in the constellation of Cepheus that shall guide you to the first heart (Atlantis).

SIXIÈME MESSAGE

Pour une plus grande précision, nous vous présentons une position astronomique dans la constellation de Cepheus, qui vous guidera vers le premier coeur (Atlantide).

Fresco 2 / Fresque 2

THE SACRED OX

This second fresco of the grave of Sethi 1st restates the same message in a different way. The nine persons are shown under 'Apis' the sacred ox representing knowledge, fruit of hard labor.

LE TAUREAU SACRÉ

Cette seconde fresque du tombeau de Séthi Ier reprend le même message avec une représentation différente. Les neuf personnages sont montrés sous le taureau sacré « Apis », représentant la connaissance fruit d'une somme de travail ardu.

APIS THE SACRED OX
© Photo by Frank Teichmann

'I called it the Apis or Ox's room because we found an embalmed ox covered with asphalt.'

Giambattista Belzoni
Discoverer of the grave of Sethi 1st .

APIS LE TAUREAU SACRÉ
© Photographie de Frank Teichmann

« Je l'appelai la salle d'Apis ou du taureau, parce que nous y avons trouvé un taureau embaumé avec de l'asphalte. »

Giambattista Belzoni
Découvreur du tombeau de Séthi Ier.

Fresco 2 / Fresque 2

The hieroglyphic symbols / Les symboles hiéroglyphiques

HEARTS

We do remember that Egypt signifies 'Second Heart of God.' Atlantis is the 'First heart of God.' The three hearts mean the reunification of three civilizations if we include the South American civilizations (Mayas, Aztecs and Incas).

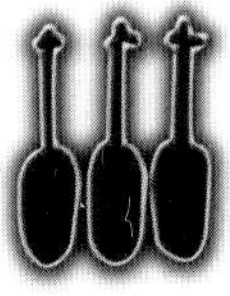

COEURS

Nous nous rappelons que Égypte signifie « second Coeur de Dieu ». L'Atlantide est le « premier Coeur de Dieu ». Les trois coeurs signifient la réunion de 3 civilisations, si nous ajoutons les civilisations sud-américaines (Mayas, Aztèques et Incas).

DATE

The meaning of the pictogram is year one of the third millenium that is 2001.
The landed bird means that the book will be finished at that time. A feather was used to write. Therefore, a group of feathers represented by a bird becomes a book.

DATE

La signification de ce pictogramme est l'an un du 3e millénaire, soit 2001. L'oiseau posé réfère au fait que le livre sera terminé à ce moment. Une plume était utilisée pour écrire. Ainsi, un regroupement de plumes représenté par un oiseau devient donc un livre.

STARS

Thirteen stars or rather 12 apparent stars and one hidden. The symbol may refer to many measures. Possibly 12 000 years, 12 hours, or 12 degrees from East to West... The thirteenth star is in the sacred boat, where the two hearts lie. It implies a measure of thirteen degrees west. (4° south would be the legs of the ox)

ÉTOILES

13 étoiles ou plutôt 12 apparentes et une cachée. La symbolique peut signifier plusieurs mesures. Soit, 12 000 ans, 12 heures ou 12 degrés de l'Est à l'Ouest. La treizième étoile est dans la barque sacrée, où sont déposés les deux coeurs. Ceci nous laisse supposer qu'il s'agirait d'une mesure de 13 degrés Ouest. (4° Sud serait les pattes du taureau).

BOATS

The sacred boat on the right shows a pharaoh in his coffin. This symbol refers to a departure from Egypt where pharaoes no longer rule. The second sacred boat on the left takes the meaning of a renewal in the West. If we refer to the lion in the fresco, the meaning becomes 13° west of the Nile River, 4° south of the North Pole.

BATEAUX

La barque sacrée à droite nous montre un pharaon dans son cercueuil. Ce symbole se rapporte donc au départ de l'Égypte où les pharaons n'existent plus. La seconde barque sacrée à gauche prend alors la signification d'une renaissance à l'Ouest. Si nous nous référons au lion de la fresque. La signification devient 13° à l'ouest du Nil et 4° au sud du pôle Nord.

MESSAGE

Three hearts (civilizations) will be reunited on year one of the third millenium. Atlantis (the hidden heart) will be found when the location of the constellation of Cepheus will be transposed in Earth's coordinates.

MESSAGE

Trois coeurs (civilisations) seront réunis en l'an un du troisième millénaire. L'Atlantide (le coeur caché) sera retrouvée lorsque l'emplacement de la constellation de Cepheus sera transposée en coordonnées terrestres.

Atlantis's location

Did the Egyptians use the old 260° (Aztec) mesure for the circumference or the actual system of 360° (point A)? I believe they have converted the historic data to the 360° system. Is a precise measurement necessary since the capital of Atlantis, in my opinion, must be the size of New York?

Converting the data from the 260° measurement to 360°, we obtain 18° west and 6° south (point B). If they were able to vision a book 3 000 years in the future, they may as well have seen that we would use the Greenwich Meridian System (point C). Although unlikely, every possibility must be analysed.

The location of Atlantis in the Cepheus constellation is its position prior to the cataclysm which caused its disappearance.

At this point, we must explain the base of the Egyptian astronomy. The Egyptians divided the cosmos in two principal categories: the fixed ones being the stars, and the moving ones being the planets of our solar system.

Earth's rotation causes the impression of movement of the constellations. So, if Atlantis was at a given point under the constellation of Cepheus when the northern polar cap was over Hudson Bay, we can state that the distance between Atlantis and Hudson Bay has remained the same, following the displacement of Earth's rotation axis.

For example, on July 9, 2001 at 3:28 a.m. the constellation of Cepheus was directly over Hudson Bay.

This confirms that the distance travelled by the polar cap is equal to the distance between Hudson Bay and the actual polar axis. Consequently the Island of Atlantis has travelled the same distance to end up under the nothern polar cap as indicated by the fresco's coordinates.

This analysis may seem far fetched and subject to various interpretations, but we hold one last element to support our statements: the Maya Disk.

L'emplacement de l'Atlantide

Est-ce que les Égyptiens utilisaient l'ancienne méthode par circonférence de 260° (Aztèque) ou le système actuel à 360° (point A) ? Je crois qu'ils ont converti les données historiques au système à 360°. Une mesure précise est-elle nécessaire puisque la capitale de l'Atlantide doit avoir la dimension de la ville de New York à mon humble avis ?

Convertissant les données du système de 260° à 360°, nous obtenons 18° Ouest et 6° Sud (point B). S'ils avaient la capacité de visionner un livre 3 000 ans plus tard, ils auraient aussi bien été capables de voir que nous utiliserions le système basé sur le Méridien de Greenwich (point C). Bien qu'improbable, toute possibilité doit être analysée. La localisation de l'Atlantide dans la constellation de Cepheus est sa position avant le cataclysme ayant engendré sa disparition.

À ce stade, il est nécessaire d'expliquer les bases de l'astronomie égyptienne. Les Égyptiens divisaient les éléments du cosmos en deux catégories principales : les fixes étant les étoiles, et les errantes étant les planètes de notre système solaire.

La rotation de la Terre engendre une impression de déplacement des constellations. Ainsi, si l'Atlantide se trouvait à un moment determiné sous la constellation de Cepheus, alors que le cap polaire nordique couvrait la baie d'Hudson, nous conviendrons que la distance entre l'Atlantide et la Baie d'Hudson est demeurée la même suite au déplacement de l'axe de la rotation terrestre.

À titre d'exemple, le 9 juillet 2001 à 3h28, la constellation de Cepheus a été directement au-dessus de la Baie d'Hudson.

Ceci nous confirme que la distance parcourue par le cap polaire est égale à la distance entre la Baie d'Hudson et l'axe polaire actuel. Conséquemment, l'île de l'Atlantide a parcouru la même distance pour se retrouver sous le cap polaire nordique selon les coordonnées apparaissant sur la fresque.

Cette analyse peut vous sembler aléatoire et sujette à interprétation. Nous disposons d'un dernier élément à l'appui de nos affirmations : le disque maya.

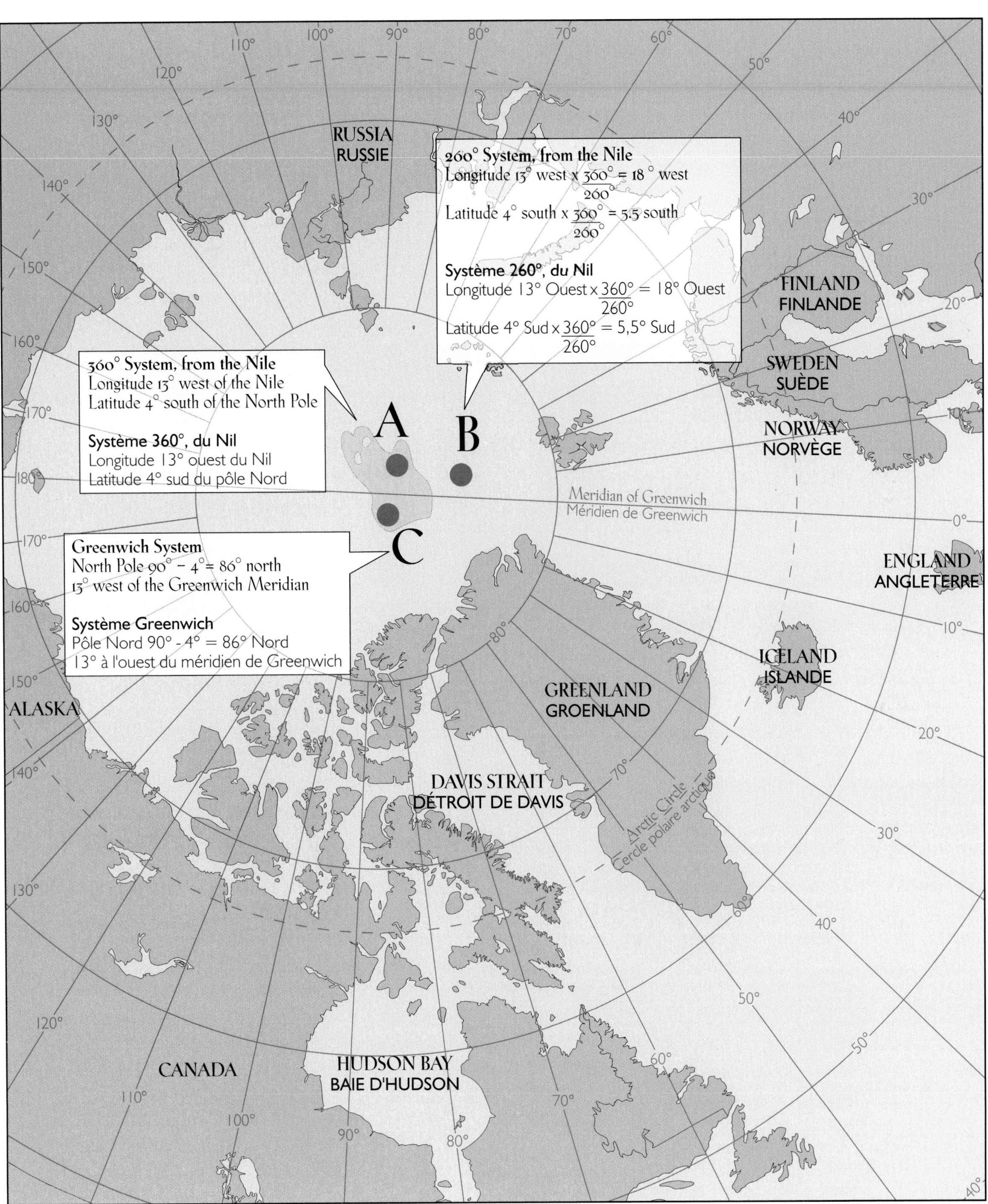

RUSSIA
RUSSIE
260° System, from the Nile
Longitude 13° west x 360° / 260° = 18 ° west
Latitude 4° south x 360° / 260° = 5.5 south
Système 260°, du Nil
Longitude 13° Ouest x 360° / 260° = 18° Ouest
Latitude 4° Sud x 360° / 260° = 5,5° Sud
360° System, from the Nile
Longitude 13° west of the Nile
Latitude 4° south of the North Pole
Système 360°, du Nil
Longitude 13° ouest du Nil
Latitude 4° sud du pôle Nord
A
B
C
Greenwich System
North Pole 90° − 4° = 86° north
13° west of the Greenwich Meridian
Système Greenwich
Pôle Nord 90° - 4° = 86° Nord
13° à l'ouest du méridien de Greenwich
Meridian of Greenwich
Méridien de Greenwich
FINLAND
FINLANDE
SWEDEN
SUÈDE
NORWAY
NORVÈGE
ENGLAND
ANGLETERRE
ICELAND
ISLANDE
GREENLAND
GROENLAND
ALASKA
DAVIS STRAIT
DÉTROIT DE DAVIS
Arctic Circle
Cercle polaire arctique
CANADA
HUDSON BAY
BAIE D'HUDSON

The Maya Disk

At first glance the disk is a mosaic shaped like a sunflower, which seems to lead us in the direction (or road) of an unknown place. But now, the keen archeologist you have become, has recognized Cepheus positioned to indicate the direction of the Earth's axis last move . The black dot in the center is Ath–mer, capital of Atlantis, as well as the island where it was prior to being covered by ice. Still in the center but below Cepheus, we find the nordic tip of Greenland.

Finally, dear readers, we can accurately state that the Greenwich coordinates of Atlantis' capital are in longitude 13° west and in latitude 86° north (equivalent to 4° south of the North Pole). So the point C on the map on page 235 seems to be the right location as represented on the Maya Disk.

At last, we have to answer the following question.

What is the meaning of Atlantis?

- It is 40 000 years of civilization, while Egypt is 8 000 years old.
- It is an estimated population of 50 million individuals of which the majority died when the cataclysm occured.
- It is Earth's first civilization preserved under the ice, which is the equivalent of finding Egypt in mint condition in Ramses's time, with all its monuments.
- **It is a dream come true and Plato can sleep now.**

We thought of leaving the deciphering of the Maya Disk to the readers as a practical exercise, but we could not find one person to confirm that it is a good idea. Therefore the solution is on the following pages.

Le disque maya

À première vue, le disque est une mosaïque en forme de fleur de tournesol, qui semble vouloir nous indiquer une direction (une route) vers un endroit inconnu ! Mais, maintenant devenu archéologue avisé, vous avez reconnu Cepheus, nous indiquant la direction du dernier déplacement de l'axe terrestre. Le point noir au centre c'est Ath-mer, capitale de l'Atlantide, ainsi que l'île sur laquelle elle se trouvait avant d'être couverte par les glaces. Toujours au centre, mais à l'extérieur de Cepheus, nous retrouvons la pointe nordique du Groenland.

Finalement, chers lecteurs, nous pouvons affirmer avec certitude que les coordonnées Greenwich de la capitale de l'Atlantide sont, longitude 13° Ouest et latitude 86° Nord (équivalent à 4° au sud du pôle Nord). Donc, le point C de la carte à la page 235 semble être la bonne localisation selon la représentation du disque maya.

En terminant, nous devons répondre à la question suivante.

Que signifie Atlantide ?

- C'est 40 000 ans de civilisation alors que l'Égypte représente 8 000 ans.
- C'est une population estimée à 50 millions de personnes qui a majoritairement péri lors du cataclysme.
- C'est la première civilisation de la Terre préservée sous les glaces. Ce qui équivaudrait à retrouver l'Egypte intacte au temps de Ramsès, avec tous ses monuments.
- **C'est un rêve devenu réalité et Platon peut maintenant dormir.**

Nous pensions laisser aux lecteurs le déchiffrement du disque maya, à titre d'exercice pratique. N'ayant trouvé personne pour confirmer que c'est une bonne idée, vous trouverez la solution aux pages suivantes.

THE MAYA DISK
Found in a round limestone box in the temple of the Chac Mool, buried inside the pyramid supporting the Temple of the Warriors.

© Instituto Nacional de Antropologia e Historia, Mexico
Photo by Javier Hinojosa

LE DISQUE MAYA
Trouvé dans un contenant rond en pierre calcaire, dans le temple de Chac Mool à l'intérieur de la pyramide soutenant le Temple des Guerriers.
© Instituto Nacional de Antropologia e Historia, Mexico
Photographie de Javier Hinojosa

The Maya Disk / Le disque maya

The symbols / Les symboles

COLOURS
Each colour has a specific meaning on the disk. Therefore, it is an important key to achieve a complete deciphering of the disk. We are already familiar with many of the symbols on this disk, but the artistic interpretation may make them more difficult to see. An example is that the eye and the central point are both coloured red, meaning a place that can be seen.

COULEURS
Chaque couleur a une signification spécifique sur le disque. Ainsi l'interprétation des couleurs est la clé pour arriver à le déchiffrer complètement. Nous sommes déja familiers avec plusieurs des symboles sur ce disque, cependant l'interprétation artistique les rend moins évidents à première vue. À titre d'exemple, l'oeil et le point central sont de couleur rouge, signifiant un lieu qui peut être vu.

UNIVERSE
The universe is represented by the colour red. We do remember that a circle is a location. So we can assume that the red spot in the center is Atlantis. The red outline tells us that the whole disk refers to the universe of Atlantis. The 4 red eyes refer to a place that can be seen and it may also express sadness because of its disappearance.

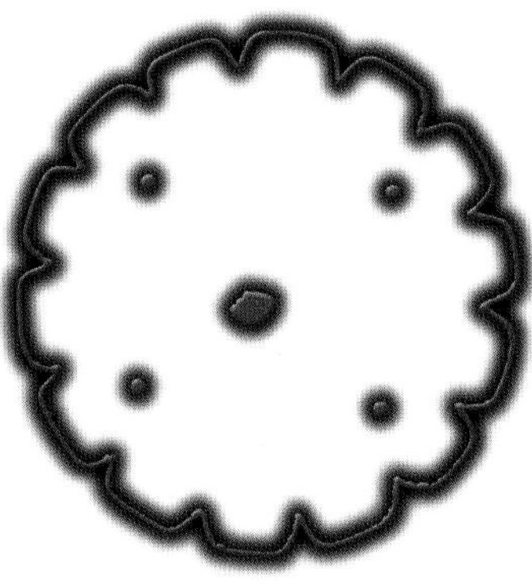

UNIVERS
L'univers est représenté par la couleur rouge. Nous nous souvenons qu'un cercle est une localisation. Avec cette connaissance nous pouvons affirmer que le point rouge central est l'Atlantide. La ligne de contour rouge nous dit que tout l'univers du disque se réfère à l'Atlantide. Les 4 yeux rouges signifient un endroit qui peut être vu et peut également exprimer la tristesse de sa disparition.

CARDINAL POINTS
The cardinal points are represented by 4 opposite heads with red eyes. They will be used later on to determine a geographical location. The global image represents a sunflower with whiter petals at the top to indicate the north. The feathers flattened backward take the meaning of 'ancient times' a long time ago, behind us, as the time pictogram on the Disk of Phaistos.

POINTS CARDINAUX
Les points cardinaux sont représentés par 4 têtes opposées avec des yeux rouges. Elles nous serviront plus loin à établir une localisation géographique. L'aspect global représente une fleur de tournesol dont les pétales supérieures blanchies indiquent le Nord. Les plumes couchées vers l'arrière prennent la signification de « temps anciens », reculés ou derrière nous, comme la crête du personnage représentant le temps dans le disque de Phaistos.

CEPHEUS CONSTELLATION
The 8 opposite strips refer to a spatial direction, exactly as the compasses on the Aztec disk. The beige circle and strokes on the strips lead the reference to the center with its house like shape of Cepheus's constellation. It is pointing to the southwest direction.

CONSTELLATION DE CEPHEUS
Les 8 bandes opposées réfèrent à une direction spatiale comme les compas du calendrier aztèque. Le cercle et les traits beiges sur les bandes dirigent la référence vers le centre où nous retrouvons la constellation de Cepheus en forme de maison. Elle pointe vers le Sud-Ouest.

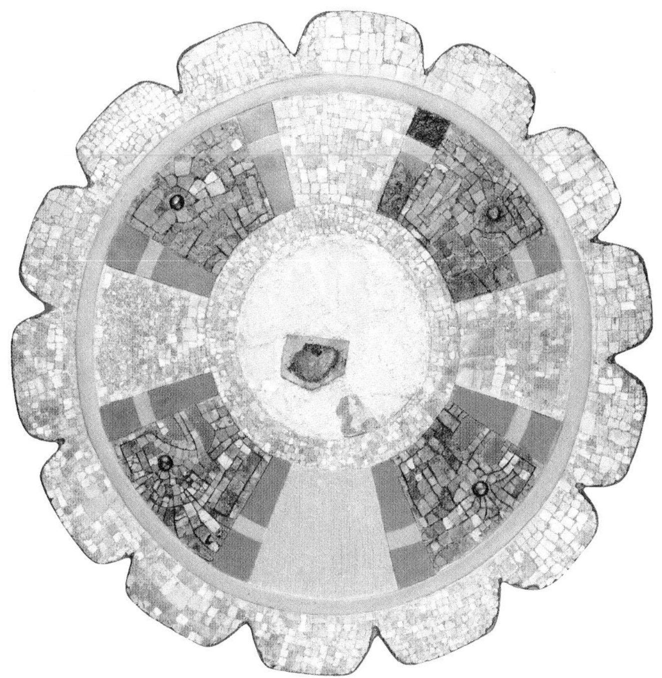

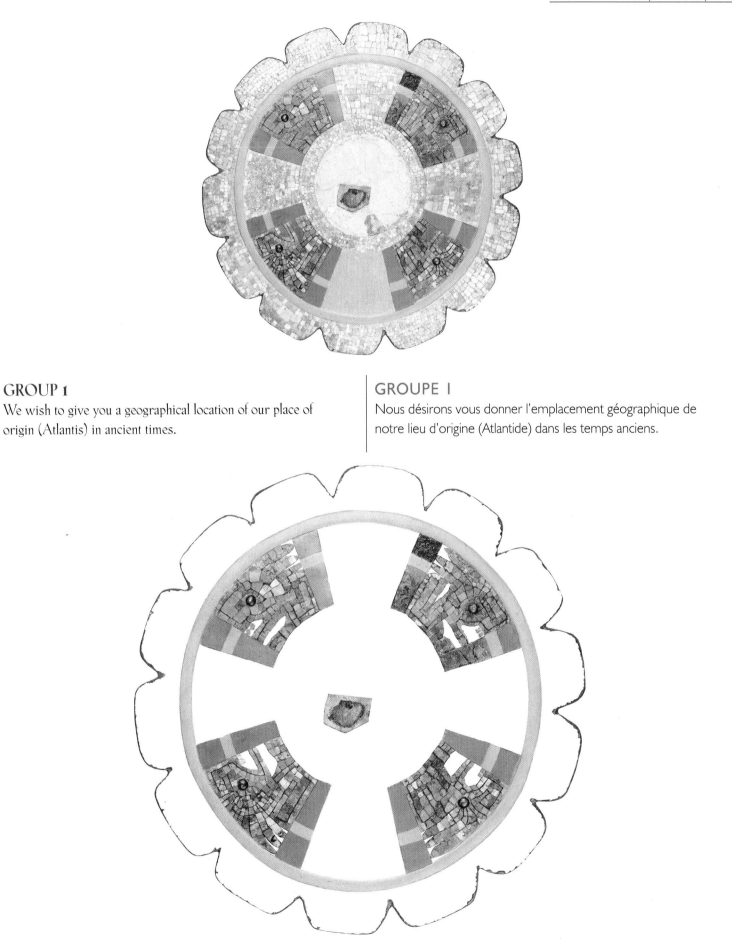

GROUP 1
We wish to give you a geographical location of our place of origin (Atlantis) in ancient times.

GROUPE 1
Nous désirons vous donner l'emplacement géographique de notre lieu d'origine (Atlantide) dans les temps anciens.

The Maya Disk / Le disque maya

The symbols / Les symboles

ROAD

The road is represented by a jade colour trapezoid form, located between the South and West cardinal points. By extrapolation, the jade squares are indications relating to the road.

ROUTE

La route est représentée par une forme trapézoïde de couleur jade, située entre les points cardinaux du Sud et de l'Ouest. Par extrapolation, les carrés de couleur jade sont des indications relatives à la route.

MOUTH

The mouth is the symbol of speech and the two teeth represent numbers. You will see in the next pictograms that numbers are represented by squares which can be translated as 'We wish to indicate to you two geographical coordinates.'

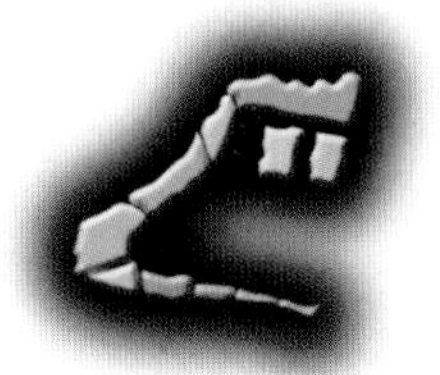

BOUCHE

La bouche est le symbole de la parole et les deux dents représentent deux chiffres. Vous verrez dans les prochains pictogrammes que les nombres sont représentés par des carrés. Nous l'avons traduit par : « nous désirons vous indiquer des coordonnées géographiques ».

DOMICILE

On the forehead of the figures we see the pictogram of the house, domicile or land of origin. We have seen this pictogram in previous chapters. Its location in the head of the figure translates to 'memory of our land of origin.'

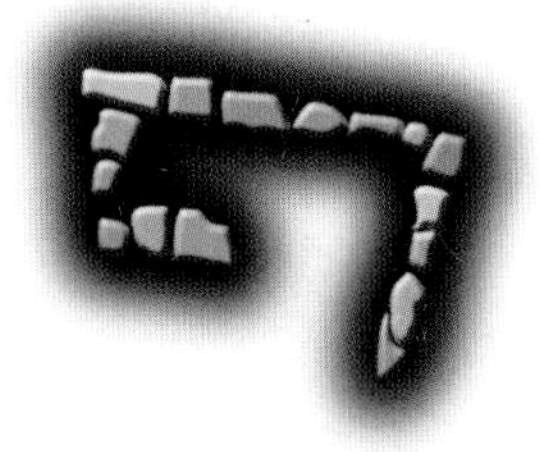

DOMICILE

Sur le front des personnages, nous voyons le pictogramme représentant la maison, le domicile ou le pays d'origine. Nous avons déja vu ce pictogramme précédemment. Sa position dans la tête du personnage se traduit par : « la mémoire de notre lieu d'origine ».

DISAPPEARANCE

The black colour is used to indicate disappearance. The background of the mouth and throat of the figures is black. The south and west figures have a blue stripe leading to the throat. So the translation becomes 'to give you a direction towards our land of origin that has disappeared.'

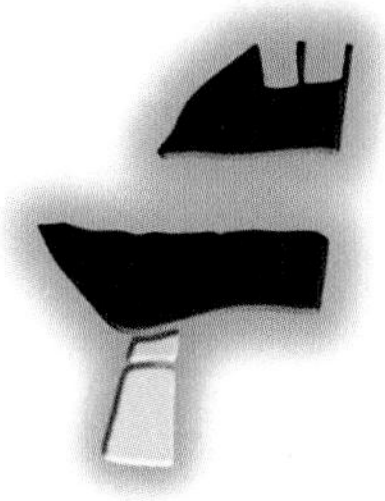

DISPARITION

La couleur noire est utilisée pour signifier la disparition. L'arrière-plan de la bouche et de la gorge des personnages est noir. Les personnages du Sud et de l'Ouest ont une rayure bleue qui mène à la gorge. La traduction devient : « vous donner une direction vers notre lieu d'origine qui a disparu ».

GROUP 2
To help you find it, we have indicated the geographical coordinates to lead you to this disappeared place.

GROUPE 2
Pour vous aider à le retrouver, nous avons indiqué les deux coordonnées géographiques qui vous guideront vers ce lieu disparu.

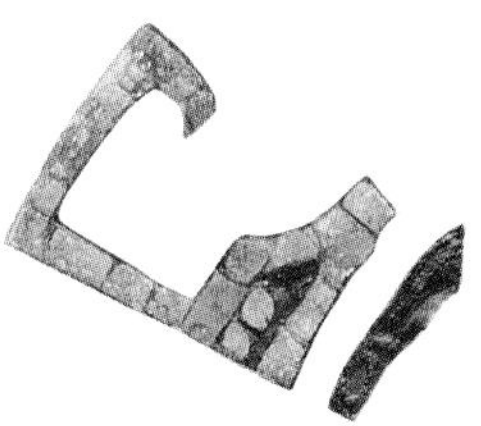

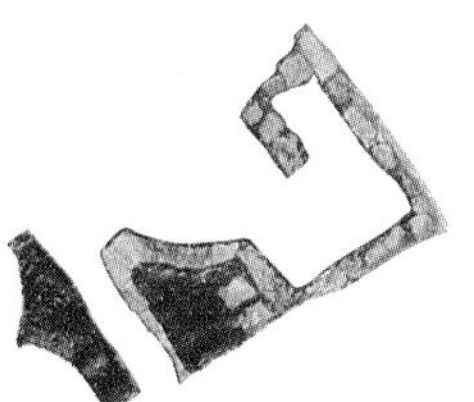

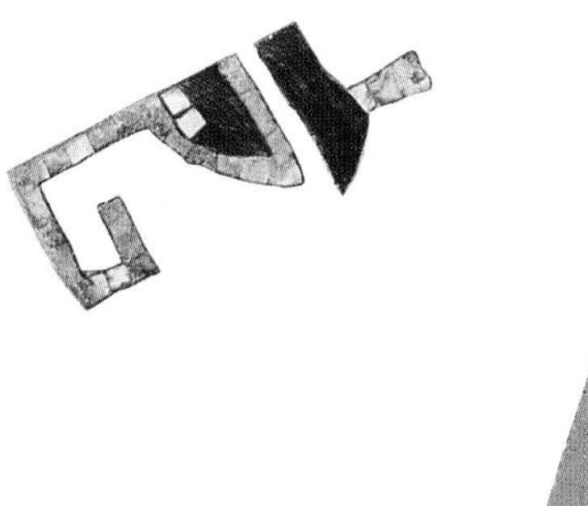

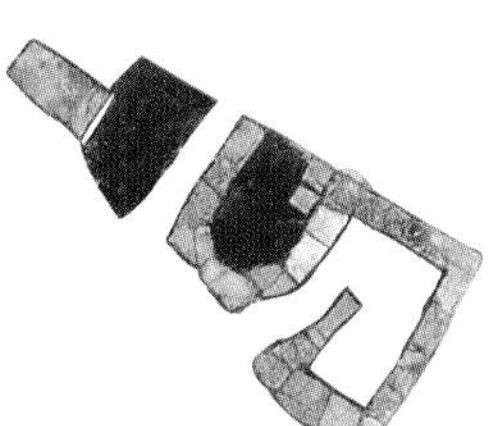

The Maya Disk / Le disque maya

The symbols / Les symboles

CREATION

The spiral pictogram represents creation, existence or an achievement. The jade colour is present in the south and the West pictograms within the corresponding figures.

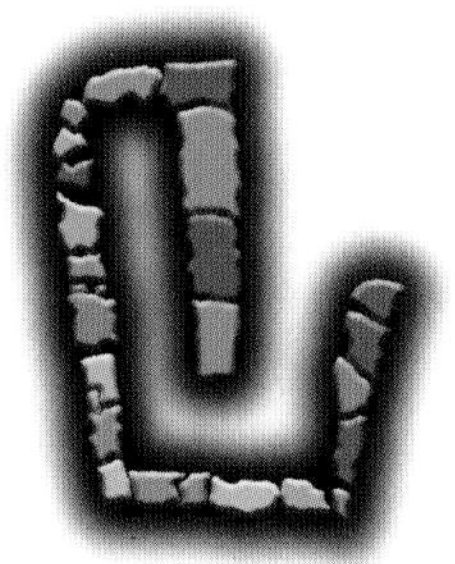

CRÉATION

Le pictogramme de la spirale représente la création, l'existence, ou une réalisation. La couleur jade est présente dans les pictogrammes Sud et Ouest des figures correspondantes.

MEASURE

The West figure's pictogram shows the jade colour at the end of the spiral's two parallel lines. The final parts have two squares at the beginning and the end. The Mayas used two parallel lines with 3 dots on top to write number 13. The jade squares are disposed to give a mesure of 13° west. The south figure has 4 jade squares at the bottom, meaning 4° south.

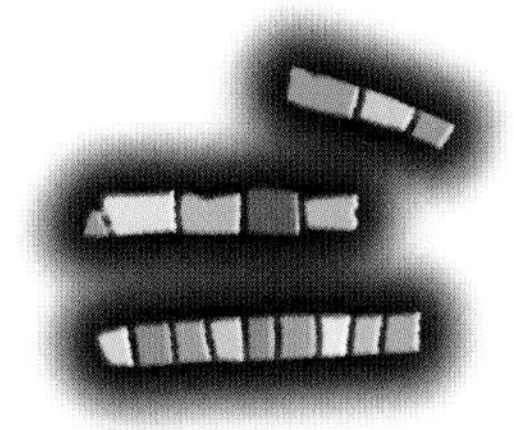

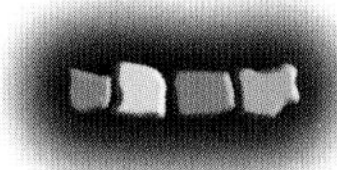

MESURE

Le pictogramme sur la figure Ouest montre la couleur jade à la fin des deux lignes parallèles de la spirale, les parties finales ont deux carrés de jade au début et à la fin. Les Mayas écrivaient le chiffre 13 par deux lignes parallèles surmontées de 3 points. Les carrés de jade indiquent la mesure de 13° Ouest. Le pictogramme du Sud a 4 carrés de jade au bas, pour 4° Sud.

NUMBER

On the two petals near the West figure we see two numbers shown by jade mosaics. The right side is 13 and the left side represents number 12. The same thing for the petals near the south figure: we have numbers 4 and 5 on the left and right sides respectively.

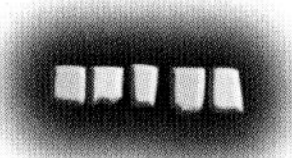

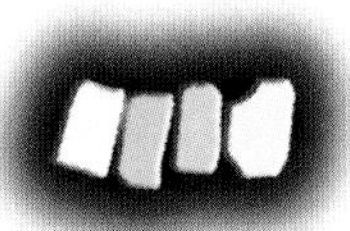

NOMBRE

Sur les deux pétales près de la figure Ouest, nous voyons deux nombres identifiés par la couleur jade des mosaïques. À droite le 13, et à gauche le 12. De même sur les pétales près de la figure Sud les nombres 4 et 5 apparaissent respectivement à gauche et à droite.

TRIANGLE

The pictogram of the triangle represents movement, direction or a specific point, as seen before. The junction point of the two petals forms a triangle, indicating a precise point between 12° to 13° (west), and 4° to 5° (south). We translate it as 12.7° west and 4.3° south of the North Pole.

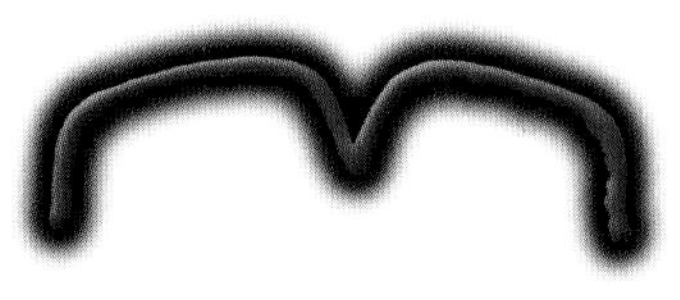

TRIANGLE

Le pictogramme du triangle représente le mouvement, la direction, ou un point spécifique, comme nous l'avons vu précédemment. Le point de jonction de deux pétales forme un triangle qui indique un point précis soit de 12° à 13° (Ouest), et de 4° à 5° (Sud). Nous l'avons traduit par 12.7° ouest et 4.3° sud du pôle Nord.

GROUP 3

The two coordinates of our land of origin (Atlantis) are 12.7° west and 4.3° south of the North Pole.

NOTE

The position of the dot in the center (Ath–Mer) in relation with the Greenland northern tip, leads us to conclude that the prophetic vision of the Mayas foresaw our use of the Greenwich Meridian as point 0°. Without the Maya Disk, the point C (p.235) would have been our last choice.

GROUPE 3

Les deux coordonnées géographiques de notre lieu d'origine (Atlantide) sont 12.7° ouest et 4.3° sud du pôle Nord.

NOTE

La position du point au centre (Ath-Mer), par rapport à la pointe nordique du Groenland, nous mène à conclure que la vision prophétique des Mayas prévoyait notre usage du méridien de Greenwich comme point 0°. Sans le disque maya, le point C (p. 235) aurait été notre dernier choix.

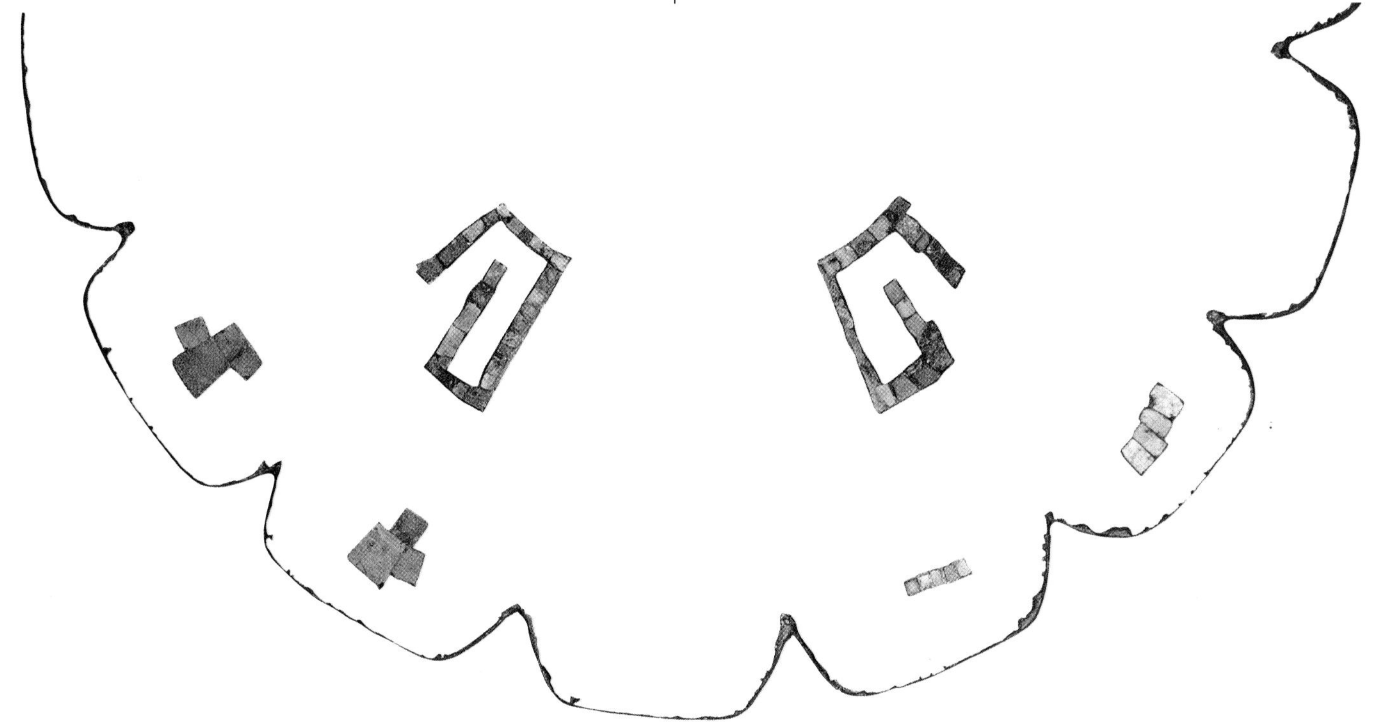

Summary of the messages

Fresco 1

FIRST MESSAGE
After many generations, a time will come where the sacred words of the West will be revealed and reunited with the messages from Orient within a divine work.

SECOND MESSAGE
From the West will come a book which will be produced between 1999 and 2001.

THIRD MESSAGE
This book will reunite the Oriental and the Western worlds.

FOURTH MESSAGE
The divine spirit (spirit of research) will move from East to West.

FIFTH MESSAGE
The masterpiece will be the result of the combined efforts of 9 persons.

SIXTH MESSAGE
For more precision, we have indicated an astronomical position in the constellation of Cepheus that shall guide you to the first heart (Atlantis).

Fresco 2

MESSAGE
Three hearts (civilizations) will be reunited on year one of the third millenium. Atlantis (the hidden heart) will be found when the location of the constellation of Cepheus will be transposed in Earth's coordinates.

Sommaire des messages

Fresque 1

PREMIER MESSAGE
Après de nombreuses générations, viendra un temps où les paroles sacrées de l'Occident seront dévoilées et réunies aux messages de l'Orient dans un travail divin.

SECOND MESSAGE
De l'Occident viendra un livre dont la conception sera réalisée entre 1999 et 2001.

TROISIÈME MESSAGE
Ce livre réunira les deux mondes de l'Orient et de l'Occident.

QUATRIÈME MESSAGE
L'esprit divin (ou l'esprit de la recherche) se déplacera de l'Est à l'Ouest.

CINQUIÈME MESSAGE
L'oeuvre sera le résultat du travail combiné de 9 personnes.

SIXIÈME MESSAGE
Pour une plus grande précision, nous vous présentons une position astronomique dans la constellation de Cepheus, qui vous guidera vers le premier coeur (Atlantide).

Fresque 2

MESSAGE
Trois coeurs (civilisations) seront réunis en l'an un du troisième millénaire. L'Atlantide (le coeur caché) sera retrouvée lorsque l'emplacement de la constellation de Cepheus sera transposée en coordonnées terrestres.

The Maya Disk

GROUP 1
We wish to give you a geographical location of our place of origin (Atlantis) in ancient times.

GROUP 2
To help you find it, we have indicated the geographical coordinates to lead you to this disappeared place.

GROUP 3
The two coordinates of our land of origin (Atlantis) are 12.7° west and 4.3° south of the North Pole.

NOTE
The position of the dot in the center (Ath-Mer) in relation with the Greenland northen tip, leads us to conclude that the prophetic vision of the Mayas foresaw our use of the Greenwich Meridian as point 0°. Without the Maya Disk, the point C (p.235) would have been our last choice.

Le disque maya

GROUPE 1
Nous désirons vous donner l'emplacement géographique de notre lieu d'origine (Atlantide) dans les temps anciens.

GROUPE 2
Pour vous aider à le retrouver, nous avons indiqué les deux coordonnées géographiques qui vous guideront vers ce lieu disparu.

GROUPE 3
Les deux coordonnées géographiques de notre lieu d'origine (Atlantide) sont 12.7° ouest et 4.3° sud du pôle Nord.

NOTE
La position du point au centre (Ath-Mer), par rapport à la pointe nordique du Groenland, nous mène à conclure que la vision prophétique des Mayas prévoyait notre usage du méridien de Greenwich comme point 0°. Sans le disque maya, le point C (p. 235) aurait été notre dernier choix.

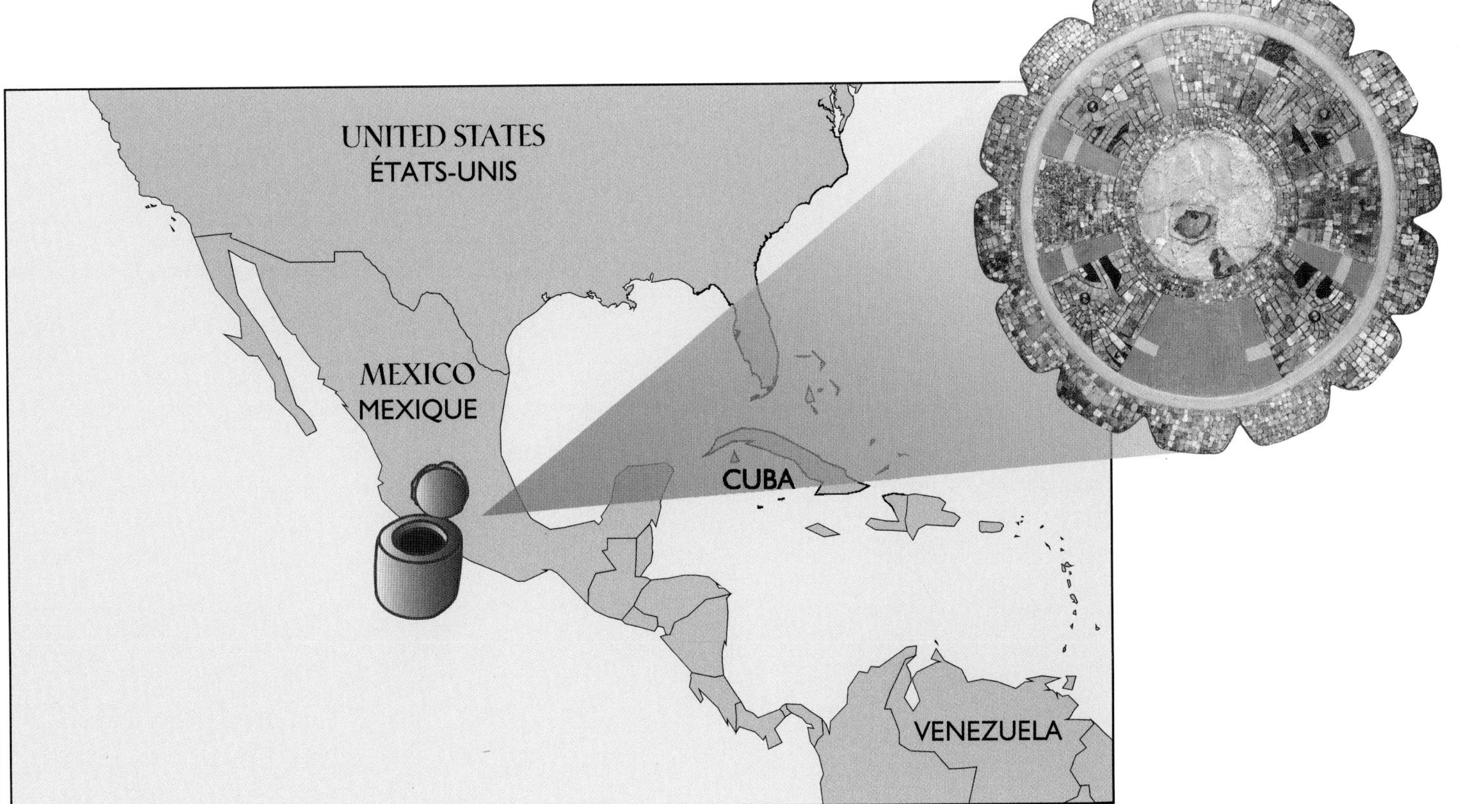

'Ancient Fathers, allow that he,

who has been searching for so long in the darkness of time,

close his eyes at the dawn of the first day of the new order.'

« Pères aînés, permettez que celui qui cherche

depuis si longtemps dans la nuit des temps,

ferme les yeux au lever du premier jour

d'un ordre nouveau. »

Bibliography

Bibliographie

Bibliography / Bibliographie

BELZONI, Giambattista, **Voyages en Égypthe et en Nubie,** Éditions Pygmalion, 1979.

BETRO, Maria Camela, **Hiéroglyphes, les mystères de l'écriture,** Flammarion, 1995.

CREE School Board, **Cree Lexicon,** Nortext Information Design Limited, 1987.

BELLECOUR, Élisabeth, **Nostradamus Trahi,** Éditions Robert Laffont, 1981.

BERNARD, Jean-Louis, **Aux origines de l'Egypte**, Éditions Robert Laffont, 1976.

BONAPARTE, Napoléon, **Description de l'Égypte,** Bibliothèque de l'Image, 1993.

CHAMPDOR, Albert, **Le livre des morts,** Éditions Albin Michel, 1963.

CHAMPOLLION, Jean Francois, **Panthéon Égyptien,** Inter Livres, 1992.
CHAMPOLLION, Jean-François, **Principes généraux de l'écriture sacrée égyptienne,** Institut d'Orient, 1984.

CLÉMENT, d'Alexandrie, **Les Stromates,** Édition du Cerf, 1981.

DAUMAS, François, **La civilisation de l'Égypte pharaonique,** Éditions Arthaud, 1971.

DELSOL, Lysianne, **Le Sphinx et le dernier âge du monde,** Éditions de Vecchi, S.A., 1977.

DOBLHOFER, Ernst, **Le déchiffrement des écritures,** Éditions Arthaud, 1959.

DONADONI, Sergio, **L'Art Égyptien,** Librairie générale française, 1993.

DICKINSON, Terence, **NightWatch,** Firefly Books, 1998.

DRIOTON, Etienne et VANDIER, Jacques, **Les Peuples de l'Orient Méditerranéen,** Presses universitaires de France, 1938.

ENEL, **La Langue sacrée,** Éditions Maisonneuve et Larose, 1968.

FRASER, Roxane, **Baie James - Le guide touristique,** VLB Éditeur, 1995.

GALLIMARD GUIDES, **Crète, Grèce et Égypte.**

GARCIA MÁRQUEZ, Gabriel, **Cent ans de solitude,** Éditions du Club France Loisirs, 1984.

GODART, Louis, **Le disque de Phaistos,** Éditions Itanos, 1995.

GRISWOLD MORLEY, Sylvanus, **The ancient Maya,** Stanford University Press, 1946.

GRANDER, Pierre et MATHIEU, Bernard, **Cours d'égyptien hiéroglyphique,** Éditions Kheops, 1990.

GUIEU, Jimmy, **Le livre du paranormal,** U.G.E. pocket 1993, original edition 1973.

HAPGOOD, Charles H., **Earth's Shifting Crust,** Pantheon Books, 1957.
HAPGOOD, Charles H., **The Path of the Pole,** Chilton Book Company, 1970.
HAPGOOD, Charles H., **Maps of the Ancients Sea Kings,** Adventures Unlimited Press, 1996.

HOGUE, John, **Nostradamus and the Millennium,** Labyrinth Publishing, S.A., 1987.

HORNUNG, Eric, **Das Grab Sethos 1,** Artemis & Winkler, 1999.

HOPE, Murry, **Atlantis myth or reality,** Arran Arkana . Penguin Books, 1991.

JACQ, Christian, **Le petit Champollion illustré,** Éditions Robert Laffont, S.A., 1994.

JAMBLIQUE, **Les mystères d'Égypte,** Éditions Les Belles Lettres, 1966.

KOECHLIN DE BIZEMONT, Dorothée, **L'univers d'Edgar Cayce,** Éditions Robert Laffont, S.A. 1987.

MEZO, Étienne, **Nostradamus, géomètre de l'univers,** Éditions du Rocher, 1996.

PLATON, **Oeuvres complètes,** Éditions Maisonneuve et Larose, 1968.

PLUTARQUE, **Isis et Osiris,** Éditions de la Maisnie, 1979.

SAMIVEL. **Trésors de l'Égypte**, Éditions Arthaud, 1954.

SLOSMAN, Albert, **Les survivants de l'Atlantide**, Éditions Robert Laffont, 1978.
SLOSMAN, Albert, **Le grand cataclysme**, Éditions Robert Laffont, S.A., 1976.
SLOSMAN, Albert, **Et Dieu ressuscita à Dendérah,** Éditions Robert Laffont, S.A., 1980.
SLOSMAN, Albert, **La grande hypothèse**, Éditions Robert Laffont, S.A., 1980.
SLOSMAN, Albert, **Moïse l'égyptien,** Éditions Robert Laffont, S.A., 1981.
SLOSMAN, Albert, **La vie extraordinaire de Pythagore,** Éditions Robert Laffont, S.A., 1979.
SLOSMAN, Albert, **Le livre de l'au-delà de la vie,** Éditions René Beaudoin, 1979.
SLOSMAN, Albert, **Le zodiaque de Dendérah,** Éditions du Rocher, 1980.
SLOSMAN, Albert, **L'astronomie selon les Égyptiens,** Éditions Robert Laffont, S.A., 1983.

STEARN, Jess, **Edgar Cayce, Le prophète,** Éditions Québec Amérique, 1975.

STIERLIN Henri, **The Pre-Colombian Civilizations,** Sunflower Books, 1979.
STIERLIN Henri, **Les pharaons bâtisseurs,** Éditions Terrail, 1992.

TIME-LIFE, **Egypt, land of the Pharaohs,** Time-Life Books (lost civilizations), 1992.

VAILLANCOURT, Louis-Philippe. **Dictionnaire Français-Cri,** Presses de l'Université du Québec, 1992.

WALLIS BUDGE, E.A. **Egyptian Hieroglyphic Dictionary.** Dover, 1977.

Thanks

I wish to mention all those who have accompanied me in the terrestial trip. Wife, children, family and friends: I thank them all for their understanding and joy of living, always present in daily life as well as at work. Listening to my talks on Atlantis hasn't been easy for the last ten years. Whether feeling frustrated or exuberant, many comments, some sarcastic, were made by friends and family. Before putting the pen in the drawer, I will disclose the most memorable ones.
Charles Desmarteau/Jindra Cekota: 'We have old books on the Mayas. Are you interested?'
Yves Gabriel (friend): 'Do you think you will find a serious path one day?'
Robert Grondin (friend): 'Don't give up! You will succeed!'
Guy Pagé (brother): 'You need a vacation, you look bizarre.'
René Gagnon (friend): 'I know a good doctor...'
Céline Desmarteau (my tender spouse): 'It's ok, you're dreaming and you're happy.'
Michel Rivest (friend): Don't talk too much about it; they put away people for less than that!'
Gaspard Morin (friend): I find it's taking you forever to write this book'

I wish I could remember the names of the people in all the countries who have welcomed us. Unfortunately, it has been such a long time, that I cannot remember all the names. I didn't know at that time that I would write a book. My last trip goes back a few years.

A special thanks to the personnel of the Université du Québec à Montréal, the Librairie Henri-Julien in Montreal and the Library of Congress in Washington for their help.

Finally, I want to acknowledge, with the greatest of respect, all those who have shaped the human fantasy by their writings, photographs, paintings and engravings. Some have been reunited again in this book. Living proof that a passionate flame never dies, they have transmitted to us with a diligent complicity the necessary elements in the making of this book.

Remerciements

Je désire mentionner tous ceux qui m'ont accompagné dans le voyage terrestre. Épouse, enfants, famille et amis : je les remercie tous pour leur compréhension et leur joie de vivre omniprésente, autant dans la vie quotidienne qu'au travail. M'écouter parler de l'Atlantide pendant les dix dernières années n'a pas été une synécure ! Oscillant entre l'exéburance et la frustration, j'ai reçu plusieurs commentaires qui me reviennent à l'esprit. Avant de poser la plume, je vais citer les plus mémorables :
Charles Desmarteau / Jindra Cekota : « Nous avons des vieux livres sur les Mayas. Serais-tu interessé ? »
Yves Gabriel (ami) : « Penses-tu arriver à trouver une piste sérieuse un jour ? »
Robert Grondin (ami) : « Lâche pas ! Tu vas réussir ! »
Guy Pagé (frère) : « Tu devrais prendre des vacances, je te trouve un air bizarre. »
René Gagnon (ami) : « Je connais un bon médecin… »
Céline Desmarteau (ma tendre épouse) : « C'est pas grave, tu rêves et tu es heureux. »
Michel Rivest (ami) : « Parles-en pas trop, ils enferment les gens pour moins que ça ! »
Gaspard Morin (ami) : « Je trouve que ça te prend beaucoup de temps à écrire ce livre. »

J'aimerais me rappeler les noms des gens de tous les pays qui nous ont reçus avec beaucoup de gentillesse. Malheureusement, il y a si longtemps que je ne peux me souvenir de tous les noms. Je ne savais pas à cette époque que j'écrirais un livre. Mon dernier voyage remonte déjà à quelques années.

Un merci spécial au personnel de la Bibliothèque de l'Université du Québec à Montréal, de la Librairie Henri-Julien de Montréal, et de la Librairie du Congrès à Washington, pour leur collaboration.

Finalement, je salue respectueusement tous ceux et celles qui ont contribué à modeler l'imaginaire humain par leurs écrits, photographies, peintures et gravures. Vous en avez trouvé quelques-uns à nouveau réunis dans ce livre. Témoignage vivant de la flamme passionnée qui ne s'éteint jamais, ils nous ont transmis avec une diligente complicité les éléments nécessaires à la réalisation de ce livre.

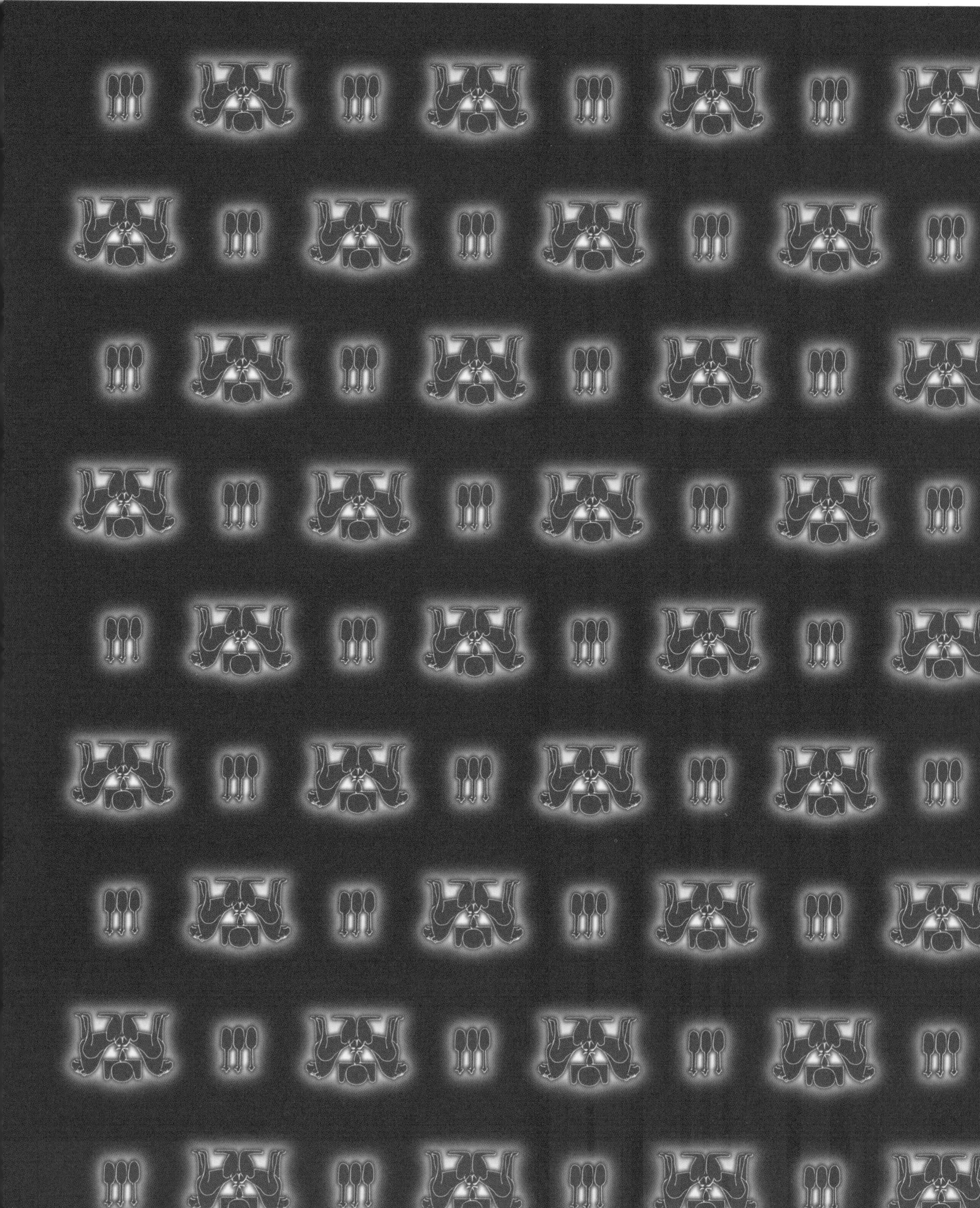